Collection dirigée par Jean-Pierre Demarche

Du mot à la phrase

VOCABULAIRE ALLEMAND CONTEMPORAIN

Albert FINDLING

Professeur agrégé en Classes préparatoires au lycée Kléber, Strasbourg

ISBN 978-2-7298-9709-3

© ellipses / édition marketing S.A., 1997
32 rue Bargue, Paris (15e).

PRÉFACE

Cet ouvrage s'adresse aux élèves du second cycle de l'enseignement secondaire, aux étudiants des classes préparatoires littéraires, économiques et commerciales et scientifiques ainsi qu'à tous ceux qui souhaitent avoir à leur disposition un ouvrage simple qui leur permette d'acquérir rapidement le vocabulaire indispensable dans un champ lexical déterminé.

Chacun sait que la connaissance et la maîtrise du vocabulaire sont une condition incontournable de la compétence linguistique. Nous avons donc voulu mettre à la disposition des élèves et des professeurs un outil qui leur permette d'effectuer ou de faire effectuer les révisions lexicales qu'ils jugeront nécessaires dans le cadre d'un thème lexical donné, complétant ainsi le travail fait en classe. Le but visé est à la fois :
  – d'améliorer la compréhension écrite et orale ;
  – d'enrichir et d'améliorer l'expression écrite et orale pour la rédaction de comptes rendus, d'essais, de commentaires ou de résumés.

Pour cela, nous avons organisé l'ouvrage en quarante-cinq chapitres couvrant l'ensemble des champs lexicaux non techniques. Ce nombre relativement important de chapitres doit à la fois satisfaire les besoins lexicaux d'un public varié et mieux cibler le travail en facilitant la recherche d'un thème lexical précis. En même temps, pour une plus grande clarté de l'ensemble, nous les avons regroupés en neuf grandes parties.

Pour faciliter le travail d'apprentissage et de révision, nous avons subdivisé à l'intérieur de chaque chapitre, le vocabulaire en rubriques thématiques qui, là encore, permettent au professeur et à l'élève de cibler au mieux leur travail. En outre, chaque fois que cela nous a paru utile, nous avons introduit le chapitre par un vocabulaire général qui constitue une approche globale de ce champ lexical.

Concernant le choix des éléments lexicaux, nous avons été guidé par le souci de fournir à chacun des utilisateurs suffisamment de vocabulaire pour pouvoir s'exprimer de façon précise et variée sans alourdir inutilement la masse lexicale. Nous avons donc effectué un tri pour que ne figure dans cet ouvrage que l'essentiel du vocabulaire et des expressions qu'un bon élève du second cycle ou qu'un bon étudiant non spécialiste devrait progressivement maîtriser.

À l'intérieur de chaque chapitre et rubrique le vocabulaire a été organisé selon une cohérence à la fois sémantique et morphologique, de manière à faciliter la mémorisation et l'assimilation des mots. Enfin, nous avons tenu — comme le titre de l'ouvrage l'indique — à illustrer l'emploi des mots les plus importants ou de ceux qui peuvent poser un problème d'emploi, par des expressions ou des phrases qui doivent permettre à l'élève de passer de l'apprentissage à l'emploi actif.

Conçu pour être avant tout un outil d'apprentissage et de révision en vue d'examens ou de concours, cet ouvrage devrait permettre à chacun d'acquérir progressivement et systématiquement le vocabulaire nécessaire à ces épreuves. Il peut enfin servir de vade-mecum utile lors d'un séjour en pays germanophone.

Notre souhait est enfin que ce livre soit pour les professeurs l'outil complémentaire au travail fait en classe et pour les élèves un moyen simple et efficace d'améliorer leur pratique de l'allemand. D'avance, nous remercions les utilisateurs et les collègues qui voudront bien nous faire part de leurs observations ou de leurs critiques.

L'auteur

TABLE DES MATIÈRES

ABRÉVIATIONS ET CONVENTIONS

1) Abréviations et signes

A	Accusatif
D	Datif
G	Génitif

(adj.)	adjectif Cette abréviation après un nom signifie que celui-ci se décline comme un adjectif épithète.
(pl.)	pluriel Cette mention signifie que le nom ne s'emploie en allemand qu'au pluriel.
(sg.)	singulier Le nom ne s'emploie en allemand qu'au singulier.
(fam.)	familier
(vulg.)	vulgaire
(péj.)	péjoratif
(Prov.)	proverbe

qn.	quelqu'un
qch.	quelque chose
etw.	etwas
jm.	jemandem
jn.	jemanden
jds.	jemandes
≠	antonyme
/	La barre oblique entre deux mots signifie que les deux mots sont à peu près synonymes ou constituent des variantes lexicales. À l'intérieur d'un verbe allemand, elle signifie que la particule verbale est séparable. *Ex.* auf/wachen (se réveiller) —> Er wacht auf; er ist aufgewacht.

2) Substantifs

En règle générale, nous n'indiquons entre parenthèses après le nom que la forme du pluriel, ce qui implique que le nom suit une déclinaison normale au singulier :
– Pour les masculins et les neutres, la marque -*s* au génitif, pas de changement aux autres cas.
– Pour les féminins, aucun changement au singulier.

Lorsqu'il s'agit d'un masculin faible, il est suivi de 2 marques : (n, n) ou (en, en).

Les masculins ou les neutres irréguliers sont suivis de 3 marques : (ns, n, n) ou (ens, en, en).

Lorsque le nom n'est suivi d'aucune indication, cela signifie que le pluriel est rare ou inusité.

1. der Mann (¨er)
das Rad (¨er)

Le nom ne subit pas de changement au singulier, sauf la marque normale du génitif (-s) pour les masculins et les neutres, et il prend la marque (¨er) au pluriel :
—> die Männer, die Räder

der Schüler (-)

idem et pluriel (-)
—> die Schüler

der Garten (¨)

idem et pluriel (¨)
—> die Gärten

der Stuhl (¨e)

idem et pluriel (¨e)
—> die Stühle

der Tisch (e)

idem et pluriel (e)
—> die Tische

das Bett (en)

idem et pluriel (en)
—> die Betten

die Straße (n)

idem et pluriel (n)
—> die Straßen

das Auto (s)

idem et pluriel (s)
—> die Autos

2. der Riese (n, n)
der Mensch (en, en)

Il s'agit d'un masculin faible qui prend la marque (n) ou (en) à tous les cas sauf au nominatif singulier : der Riese, des (dem, den) Riesen, die Riesen ; der Mensch, des (dem, den) Menschen, die Menschen.

3. das Herz (ens, en, en)

Déclinaison irrégulière au singulier : des Herzens, dem Herzen ; plur. : die Herzen

4. der Reisende (adj.)

Le nom est formé sur un adjectif ou un participe et se décline comme un adjectif épithète : der Reisende, des Reisenden, ein Reisender, die Reisenden, Rei sende.

3) Le verbe
1. fallen (ie, a, ä, ist)

Les voyelles indiquées entre parenthèses indiquent qu'il s'agit d'un verbe fort. Elles s'appliquent successivement à la voyelle radicale du prétérit, du participe passé et de la 2e et 3e personne du présent de l'indicatif, au cas où celle-ci change. La mention *ist* indique que le verbe se conjugue avec l'auxiliaire *sein ;* lorsque cette précision ne figure pas, le verbe se con juguera toujours avec *haben* : fallen, fiel, gefallen, du fällst, er fällt, er ist gefallen.

2. spielen

Lorsque le verbe n'est suivi d'aucune indication, cela signifie qu'il a une conjugaison faible régulière et qu'il s'emploie comme le verbe français transitif ou intransitif : spielen, spielte, er hat gespielt.

3. jn. / etw. bekämpfen

indique la nature du complément du verbe (personne ou chose) ainsi que le cas (jn. = jemand**en**), *combattre qn. / qch.*

4. sich (D) vor/stellen

(D) indique que le pronom réfléchi est au datif : ich stelle mir vor... ; *je m'imagine...*
Lorsque le pronom réfléchi n'est suivi d'aucune indication de cas, c'est que le verbe est transitif comme en français, donc suivi de l'accusatif.

I. DER MENSCH

---

1 • DER MENSCHLICHE KÖRPER   LE CORPS HUMAIN

Vocabulaire général

der Körper (-)	le corps	riesig	gigantesque
körperlich	corporel, physique	der Zwerg (e)	le nain
der Leib (er)	1. le corps	wiegen (o, o)	peser
	2. le ventre	das Gewicht (e)	le poids
die Gestalt (en)	la silhouette	zu/nehmen (a, o, i)	grossir,
groß	grand		prendre du poids
die Größe (n)	la taille	ab/nehmen (a, o, i)	maigrir,
klein	petit		perdre du poids
stämmig	trapu	die Figur	la ligne
dünn	mince		
mager	maigre	die Haut (¨e)	la peau
die Magerkeit	la maigreur	der Muskel (n)	le muscle
schlank	svelte	das Fleisch	la chair
die Schlankheit	la sveltesse	der Knochen (-)	l'os
stark	fort	das Knochengerüst (e),	
die Stärke	la force	das Skelett (e)	le squelette
die Kraft (¨e)	la force / la vigueur	die Wirbelsäule (n),	la colonne
kräftig	vigoureux	das Rückgrat (e)	vertébrale
dick	gros	die Rippe (n)	la côte
beleibt	corpulent	der Nerv (en)	le nerf
der Riese (n, n)	le géant	das Nervensystem (e)	le système nerveux

• *Expressions et phrases*

die körperliche Tätigkeit	*l'activité physique*
ein Mann von hohem Wuchs	*un homme de grande taille*
ein Mann mittlerer Größe	*un homme de taille moyenne*
bei vollen Kräften sein	*être en pleine possession de ses moyens*
Sie hat schon wieder zugenommen.	*Elle a encore pris du poids.*
Er geht durch dick und dünn.	*Il est prêt à affronter toutes les épreuves de la vie.*
Er ist mit Leib und Seele dabei.	*Il se donne à fond.*
Er ist noch einmal mit heiler Haut davongekommen.	*Il s'en est encore tiré sain et sauf.*

Das geht mir auf die Nerven. (fam.)   *Cela me tape sur les nerfs.*
Er ist ein Mensch ohne Rückgrat.   *C'est un homme sans caractère.*

Vocabulaire spécialisé

KOPF UND GESICHT
LA TÊTE ET LE VISAGE

der Kopf (¨e)	la tête	entzückend	ravissant
der Schädel (-)	le crâne	blaß, bleich	pâle
das Gehirn (e)	le cerveau	braun / gebräunt	hâlé / bronzé
der Nacken (-)	la nuque		
der Hals (¨e)	le cou	die Stirn (en) (pl. rare)	le front
das Haar (sg.)	la chevelure	die Runzel (n)	la ride
das Haar (e)	le cheveu	die Wange (n),	
dunkelhaarig sein	avoir les cheveux	die Backe (n)	la joue
	châtains	die Schläfe (n)	la tempe
hellhaarig, blond sein	avoir les cheveux	das Kinn (e)	le menton
	clairs / blonds	der Kiefer (-)	la mâchoire
die Frisur (en)	la coiffure	beißen (i, i)	mordre
der Scheitel (-)	la raie	kauen	mâcher
die Locke (n)	la boucle	der Mund (¨er)	la bouche
lockig	bouclé	die Lippe (n)	la lèvre
glatt	lisse	der Zahn (¨e)	la dent
gekräuselt	frisé	das Zahnfleisch	la gencive
der Bart (¨e)	la barbe	der Gaumen (-)	le palais
der Schnurrbart (¨e)	la moustache	die Zunge (n)	la langue
das Gesicht (er)	le visage	das Auge (n)	l'œil
der Gesichtszug (¨e)	le trait du visage	die Augenbraue (n)	le sourcil
der Gesichtsausdruck,	l'expression du	das (Augen)lid (er)	la paupière
die Miene (n)	visage	die Wimper (n)	le cil
die Gesichtsfarbe (n)	le teint	blauäugig	1. aux yeux bleus
die Hautfarbe (n)	la couleur de la peau		2. (fig.) naïf
hübsch	joli	die Nase (n)	le nez
schön	beau	das Nasenloch (¨er)	la narine
reizend	charmant	das Ohr (en)	l'oreille

• *Expressions et phrases*

den Kopf senken   *baisser la tête*
den Kopf schütteln   *secouer la tête*
Kopf hoch! (fig.)   *Redresse la tête ! = Ne te laisse pas aller !*
nicken   *approuver de la tête*
jemanden vor den Kopf stoßen (ie, o, ö)   *heurter quelqu'un (au sens de choquer)*
(fig.)
Sie hat ihm den Kopf gewaschen. (u, a ä)   *Elle lui a passé un savon.*
(fam.)
Sie hat schönes, volles Haar.   *Elle a de beaux cheveux, bien fournis.*
Er schreit aus vollem Halse.   *Il crie à tue-tête.*
Sie fällt ihm um den Hals.   *Elle lui tombe dans les bras / saute au cou.*

Er steckt in Schulden bis an den Hals.
Er bietet mir die Stirn. (fig.)
Ihm stehen die Haare zu Berge.
Er nimmt kein Blatt vor den Mund. (fig.)

Il est criblé de dettes.
Il me fait front.
Ses cheveux se dressent sur sa tête.
Il ne mâche pas ses mots.

DIE FÜNF SINNE
LES CINQ SENS

der Sinn (e)	le sens
die fünf Sinne	les cinq sens
wahr/nehmen (a, o, i)	percevoir

Das Gesicht, das Sehvermögen
La vue

die Sicht	la vue	erblicken	apercevoir
sehen (a, e, ie)	voir	beobachten	observer
kurzsichtig	myope	betrachten	considérer,
die Kurzsichtigkeit	la myopie		contempler
weitsichtig	1. presbyte	starren	regarder fixement
	2. qui voit loin	jn. an/starren	fixer qn. du regard
die Weitsicht	la vision à long	die Brille (n)	les lunettes
	terme	die Kontaktlinse (n)	la lentille de contact
schauen	regarder	das Fernglas (¨er)	les jumelles
sich (D) etw.		blind	aveugle
an/schauen,		der Blinde (adj.)	l'aveugle
an/sehen (a, e, ie)	regarder qch.	die Blindheit	la cécité
gucken (fam.)	regarder	sichtbar	visible
der Blick (e)	le regard	unsichtbar	invisible
der Augenblick (e)	l'instant	offensichtlich	visiblement,
der Anblick (e)	la vue		manifeste(ment)
beim Anblick + G	à la vue de		

Das Gehör
L'ouïe

hören	entendre	laut	bruyant, à voix haute
jm. zu/hören	écouter qn.,	leise	silencieux,
auf jn. hören	écouter qn.,		à voix basse
	suivre ses conseils,	flüstern	chuchoter
	obéir à qn.	die Stille	le silence (absence
sich (D) etw. an/hören	écouter qch.		de bruit)
horchen (intr.)	prêter l'oreille	das Schweigen	le silence (absence
schwerhörig	malentendant		de paroles)
taub	sourd	der Ton (¨e)	le son, le ton
taubstumm	sourd-muet	der Schall (e)	
der Taubstumme (adj.)	le sourd-muet	der Laut (e)	le son
das Hörgerät (e)	l'appareil auditif	läuten	sonner (cloches,
das Geräusch (e)	le bruit		téléphone)
	(isolé, ponctuel)	der Klang (¨e)	la sonorité,
der Lärm (sg.)	le bruit		la résonance
der Krach (sg.)	le vacarme	klingen (a, u)	résonner

Der Geschmack
Le goût

geschmacklos	insipide, sans saveur	schmecken (intr.)	goûter
geschmackvoll	qui a du goût		(plaire au goût)
		kosten (tr.)	goûter, déguster

Der Geruch (¨e)
L'odeur

der Geruchssinn	l'odorat	das Parfüm (e)	
riechen (o, o)	sentir	das Parfum (s)	le parfum (fabriqué)
duften	sentir bon	stinken (a, u)	sentir mauvais, puer
der Duft (¨e)	1. la bonne odeur	der Gestank (sg.)	la puanteur
	2. le parfum (d'une fleur)		

Der Tastsinn
Le toucher

das Gefühl (sg.)	la sensation, le toucher	empfindlich	1. sensible (au corps)
empfinden	ressentir		2. susceptible
die Empfindung (en)	la sensation	empfindsam	sensible (sentiments)
		spüren	ressentir

• *Expressions et phrases*

Auge um Auge, Zahn um Zahn! (Prov.)	*Œil pour œil, dent pour dent !*
jemanden aus den Augen verlieren (o, o)	*perdre qn. de vue*
unter vier Augen	*entre quatre z'yeux*
Du mußt dir diesen Film ansehen.	*Il faut que tu voies ce film.*
Warum starrst du mich so an?	*Qu'as-tu à me regarder ainsi ?*
Ich kann diesen Anblick nicht ertragen.	*Je ne peux pas supporter ce spectacle (cette vue).*
Er sieht alles durch eine rosarote Brille.	*Il voit tout en rose.*
Du hättest auf mich hören sollen.	*Tu aurais dû m'écouter.*
Diese Platte mußt du dir anhören.	*Il faut que tu écoutes ce disque.*
Der Klang ihrer Stimme ist bezaubernd.	*Le son de sa voix est ravissant.*
Die Glocken läuten.	*Les cloches sonnent.*
Er gibt keinen Laut von sich.	*Il ne souffle mot.*
Was für ein Lärm!	*Quel vacarme !*
Über Geschmack läßt sich streiten.	*Les goûts et couleurs ne se discutent pas.*
Hat's geschmeckt?	*Alors, c'était bon ?*
Das Essen hat vorzüglich geschmeckt.	*Le repas était délicieux.*
Er ist wirklich ein Feinschmecker.	*Il est vraiment un fin gourmet.*
Hier riecht es nach Tabak.	*Cela sent le tabac ici.*
Ich hab' die Nase voll. (fam.)	*J'en ai ras le bol.*
Er ist sehr empfindlich.	*Il est très sensible. (ou susceptible)*
Ich bin nicht empfindlich gegen Kälte.	*Je ne suis pas sensible au froid.*

RUMPF UND GLIEDER
LE TRONC ET LES MEMBRES

der Rumpf ("e)	le tronc	die Sehne (n)	le tendon
der Oberkörper (-)	le buste	die Hand ("e)	la main
die Brust ("e)	la poitrine, le sein	der Finger (-)	le doigt
der Rücken (-)	le dos	der Daumen (-)	le pouce
der Bauch ("e)	le ventre	der Nagel (")	l'ongle
das Becken (-)	le bassin	das Gelenk (e)	l'articulation
die Hüfte (n)	la hanche	das Handgelenk (e)	le poignet
der Unterleib	le bas-ventre	die Faust ("e)	le poing
der Hintern (-),		der (Ober)Schenkel (-)	la cuisse
das Gesäß (e)	le derrière	das Knie (-)	le genou
der Arsch ("e) (vulg.)	le cul	das Bein (e)	la jambe
das Glied (er)	le membre	der Fuß ("e)	le pied
die Gliedmaßen (pl.)	les membres	der Knöchel (-)	la cheville
der Arm (e)	le bras	die Zehe (n),	
die Schulter (n)	l'épaule	der Zeh (en)	l'orteil
der Ellenbogen (-)	le coude	die Ferse (n)	le talon

• *Expressions et phrases*

die Faust ballen	*serrer les poings*
auf eigene Faust handeln (fig.)	*agir de sa propre initiative*
mit der Faust auf den Tisch hauen (fig.)	*taper du poing sur la table*
Er steht mit dem Rücken zur Wand.	*Il a le dos au mur.*
Er nimmt alles auf die leichte Schulter.	*Il prend tout à la légère.*
Schulter an Schulter mit jemandem arbeiten	*travailler en étroite collaboration avec qn.*
jemanden auf den Arm nehmen (a, o, i) (fig.)	*se moquer de qn.*
jemandem in die Arme fallen (ie, a, ä, ist) (fig.)	*tomber dans les bras de qn.*
die Ellenbogengesellschaft	*la société « où l'on joue des coudes »*
Er nimmt die ganze Sache in die Hand.	*Il prend toute l'affaire en main.*
Sie arbeiten Hand in Hand.	*Ils travaillent la main dans la main.*
Das liegt doch auf der Hand!	*Mais c'est évident !*
Er ist ein Mann mit Rückgrat.	*C'est un homme de caractère.*
Laß die Finger davon!	*N'y touche pas !*
Man muß ihm auf die Finger sehen. (a, e, ie) (fig.)	*Il faut l'avoir à l'œil.*
Er rührt keinen Finger. (fig.)	*Il ne bouge même pas le petit doigt.*
Ich habe ihm auf die Beine geholfen. (fig.)	*Je l'ai aidé à se remettre sur pied.*
zu Fuß gehen (i, a, ist)	*aller à pied*
Sie leben auf großem Fuß. (fig.)	*Ils vivent sur un grand pied.*
Er wehrt sich mit Händen und Füßen.	*Il se défend bec et ongles.*

DIE ORGANE
LES ORGANES

das Organ (e)	l'organe	das Herz (ns, n, n)	le cœur
die Lunge (n)	le poumon	der Pulsschlag ("e)	le pouls
atmen	respirer	das Blut	le sang
der Atem	la respiration, le souffle	bluten	saigner
die Atemwege	les voies respiratoires	der (Blut)Kreislauf	la circulation (sanguine)
		die Ader (n)	l'artère
		die Vene (n)	la veine

der Magen (¨)	l'estomac	der Darm	l'intestin
verdauen	digérer	die Gedärme	les intestins
die Verdauung	la digestion	die Niere (n)	le rein
der Speichel (-)	la salive	die Blase (n)	la vessie
spucken	cracher	der Urin	l'urine
die Drüse (n)	la glande	urinieren	uriner
die Leber (n)	le foie	pinkeln (fam.)	faire pipi
die Galle (n)	la bile	pissen (vulg.)	pisser

- *Expressions et phrases*

den Atem an/halten (ie, a, ä)	*retenir son souffle*
außer Atem sein	*être hors d'haleine*
Mir geht der Atem aus.	*Je suis à bout de souffle.*
die Bande des Blutes	*les liens du sang*
Das liegt ihm im Blute. (fig.)	*Il a cela dans le sang.*
Er nimmt sich das sehr zu Herzen.	*Il prend cela très à cœur.*
Das Essen liegt mir schwer im Magen.	*Le repas me reste sur l'estomac.*
Er wurde auf Herz und Nieren geprüft.	*Il a été examiné sous toutes les coutures.*
Er redet frei von der Leber weg.	*Il dit les choses comme il les pense.*

SEXUALITÄT UND MUTTERSCHAFT
SEXUALITÉ ET MATERNITÉ

das Geschlecht (er)	le sexe	die Fehlgeburt (en)	la fausse-couche
das Menschen-	l'espèce	die Frühgeburt (en)	la naissance
geschlecht	humaine		prématurée
das Geschlechtsteil (e)	l'organe génital	der Neugeborene (adj.)	le nouveau-né
sexuell, geschlechtlich	sexuel	der Säugling (e)	le nourrisson
der Sex	le sexe		
die Sexualität	la sexualité	die Fortpflanzung	la reproduction
der Geschlechts-		sich fort/pflanzen	se reproduire
verkehr (sg.)	les relations sexuelles	zeugen	procréer
der Sexualpartner (-)	le partenaire sexuel	die Zeugung	la procréation
das (Liebes)ver-	la relation	fruchtbar	fécond
hältnis (se)	(amoureuse)	unfruchtbar	stérile
mit jm. schlafen		befruchten	féconder
(ie, a, ä)	coucher avec qn.	die künstliche	la fécondation
		Befruchtung	artificielle
die Mutterschaft (en)	la maternité	die Genetik	la génétique
entbinden (a, u) (intr.)	accoucher	die Gentechnik (en)	la technique
die Entbindung (en)	l'accouchement		génétique
gebären (a, o) (trans.)	mettre au monde	das Retortenbaby (s)	le bébé-éprouvette
die Geburt (en)	la naissance	der Embryo (nen)	l'embryon

EMPFÄNGNISVERHÜTUNG UND ABTREIBUNG
CONTRACEPTION ET AVORTEMENT

verhüten	empêcher	die Pille (n)	la pilule
die Empfängnis-		die Geburtenkontrolle	le contrôle
verhütung	la contraception		des naissances
das Verhütungs-		die Sexualaufklärung	l'éducation sexuelle
mittel (-)	le contraceptif	schwanger sein	être enceinte
der / das Kondom (e)	le préservatif		

die Schwanger-		ab/treiben (ie, ie)	avorter
schaft (en)	la grossesse	der Schwangerschafts-	l'interruption
die Abtreibung (en)	l'avortement	abbruch (¨e)	de grossesse

• *Expressions et phrases*

die Pille nehmen (a, o, i)	*prendre la pilule*
die Schwangerschaft ab/brechen (a, o, i)	*interrompre la grossesse*
eine Abtreibung vor/nehmen (a, o, i)	*procéder à un avortement*
Die Pille und das Kondom sind die	*La pilule et le préservatif sont les*
meistbenutzten Verhütungsmittel.	*contraceptifs les plus utilisés.*
Ist die Pille schuld	*La pilule est-elle responsable de la baisse*
am Geburtenrückgang?	*de la natalité ?*
das Mutterschaftsgeld	*l'allocation-maternité*
Unfruchtbare Frauen können künstlich	*Les femmes stériles peuvent être fécondées*
befruchtet werden.	*artificiellement.*
Sie hat in einer Klinik entbunden und hat	*Elle a accouché dans une clinique et a mis*
einen Jungen geboren.	*au monde un garçon.*

---

2. GEIST UND GEMÜT   L'ESPRIT ET LES SENTIMENTS

Vocabulaire général

DAS DENKEN
LA PENSÉE

denken		sich (D) etw. überlegen	réfléchir à qch
(dachte, gedacht)	penser	ein/fallen	
denken an + A	penser à	(ie, a, ä, ist) + D	venir à l'esprit
der Gedanke (ns, n)	la pensée	die Überlegung (en)	la réflexion
die Idee (n)	l'idée	verstehen (a, a)	comprendre
die Ahnung (en)	l'idée,	der Verstand	la raison
	le pressentiment	verständig	raisonnable
ahnen	pressentir	die Vernunft	la raison
der Begriff (e)	la notion, le concept	vernünftig	raisonnable
der Geist (er)	l'esprit		
geistig	ayant trait à l'esprit,	witzig	spirituel
	spirituel	verständlich	compréhensible
nach/denken über + A	réfléchir à	scharfsinnig	perspicace
überlegen (intr.)	réfléchir, méditer	der Scharfsinn	la perspicacité

GEDÄCHTNIS UND ERINNERUNG
MÉMOIRE ET SOUVENIR

das Gedächtnis (sg.)	la mémoire	die Erinnerung (en)	le souvenir
das Bewußtsein	la conscience	vergessen (a, e, i)	oublier
sich (D) bewußt		die Vergessenheit	l'oubli
sein + G	être conscient de	vergeßlich	oublieux
sich erinnern an + A	se souvenir de		

- *Expressions et phrases*

auf eine Idee / einen Gedanken kommen (a, o, ist)	*avoir une idée*
Ich habe keine Ahnung davon.	*Je n'en ai aucune idée.*
Ich habe eine böse Ahnung.	*J'ai un mauvais pressentiment.*
Das hätte ich nie gedacht!	*Je n'aurais jamais pensé cela !*
Ich habe über dieses Problem lange nachgedacht.	*J'ai longtemps réfléchi à ce problème.*
Du mußt dir das gut überlegen.	*Il faut que tu y réfléchisses bien.*
Es ist mir gerade etwas eingefallen.	*Je viens d'avoir une idée.*
Was fällt dir ein?	*Qu'est-ce qu'il te prend ?*
Was verstehst du unter dem Begriff Philosophie?	*Qu'entends-tu par la notion de philosophie ?*
Er hat ein gutes Gedächtnis.	*Il a une bonne mémoire.*
Ich bin mir dieses Problems bewußt.	*Je suis conscient de ce problème.*
Kannst du dich an ihn erinnern?	*Te souviens-tu de lui ?*
Dieser Autor ist in Vergessenheit geraten.	*Cet auteur est tombé dans l'oubli.*

Vocabulaire spécialisé

DIE MEINUNG
L'OPINION

die Meinung (en),		das Urteil (e)	le jugement
die Ansicht (en)	l'opinion	urteilen über + A	juger de
meinen	penser,	beurteilen + A	juger de
	exprimer un avis	das Vorurteil (e)	le préjugé
der Standpunkt (e)	le point de vue	vermuten	supposer
die Auffassung (en)	la conception	die Vermutung (en),	
die Vorstellung (en)	l'idée (qu'on se fait	die Annahme (n)	la supposition
	de qch.)	an/nehmen (a, o, i)	admettre, supposer
sich (D) etw.	se représenter qch.,	zweifeln an + D,	
vor/stellen	s'imaginer qch.	etw. bezweifeln (tr.)	douter de qch.
sich (D) etw.	s'imaginer qch.	der Zweifel (-)	le doute
ein/bilden	(à tort)	zweifelhaft	douteux
scheinen (ie, ie)	sembler	skeptisch	sceptique
vor/kommen		behaupten	affirmer
(a, o, ist) + D	paraître	die Behauptung (en)	l'affirmation
die Phantasie,		jn. überzeugen	convaincre qn.
die Einbildungskraft	l'imagination	die Überzeugung	la conviction
der Eindruck (¨e)	l'impression	jn. überreden	persuader qn.
beeindrucken	impressionner	beweisen (ie, ie)	prouver
eindrucksvoll,		der Beweis (e)	la preuve
beeindruckend	impressionnant	die Beweisführung (en)	la démonstration

sich einig sein über + A	partager	das Genie (s)	le génie
	la même opinion	genial	génial
einverstanden		schlau	rusé
sein mit + D	être d'accord avec	die Schlauheit	la ruse
widersprechen		das Talent (e)	le talent
(a, o, i) + D	contredire	begabt für + A	doué, talentueux
		die Begabung (en)	le talent
klug, intelligent	intelligent	fähig zu + D	capable de
die Klugheit,		die Fähigkeit (en)	la capacité,
die Intelligenz	l'intelligence		l'aptitude

• *Expressions et phrases*

seine Meinung äußern	*exprimer son opinion*
einen Standpunkt vertreten (a, e, i)	*défendre un point de vue*
Er hat komische Auffassungen.	*Il a de curieuses idées.*
Ich kann mir das nicht vorstellen.	*Je ne peux pas m'imaginer cela.*
Er bildet sich ein, alles zu wissen.	*Il s'imagine tout savoir.*
Das kommt mir komisch vor.	*Cela me paraît bizarre.*
eine eindrucksvolle Leistung	*une performance impressionnante*
ein wohlüberlegtes Urteil	*un jugement bien réfléchi*
Ich kann mir keine Meinung darüber	*Je n'arrive pas à me faire une opinion*
bilden.	*là-dessus.*
Das ist schwer zu beurteilen.	*C'est difficile de juger.*
Meine Vermutung hat sich bestätigt.	*Ma supposition s'est confirmée / vérifiée.*
Ich nehme an, daß er recht hat.	*Je suppose qu'il a raison.*
Ich zweifle sehr an seiner Unschuld.	*Je doute fort de son innocence.*
Das ist eine unbegründete Behauptung.	*Voilà une affirmation non fondée.*
Ich bin fest davon überzeugt.	*J'en suis fermement convaincu.*
Er hat mich zu diesem Kauf überredet.	*Il m'a persuadé de faire cet achat.*
Ich habe ihm bewiesen, daß er sich irrte.	*Je lui ai prouvé qu'il s'est trompé.*
Wir sind uns darüber einig.	*Nous sommes du même avis.*
Ich bin damit einverstanden.	*Je suis d'accord avec cela.*
Ich bin mit dir einverstanden.	*Je suis d'accord avec toi.*
Ich bin anderer Meinung.	*Je suis d'un avis différent.*
Er widerspricht mir ständig.	*Il me contredit sans cesse.*
Er ist sehr begabt für Malerei.	*Il est très doué pour la peinture.*
Er ist schlau wie ein Fuchs.	*Il est rusé come un renard.*

DER WILLE
LA VOLONTÉ

ich möchte (mögen,	je voudrais,	eigenwillig	têtu,
mochte, gemocht)	j'aimerais	eigensinnig	entêté
wollen		der Wunsch (¨e)	le souhait
(wollte, gewollt)	vouloir	wünschen	souhaiter
der Wille (ns, sg.)	la volonté	verlangen	réclamer, demander
willig	de bonne volonté,	das Verlangen (sg.)	la demande
	docile	fordern	exiger
freiwillig	1. spontanément	die Forderung (en)	l'exigence,
	2. bénévolement		la revendication
willkürlich	arbitraire	die Absicht (en)	l'intention
unwillkürlich	involontaire, instinc-	beabsichtigen	avoir l'intention
	tif, spontané	absichtlich	intentionnel

der Plan ("e)	le plan	der Instinkt (e)	l'instinct
das Projekt (e)	le projet	instinktiv	instinctif
etw. vor/haben	projeter qch., avoir l'intention de		

• Expressions et phrases

Ich möchte nicht stören.	*Je ne voudrais pas déranger.*
einen starken Willen haben	*avoir beaucoup de volonté*
sich freiwillig melden	*se porter volontaire*
willkürlich handeln	*agir de façon arbitraire*
Ich mußte unwillkürlich lachen.	*Je ne pus m'empêcher de rire.*
Er äußert seinen Wunsch.	*Il exprime son souhait.*
Er verlangt nach dir.	*Il te réclame.*
Die Arbeiter verlangen / fordern eine Lohnerhöhung.	*Les ouvriers réclament une augmentation de salaire.*
Das war wirklich nicht absichtlich.	*Ce n'était vraiment pas intentionnel.*
Was hast du morgen vor?	*Qu'as-tu prévu pour demain ?*

ENTSCHEIDEN UND UNTERNEHMEN
DÉCIDER ET ENTREPRENDRE

entscheiden (ie, ie)		die Tat (en)	l'acte, l'action
über + A	décider de	tatkräftig	actif
die Entscheidung (en)	la décision	das Ziel (e)	le but
etw. beschließen (o, o)	décider qch.	streben nach + D	tendre vers, aspirer à
der Beschluß ("sse)		der Ehrgeiz	l'ambition
der Entschluß ("sse)	la décision	ehrgeizig	ambitieux
sich entschließen (o, o)		wagen	oser
zu + D	se décider (à)	gewagt	osé, risqué
sich entscheiden (ie, ie)	se décider pour,	mutig	courageux
für + A	se prononcer pour, opter pour	der Mut	le courage
		jn. ermutigen zu + D	encourager qn. à faire qch.
entschlossen sein	être décidé, déterminé	kühn, die Kühnheit	audacieux, l'audace
unentschlossen	indécis	schüchtern	timide
zögern	hésiter	die Schüchternheit	la timidité
zögernd	hésitant	erröten	rougir
sich weigern + Inf.	refuser de	feig(e)	lâche
etw. verweigern	refuser qch.	die Feigheit	la lâcheté
etw. ab/lehnen	refuser (une offre, une invitation)	der Erfolg (e)	le succès
		der Mißerfolg (e)	l'échec
etw. unternehmen (a, o, i)	entreprendre qch.	erfolgreich	couronné de succès
das Unternehmen (-)	l'entreprise	erfolglos	sans succès
		gelingen (a, u, ist) + D	réussir
unternehmungslustig	entreprenant	es schaffen	réussir

• Expressions et phrases

Ich will darüber nicht entscheiden.	*Je ne veux pas décider de cela.*
eine Entscheidung treffen (a, o, i)	*prendre une décision*
einen Entschluß fassen	*prendre une décision*
Er hat sich für ein billiges Auto entschieden.	*Il a opté pour une voiture bon marché.*
Er weigert sich, mir zu helfen.	*Il refuse de m'aider.*

Ich muß Ihre Einladung leider ablehnen.

Je dois malheureusement décliner votre invitation.

Wer will, der kann. (Prov.)
Vouloir, c'est pouvoir.
ein heikles Unternehmen
une entreprise délicate
nach Macht und Ehren streben
aspirer au pouvoir et aux honneurs
An Ehrgeiz fehlt es ihm nicht.
Il ne manque pas d'ambition.
eine mutige Tat vollbringen
accomplir un acte courageux
(vollbrachte, vollbracht)
ein Ziel erreichen
atteindre un but
Er wagt es nicht auszusprechen.
Il n'ose pas le dire.
ein gewagtes Projekt
un projet risqué
Frisch gewagt ist halb gewonnen. (Prov.)
Affaire bien engagée est à moitié gagnée.
Ich kann dich nur dazu ermutigen.
Je ne peux que t'y encourager.
Es ist mir nicht gelungen, das zu tun.
Je n'ai pas réussi à le faire.
Wir haben es geschafft.
Nous avons réussi.
ein erfolgreicher Unternehmer
un chef d'entreprise qui réussit
Seine Bemühungen waren erfolglos / umsonst.
Ses efforts furent vains.

DAS VERHALTEN
LE COMPORTEMENT

das Verhalten (die Verhaltensweisen)	le comportement	die Strenge	la sévérité
sich verhalten (ie, a, ä)	se comporter	autoritär	autoritaire
die Eigenschaft (en)	la qualité	die Autorität	l'autorité
die Tugend (en)	la vertu	nachsichtig	indulgent
tugendhaft	vertueux	die Nachsicht	l'indulgence
das Verdienst (e)	le mérite	das Verständnis	la compréhension
verdienen	mériter	verständnisvoll	compréhensif
das Benehmen (sg.)	le comportement (en société)	höflich	poli
		unhöflich	impoli
sich benehmen (a, o, i)	se comporter	die Höflichkeit	la politesse
das Betragen (sg.)	la conduite	die Unhöflichkeit	l'impolitesse
sich aus/zeichnen		freundlich	aimable
durch + A	se distinguer par	die Freundlichkeit	l'amabilité
das Vorbild (er)	l'exemple, le modèle	liebenswürdig, nett	gentil, aimable
vorbildlich	exemplaire	die Liebenswürdigkeit	la gentillesse
		der Anstand	la bienséance
		anständig	convenable, décent
die Sitte (n)	la coutume		
die Sitten	les mœurs	das Gewissen	la conscience (morale)
sittlich / unsittlich	moral / immoral		
der Respekt vor + D		gewissenhaft	consciencieux
die Ehrfurcht vor + D	le respect	die Pflicht (en)	le devoir
die Achtung	l'attention, la considération	das Pflichtgefühl (e)	le sens du devoir
		sich verpflichten zu + D	s'engager à
achten auf + A	être attentif à	die Verpflichtung (en)	l'obligation
beachten	respecter (des règles)	die Verantwortung (en)	la responsabilité
jn. achten	respecter qn.	verantwortlich für + A	responsable de
jn. verachten	mépriser qn.	verantwortungsvoll	responsable
die Verachtung	le mépris		
die Rücksicht (en)	l'égard	die Ehre (n)	l'honneur
rücksichtsvoll	plein d'égards	ehrlich	honnête
rücksichtslos	sans égard	die Ehrlichkeit	l'honnêteté
streng	sévère	aufrichtig	sincère

die Aufrichtigkeit	la sincérité	zurückhaltend	réservé
offenherzig	franc	schüchtern	timide
die Weisheit	la sagesse	die Schüchternheit	la timidité
weise	sage	unschuldig	innocent
der Weise (adj.)	le sage	die Unschuld	l'innocence
das Vertrauen	la confiance	sorgfältig	soigneux
das Mißtrauen	la méfiance	die Sorgfalt	le soin (apporté à)
vertrauensvoll	confiant	geduldig	patient
mißtrauisch	méfiant	die Geduld	la patience
jm. vertrauen	faire confiance à qn.	ungeduldig	impatient
vertrauen auf + A	avoir confiance	die Ungeduld	l'impatience
	en qch.	beharrlich	persévérant
das Selbstvertrauen	la confiance en soi	gehorchen + D	obéir
das Selbstbewußtsein	l'assurance	gehorsam	obéissant
selbstbewußt	sûr de soi	der Gehorsam	l'obéissance
die Würde	la dignité	fleißig	appliqué, travailleur
würdig + G	digne de	der Fleiß	l'application
vertrauenswürdig	digne de confiance	eifrig	zélé
tolerant	tolérant	der Eifer	le zèle
die Toleranz	la tolérance	sich an/strengen,	
		sich bemühen	s'efforcer
bescheiden	modeste	die Anstrengung (en),	
die Bescheidenheit	la modestie	die Bemühung (en)	l'effort
die Demut	l'humilité	die Mühe	la peine
demütig	humble	vor/sehen (a, e, ie)	prévoir
die Güte	la bonté	die Vorsicht	la prudence
gut, gütig	bon	vorsichtig	prudent

- *Expressions et phrases*

Er wurde nach seinen Verdiensten belohnt.	*Il a été récompensé selon ses mérites.*
Er weiß sich zu benehmen.	*Il sait bien se comporter. (en société)*
Er ist für mich ein Vorbild.	*Il est un modèle pour moi.*
Er hat sich vorbildlich verhalten.	*Il s'est comporté de manière exemplaire.*
jm Ehrfurcht / Respekt ein/flößen	*inspirer du respect à qn.*
Diese Regeln müssen streng beachtet	*Ces règles doivent être soigneusement*
werden.	*respectées.*
Du solltest mehr Rücksicht auf ihn nehmen.	*Tu devrais avoir plus d'égards pour lui.*
Er war sehr nett zu mir.	*Il était très gentil avec moi.*
ein gutes / schlechtes Gewissen haben	*avoir bonne / mauvaise conscience*
eine Verantwortung übernehmen (a, o, i)	*prendre une responsabilité*
ein verantwortungsvolles Verhalten	*un comportement responsable*
Ich sag es dir ganz ehrlich.	*Je te le dis en toute franchise.*
Ehrlich währt am längsten. (Prov.)	*L'honnêteté est toujours payante.*
ein Mensch von großer Weisheit	*un homme d'une grande sagesse*
Er ist meines Vertrauens nicht würdig.	*Il n'est pas digne de ma confiance.*
Du kannst stolz auf ihn sein.	*Tu peux être fier de lui.*
Dieses Kind gehorcht nicht.	*Cet enfant n'obéit pas.*
Ohne Fleiß kein Preis. (Prov.)	*On n'a rien sans peine.*
Ich habe mir viel Mühe gegeben.	*Je me suis donné beaucoup de mal.*
Hier ist größte Vorsicht geboten.	*Ici, la plus grande prudence s'impose.*

DIE ZWISCHENMENSCHLICHEN BEZIEHUNGEN
LES RELATIONS HUMAINES

herzlich	cordial	der Vorwurf (¨e)	le reproche
die Herzlichkeit	la cordialité	der Feind (e)	l'ennemi
großzügig	généreux	feindlich	hostile
die Großzügigkeit	la générosité	die Feindlichkeit (en)	l'hostilité
jm. danken für + A	remercier qn. de qch.	die Feindschaft (en)	l'inimitié
dankbar für + A	reconnaissant de	der Gegner (-)	l'adversaire
die Dankbarkeit	la reconnaisance, la gratitude	gegnerisch	adverse
		das Mitleid	la pitié
jm. etw. verzeihen (ie, ie)	pardonner qch. à qn.	mitleidig	compatissant
		mitleidlos	sans pitié
die Verzeihung	le pardon	die Nächstenliebe	l'amour du prochain
sich mit jm. versöhnen	se réconcilier avec qn.	jm. helfen (a, o, i)	aider qn.
		die Hilfe (n)	l'aide
die Versöhnung	la réconciliation	jm. bei/stehen (a, a)	assister qn.
treu + D	fidèle à	der Beistand	l'assistance
die Treue	la fidélité	selbstlos,	
sich verlassen auf + A	se fier à qn., compter sur qn.	uneigennützig	désintéressé
		die Selbstlosigkeit	l'altruisme, le désintéressement
zuverlässig	sûr, fiable	das Opfer (-)	1. la victime
diskret	discret		2. le sacrifice
		sich opfern	
der Streit	la dispute,	sich auf/opfern	
(die Streitigkeiten)	la querelle	für + A	se sacrifier pour
(sich) streiten (i, i)	se disputer	die Ergebenheit	le dévouement
jm. etw. vor/werfen (a, o, i)	reprocher qch. à qn.	ergeben	dévoué

• *Expressions et phrases*

jemandem Hilfe leisten	*apporter de l'aide à qn.*
Ich bin dir für deine Hilfe dankbar.	*Je te suis reconnaissant de ton aide.*
Ich bitte Sie um Verzeihung.	*Je vous demande pardon.*
Man kann sich auf ihn verlassen.	*On peut se fier à lui.*
Mitleid mit jemandem haben	*avoir pitié de qn.*
Er tut es aus reiner Nächstenliebe.	*Il le fait par pure charité.*
Seine Hilfe ist uneigennützig.	*Son aide est désintéressée.*
Die Mutter opfert sich für ihre Kinder auf.	*La mère se sacrifie pour ses enfants.*

DIE GEFÜHLE
LES SENTIMENTS

empfinden (a, u)	ressentir, éprouver	das Vorgefühl,	
die Empfindung (en)	1. la sensation	die Ahnung	le pressentiment
	2. le sentiment	ahnen	pressentir
empfindsam,		die Stimmung	1. l'humeur, l'état d'âme
empfindlich	sensible		2. l'ambiance
gefühllos	insensible		
gleichgültig	indifférent	die Laune (n)	l'humeur, le caprice
das Gefühl (e)	le sentiment	gutgelaunt	de bonne humeur
fühlen	sentir, ressentir	schlechtgelaunt	de mauvaise humeur
		die Freude (n)	la joie

fröhlich	joyeux,	das Heimweh	le mal du pays
die Fröhlichkeit	la gaieté	hoffen	espérer
lustig	1. joyeux, gai	die Hoffnung (en)	
	2. drôle	(auf + A)	l'espoir
die Lustigkeit	la gaieté	hoffnungsvoll	plein d'espoir
froh über + A	content de	die Rührung (en)	l'émotion
sich freuen über + A	se réjouir de	rühren	émouvoir
sich freuen auf + A	se réjouir à l'idée	gerührt	ému
	de qch.	weinen	pleurer
zufrieden (mit + D)	satisfait (de)	die Träne (n)	la larme
die Zufriedenheit	la satisfaction		
das Vergnügen	le plaisir, l'agrément	ertragen (u, a, ä)	supporter
das Glück	le bonheur	(un)erträglich	(in)supportable
glücklich	heureux	die Aufregung	l'énervement,
gefallen (ie, a, ä) + D	plaire		l'agitation
der Gefallen (-)	le service	jn. auf/regen	énerver qn.
	(rendu à qn.)	nervös	nerveux
mißfallen (ie, a, ä) + D	déplaire	die Nervosität	la nervosité
der Spaß (¨e)	1. la plaisanterie	der Streß	le stress
	2. le plaisir	gestreßt	stressé
der Scherz (e)	la plaisanterie	die Unruhe	l'inquiétude
der Witz (e)	la blague	unruhig	inquiet, agité
lachen über + A	rire de	beunruhigen	inquiéter
das Lachen	le rire	die Sorge (n)	le souci
lächeln	sourire	besorgt / bekümmert	soucieux
gern + verbe	aimer faire	besorgniserregend	inquiétant
		der Kummer	le chagrin, la peine
mögen	aimer (des choses,	die Traurigkeit	la tristesse
(mochte, gemocht)	ou éprouver	traurig	triste
	de la sympathie	um jn. oder etw.	
	pour qn.)	trauern (um + A)	pleurer qn. ou qch.
lieben	aimer	die Wehmut	la mélancolie
liebevoll	affectueusement,	wehmütig	mélancolique
	amoureusement	der Ärger	1. la colère
sich verlieben in + A	tomber amoureux de		2. la contrariété
verliebt sein in + A	être amoureux de	sich ärgern über + A	se fâcher à propos
die Zuneigung zu + D	l'affection,		de qch.,
	l'inclination	jn. ärgern	fâcher qn.
zärtlich	tendre, affectueux	ärgerlich	1. fâcheux, irritant
die Zärtlichkeit	la tendresse		2. en colère, fâché
der Freund (e)		klagen über + A	se lamenter,
die Freundin (nen)	l'ami, l'amie		se plaindre de
die Freundschaft (en)	l'amitié	sich beklagen über + A	se plaindre de
freundschaftlich	amicalement	die Klage (n)	la plainte
		kläglich	lamentable,
die Leidenschaft (en)	la passion		pitoyable
leidenschaftlich	passionné	verzweifeln	désespérer
die Begeisterung	l'enthousiasme	die Verzweiflung	le désespoir
sich begeistern für + A	s'enthousiasmer		
	pour qch.	der Haß	la haine
begeistert	enthousiaste	hassen	haïr
schwärmen für + A	raffoler de	die Abneigung	
bewundern	admirer	gegen + A	l'antipathie
die Bewunderung	l'admiration	der Abscheu	l'aversion, le dégoût
die Sehnsucht (¨e)	la nostalgie	abscheulich	abominable, odieux
sehnsüchtig	nostalgique		

der Schrecken	la peur, l'effroi
schrecklich	terrible
jn. erschrecken	
(V. tr. faible)	effrayer qn.
erschrecken (a, o, i, ist)	s'effrayer,
(V. intr. fort)	prendre peur
die Angst (¨e) vor + D	la peur de
ängstlich	anxieux
die Furcht	
(die Befürchtungen)	la crainte
etw. fürchten,	craindre qch.
sich fürchten vor + D	avoir peur de qch.
etw. befürchten	craindre qch.
	(qui risque de
	se produire)
fürchterlich / furchtbar	terrible
bedauern	regretter
das Bedauern	le regret
etw. reuen	se repentir de qch.
bereuen	éprouver du regret
die Reue	le repentir

sich schämen + G	avoir honte
die Scham	la honte
schamhaft	pudique
unverschämt	éhonté
die Schande	la honte, le scandale
(es ist) schade	(c'est) dommage
enttäuschen	décevoir
die Enttäuschung (en)	la déception
sich oder jn. täuschen	se tromper ou
	tromper qn.
die Täuschung (en)	l'illusion,
	la tromperie
der Trost	la consolation
trösten	consoler
(er)staunen (intr.)	s'étonner
erstaunt	étonné
sich wundern	s'étonner
das Erstaunen,	
die Verwunderung	l'étonnement
überraschen	surprendre
die Überraschung (en)	la surprise

• *Expressions et phrases*

Er hatte eine böse Ahnung.	*Il avait un mauvais pressentiment.*
Er war voller Begeisterung.	*Il était plein d'enthousiasme.*
Er spielt gern. / Er geht gern ins Kino.	*Il aime jouer. / Il aime aller au cinéma.*
Das Kind mag die Suppe nicht.	*L'enfant n'aime pas la soupe.*
Ich mag diesen Schauspieler sehr.	*J'aime beaucoup cet acteur.*
Er ist immer guter Laune.	*Il est toujours de bonne humeur.*
Der Mensch hofft, solang er lebt. (Prov.)	*Tant qu'il y a de la vie, il y a de l'espoir.*
Wir hoffen auf Besserung.	*Nous espérons une amélioration.*
Das Heimweh trieb ihn in die Heimat zurück.	*Le mal du pays l'a poussé à rentrer chez lui.*
Könnten Sie mir diesen Gefallen tun?	*Pourriez-vous me rendre ce service ?*
(Ich wünsche Ihnen) viel Spaß!	*Je vous souhaite beaucoup de plaisir.*
Das macht Spaß.	*Cela fait plaisir.*
Er versteht keinen Spaß.	*Il ne comprend pas la plaisanterie.*
Ich tue das zum Vergnügen.	*Je le fais pour le plaisir.*
Sie weinte bittere Tränen.	*Elle pleurait à chaudes larmes.*
Reg mich nicht auf!	*Ne m'énerve pas !*
Ärgere dich nicht!	*Ne te fâche pas !*
Mach dir keine Sorgen!	*Ne te fais pas de soucis !*
Sie sehen sehr besorgt aus.	*Vous avez l'air très soucieux.*
Er tat es aus Verzweiflung.	*Il le fit par désespoir.*
in Angst geraten (ie, a, ä, ist)	*prendre peur*
jemandem Angst ein/jagen	*faire peur à qn.*
Angst hervor/rufen (ie, u)	*susciter la peur*
Er zittert vor Angst.	*Il tremble de peur.*
Ich fürchte mich vor ihm.	*J'ai peur de lui.*
Ich befürchte das Schlimmste.	*Je crains le pire.*
Ich erschrak, als ich ihn sah.	*Je fus effrayé lorsque je le vis.*
Er schämt sich seines Benehmens.	*Il a honte de son comportement.*
Welch ein unverschämtes Benehmen!	*Quel comportement éhonté !*
Armut ist keine Schande. (Prov.)	*Pauvreté n'est pas vice.*

Ich kann mich über diesen Verlust nicht hinweg trösten.	*Je ne peux pas me consoler de cette perte.*
jemandem Trost spenden	*consoler qn.*
eine angenehme Überraschung	*une agréable surprise*

DIE SCHLECHTEN EIGENSCHAFTEN
LES DÉFAUTS

das Laster (-)	le vice	jn. beneiden um + A	envier qch. à qn.
lasterhaft	vicieux	eifersüchtig auf + A	jaloux de
der Fehler (-)	1. le défaut	die Eifersucht	la jalousie
	2. la faute	neugierig	curieux
die Schuld (sg.)	la faute, la culpabilité	die Neugier(de)	la curiosité
schuldig (+ G)	coupable (de)	jn. belästigen	importuner qn.
schuld sein an + D	être la faute de	die Belästigung	le fait d'importuner
böse	méchant	jn. beleidigen	offenser qn.
die Bosheit	la méchanceté	die Beleidigung (en)	l'offense
unehrlich	malhonnête	jn. demütigen	humilier qn.
die Unehrlichkeit	la malhonnêteté	die Wut	la colère / la fureur
hochmütig	orgueilleux	wütend	furieux
der Hochmut	l'orgueil	die Rache (sg.)	la vengeance
stolz auf + A	fier de	sich rächen an + D	se venger de / sur
der Stolz	la fierté	jn. beschimpfen	insulter, injurier qn.
verachten	mépriser	die Beschimpfung (en)	l'injure
die Verachtung	le mépris	lügen (o, o)	mentir
verächtlich	méprisant	die Lüge (n)	le mensonge
egoistisch	égoïste	der Lügner (-)	le menteur
der Egoismus	l'égoïsme	jn. verraten (ie, a, ä)	1. trahir qn.
selbstsüchtig	égoïste	etw. verraten (ie, a, ä)	2. révéler qch.
die Selbstsucht	l'égoïsme	der Verräter (-)	le traître
unsittlich	immoral	jn. betrügen (o, o)	tromper, escroquer qn.
die Unsittlichkeit	l'immoralité		
faul	paresseux	der Betrug (sg.)	la tromperie, l'escroquerie
die Faulheit	la paresse		
müßig	oisif	der Dieb (e)	le voleur
die Müßigkeit	l'oisiveté	der Diebstahl (¨e)	le vol
eitel	vaniteux	jm. etw. stehlen	
die Eitelkeit	la vanité	(a, o, ie)	voler qch. à qn.
frech	insolent	das Verbrechen (-)	le crime
die Frechheit	l'insolence	der Verbrecher (-)	le criminel
grob	grossier	verbrecherisch	criminel
die Grobheit	la grossièreté	die Missetat (en)	le méfait
grausam	cruel	der Missetäter (-),	
die Grausamkeit	la cruauté	der Übeltäter (-)	le délinquant
feig	lâche	gewalttätig	violent
die Feigheit	la lâcheté	die Gewalttat (en)	la violence
der Feigling (e)	le lâche	der Gewalttäter (-)	la personne qui commet des violences
geizig	avare		
der Geiz	l'avarice		
schlau	rusé	ein/brechen (a, o, i, ist)	entrer par effraction
die Schlauheit	la ruse	in + A	dans
neidisch	envieux	der Einbrecher (-)	le cambrioleur
der Neid	l'envie		

der Einbruch (¨e),
   der Einbruchs-
   diebstahl (¨e)   le cambriolage
der Mord (e)   le meurtre

der Mörder (-)   le meurtrier,
   l'assassin
die Ermordung (en)   l'assassinat

• *Expressions et phrases*

Er ist schuld daran.	*C'est de sa faute.*
Müßigkeit ist aller Laster Anfang. (Prov.)	*L'oisiveté est mère de tous les vices.*
Er handelte aus Selbstsucht.	*Il a agi par intérêt personnel.*
Belästigen Sie mich nicht!	*Ne m'importunez pas !*
Ich wollte Sie nicht beleidigen.	*Je ne voulais pas vous offenser.*
Er beneidet mich um meine Erfolge.	*Il m'envie mes succès.*
Er hat sich an seinem Rivalen gerächt.	*Il s'est vengé de son rival.*
Lügen haben kurze Beine. (Prov.)	*Le mensonge ne paye pas.*
Man hat mich um zehn Mark betrogen.	*On m'a escroqué dix marks.*
ein Verbrechen / einen Mord begehen (i, a)	*commettre un crime / un meurtre*
in ein Haus ein/brechen (a, o, i, ist)	*cambrioler une maison*
Der Mörder wurde verhaftet.	*Le meurtrier a été arrêté.*

3• GESUNDHEIT UND MEDIZIN   SANTÉ ET MÉDECINE

Vocabulaire général

die Gesundheit	la santé	leiden (i, i) unter + D	souffrir de
der Gesundheits-			(autres cas)
zustand (¨e)	l'état de santé	die Krankheit (en)	la maladie
gesund	en bonne santé, sain	krank, der Kranke (adj.)	malade, le malade
das Befinden (sg.)	l'état de santé	das Fieber (sg.)	la fièvre
gesundheitlich	concernant la santé	das Bewußtsein	la conscience
das Wohlbefinden (sg.)	le bien-être	bewußtlos	sans conscience,
die Verfassung (en)	la condition		évanoui
	physique	ohnmächtig sein	être inconscient
fit sein	être en forme	ohnmächtig werden	perdre connaissance
müde	fatigué	wieder zur Besinnung	
die Ermüdung (sg.)		kommen (a, o, ist)	reprendre conscience
die Müdigkeit	la fatigue	schwach	faible
der Streß (sg.)	le stress	die Schwäche (sg.)	la faiblesse
gestreßt sein	être stressé	geschwächt sein	être affaibli
der Schmerz (en)	la douleur	das Kopfweh (sg.)	le mal de tête
schmerzhaft	douloureux	die Kopfschmerzen (pl.)	les maux de tête
das Leiden (-)	1. la souffrance	das Bauchweh	le mal au ventre
	2. la maladie	die Bauchschmerzen	les maux de ventre
leiden (i, i) an + D	souffrir de (maladie)	die Erkältung (en)	le refroidissement
		sich erkälten	prendre froid

erkältet sein	être enrhumé	der Verwundete (adj.),	
der Schnupfen (-)	le rhume	der Verletzte (adj.)	le blessé
das Halsweh,		bluten	saigner,
die Halsschmerzen	le mal de gorge	die Blutung (en)	le saignement,
der Husten (sg.)	la toux		l'hémorragie
husten	tousser	die Geschlechts-	la maladie
heiser sein	être enroué	krankheit (en)	vénérienne
die Heiserkeit	l'enrouement	das Aids	le sida
die Grippe (n)	la grippe	aidskrank sein	être atteint du sida
der Krebs (sg.)	le cancer	der Aidskranke (adj.)	le sidéen
die Magen-		immun	immunisé
schmerzen (pl.)	les maux d'estomac	die Immunschwäche	la déficience
der Herzinfarkt (e)	l'infarctus		immunitaire
die Tuberkulose	la tuberculose	das Aids-Virus (en),	
die Seuche (n),		das HIV-Virus (en)	le virus du Sida
die Epidemie (n)	l'épidémie	HIV-infiziert	séro-positif
verseucht	contaminé	die Risikogruppe (n)	le groupe à risques
impfen	vacciner	das Sexualverhalten	le comportement
die Impfung (en)	la vaccination		sexuel
der Impfstoff (e)	le vaccin	geisteskrank	malade mental
die Wunde (n)	la plaie, la blessure	der Geisteskranke (adj.)	le malade mental
verwunden, verletzen	blesser	der Behinderte (adj.)	le handicapé
die Verletzung (en)	la blessure	der Körper-	le handicapé
		behinderte (adj.)	physique

- *Expressions et phrases*

gesund und munter sein	*être en bonne santé*
bei bester Gesundheit sein	*être en pleine santé*
Er ist kerngesund.	*Il jouit d'une très bonne santé.*
in guter Verfassung sein	*être en bonne condition physique*
sich fit halten (ie, a, ä)	*se maintenir en forme*
starkes Fieber haben	*avoir une forte fièvre*
Er erkundigt sich nach meinem Wohlbefinden.	*Il s'informe de mon état de santé.*
Sie sehen schlecht aus.	*Vous avez mauvaise mine.*
Gute Besserung!	*Bon rétablissement !*
Er hat sich überanstrengt.	*Il s'est surmené.*
Sie leidet seit Jahren an Rheuma.	*Elle souffre depuis des années de rhumatismes.*
Er ist plötzlich in Ohnmacht gefallen, doch er kam bald wieder zu sich.	*Il a soudain perdu connaissance, mais il est bientôt revenu à lui.*
Er hat sich erkältet, hat einen Schnupfen und leidet an Halsschmerzen.	*Il a pris froid, a un rhume et souffre de maux de gorge.*
Er hat sich heiser geschrien.	*Il s'est enroué à force de crier.*
Aids ist heutzutage eine der schlimmsten Seuchen.	*Le sida est de nos jours une des épidémies les plus graves.*
Gegen diese Seuche gibt es noch keinen Impfstoff.	*Il n'y a pas encore de vaccin contre cette épidémie.*
Er ist schwer verwundet.	*Il est gravement blessé.*
Seit seinem Unfall ist er schwer körperbehindert.	*Depuis son accident, il est gravement handicapé physiquement.*

Vocabulaire spécialisé

das Unbehagen (sg.)	le malaise	infizieren	infecter
die Beschwerden (pl.)	les troubles	die Tuberkulose	la tuberculose
die Magenbeschwerden	les troubles gastriques	die Pest	la peste
		die Cholera	le choléra
die Erbkrankheit (en)	la maladie héréditaire	an/stecken	contaminer
		die Ansteckung (en)	la contagion
der Anfall (¨e)	l'accès, l'attaque	ansteckend	contagieux
der Hustenanfall (¨e)	la quinte de toux	krebserregend	cancérigène
die Entzündung (en)	l'inflammation	die Bakterie (n)	la bactérie
der Gehirnschlag (¨e)	l'embolie cérébrale	der / das Virus (ren)	le virus
der Wahnsinn	la démence	die Kinder-	
wahnsinnig	dément	krankheit (en)	la maladie infantile
der Nervenzusammen-	la dépression	die Kinderlähmung (en)	la polyiomiélite
bruch	nerveuse	der Muskelkrampf (¨e)	la crampe musculaire
die Angina	l'angine		
die Bronchitis	la bronchite	der Muskelkater (-)	la courbature
die Lungen-	la congestion	die Beule (-)	la bosse
entzündung (en)	pulmonaire	die Prellung (en)	la contusion
das Asthma	l'asthme	schwellen (o, o, ist)	enfler
die Blinddarm-		die Schwellung (en)	l'enflure
entzündung (en)	l'appendicite	der Muskelriß (sse)	la déchirure musculaire
der Durchfall	la diarrhée		
die Verstopfung	la constipation	die Narbe (n)	la cicatrice
vergiften	intoxiquer	vernarben	cicatriser
die Vergiftung (en)	l'intoxication	die Blase (n)	l'ampoule
brechen (a, o, i),		die Brandwunde (n)	la brûlure
sich ergeben (a, e, i)	vomir	der (Knochen)	
der Herzschlag	la crise cardiaque	bruch (¨e)	la fracture
die Kreislaufstörung	les troubles	das Heftpflaster (-)	le sparadrap
(en)	circulatoires	der Verband (¨e)	le pansement
die Herz-und Kreis-	les maladies	verbinden (a, u)	panser
lauferkrankungen	cardio-vasculaires	der Gipsverband (¨e)	le plâtre
die Arterien-		der Rollstuhl (¨e)	la chaise roulante
verkalkung (en)	l'artério-sclérose	die Krücke (n)	la béquille
die Infektion	l'infection		

- *Expressions et phrases*

Er hat sich den Magen verdorben; seitdem leidet er an Magenbeschwerden.

Il s'est détraqué l'estomac ; depuis, il souffre de troubles gastriques.

Nach dem Tod ihres Mannes erlitt sie einen Nervenzusammenbruch.

Après la mort de son mari, elle a fait une dépression nerveuse.

Aids ist eine ansteckende Krankheit, die durch das HIV-Virus hervorgerufen wird.

Le sida est une maladie contagieuse provoquée par le virus VIH.

Es ist eine sexuell übertragbare Krankheit.

C'est une maladie sexuellement transmissible.

Arterienverkalkung fördert die Herz-Kreislauf erkrankungen.

L'artériosclérose favorise les maladies cardiovasculaires.

Tabak ist krebserregend.

Le tabac est cancérigène.

Beim Laufen hat er sich den Fuß verstaucht.

En courant, il s'est foulé le pied.

Bei diesem Unfall hat er sich das Bein gebrochen.

Lors de cet accident, il s'est cassé la jambe.

Man mußte ihm einen Gipsverband anlegen.

Il a fallu lui poser un plâtre.

Deshalb geht er an Krücken.	*C'est pourquoi, il marche avec des béquilles.*
Außerdem leidet er an Prellungen.	*En outre, il souffre de contusions.*
Der Zusammenstoß hat innere Blutungen verursacht.	*Le choc a provoqué des hémorragies internes.*

DER ARZT UND DIE BEHANDLUNG
LE MÉDECIN ET LE TRAITEMENT

die Medizin	la médecine	das Medikament (e),	
der Mediziner (-)	le médecin	die Arznei (en)	le médicament
der Arzt (¨e),	le médecin	das Heilmittel (-)	le remède
die Ärztin (nen)	la doctoresse	die Tablette (n)	le cachet
der Hausarzt (¨e)	le médecin de famille	die Pille (n)	1. la pilule 2. la pilule contraceptive
der praktische Arzt	le médecin généraliste	schlucken	avaler
die Praxis (die Praxen)	le cabinet médical	das Zäpfchen (-)	le suppositoire
der Facharzt (¨e)	le médecin spécialiste	die Salbe (n)	la pommade
		die Spritze (n)	la piqûre
der Kinderarzt (¨e)	le pédiatre	die Apotheke (n)	la pharmacie
der Zahnarzt (¨e)	le dentiste	der Apotheker (-)	le pharmacien
der Frauenarzt (¨e)	le gynécologue	die Diät (en)	le régime
der Chirurg (en, en)	le chirurgien	die Kur (en)	la cure
der Hautarzt, der Dermatologe (n, n)	le dermatologue	die Hungerkur (en)	la diète absolue
der Augenarzt	l'ophtalmologiste	heilen + A	guérir (tr.)
der Hals-, Nasen-, Ohrenarzt	l'oto-rhino- laryngologiste	genesen (a, e, ist)	guérir (intr.)
		die Genesung (en)	la guérison
der Herzspezialist (en, en)	le cardiologue	sich erholen	se rétablir, se remettre
der Neurologe (n, n)	le neurologue	wirken	agir / faire de l'effet
die Naturheilkunde (n)	la médecine naturelle	die Wirkung (en)	l'effet
		wirksam	efficace
der Heilpraktiker (-)	le guérisseur, le rebouteux	die Wirksamkeit	l'efficacité
		die Nebenwirkung (en)	l'effet secondaire
untersuchen	examiner	sich bessern	s'améliorer
die ärztliche		die Besserung	l'amélioration
Untersuchung (en)	l'examen médical	sich verschlimmern	s'aggraver
die Sprechstunde (n)	la consultation	die Verschlimmerung	l'aggravation
die Diagnose (n)	le diagnostic	vor/beugen + D	prévenir
die Verordnung (en)	la prescription	die Vorbeugung	la prévention
verordnen,		harmlos	bénin
verschreiben (ie, ie)	prescrire	bösartig	malin
behandeln	traiter	heilbar	guérissable
die Behandlung (en)	le traitement	unheilbar	incurable
das Rezept (e)	l'ordonnance	jn. oder etwas	survivre à qn.
pflegen	soigner	überleben	ou à qch.
die Pflege (n)	les soins		

• *Expressions et phrases*

einen Patienten untersuchen	*examiner un patient*
dienstags ist keine Sprechstunde	*pas de consultation le mardi*
eine Diagnose stellen	*faire un diagnostic*

ein Arzneimittel verschreiben (ie, ie)	*prescrire un médicament*
eine Pille oder eine Tablette schlucken	*avaler une pilule ou un cachet*
in Kur gehen (i, a, ist)	*partir en cure*
Das Arzneimittel hat gewirkt.	*Le médicament a agi.*
Er ist bei einem Facharzt in Behandlung.	*Il est en traitement chez un spécialiste.*
Er muß täglich drei Pillen nehmen.	*Il doit prendre trois pilules par jour.*
Sein Zustand hat sich erheblich gebessert.	*Son état s'est considérablement amélioré.*
Er ist rasch genesen und hat sich schnell	*Il a rapidement guéri et s'est vite*
erholt.	*rétabli.*
Die Chemotherapie hat oft unangenehme	*La chimiothérapie a souvent des effets*
Nebenwirkungen.	*secondaires désagréables.*
einer Krankheit vor/beugen	*prévenir une maladie*
Vorbeugen ist besser als heilen. (Prov.)	*Mieux vaut prévenir que guérir.*
vorbeugende Maßnahmen treffen (a, o, i)	*prendre des mesures préventives*
eine harmlose Krankheit	*une maladie bénigne*
Er hat die Operation überlebt.	*Il a survécu à l'opération.*

DAS KRANKENHAUS
L'HÔPITAL

das Krankenhaus ("er)			Blut übertragen	faire une trans-
das Spital ("er)	l'hôpital		(u, a, ä)	fusion de sang
der Krankenwagen (-)	l'ambulance		die Blutübertragung	la transfusion
die Klinik (en)	la clinique		(en),	sanguine
die Krankenstation (en)	le service hospitalier		die Bluttransfusion (en)	la transfusion
der Chirurg (en, en)	le chirurgien			sanguine
die Operation (en)	l'opération		der Krankenpfleger (-)	l'infirmier
jn. operieren	opérer qn.		die Kranken-	
die Narkose (n),			schwester (n)	l'infirmière
die Betäubung (en)	l'anesthésie		der Sanitäter (-)	le secouriste
das Blut	le sang		der Zahnarzt ("e)	le dentiste
die Blutprobe (n)	la prise de sang		die Zahnpflege (sg.)	les soins dentaires
Blut spenden	donner du sang		die Zahnschmerzen	les maux de dents
die Blutspende (n)	le don du sang			
die Intensivstation (en)	le service de		das Organ (e)	l'organe
	réanimation		die Organspende (n)	le don d'organe
die Blutgruppe (n)	le groupe sanguin		die Heilgymnastik	la kinésithérapie
die örtliche			das Heilbad ("er)	la station thermale
Betäubung (en)	l'anesthésie locale		die Kuranstalt (en)	l'établissement
jn. röntgen	radiographier qn.			de cure
die Röntgen-			das Erholungsheim (e)	la maison de repos
aufnahme (n)	la radiographie			
die Strahlen-			das Gebiß (sse)	la dentition
therapie (n),	la radiothérapie		die Karies (-)	la carie dentaire
die Röntgentherapie (n)	la radiothérapie		das Zahnfleisch	la gencive
die Verpflanzung (en)	la greffe d'organe		die Zahnfleisch-	
die Transplantation			entzündung (en)	la gingivite
(en)	la transplantation		die Plombe (n),	
die Wiederbelebung			die Füllung (en)	le plombage
(en)	la réanimation		die Zahnprothese (n)	la prothèse dentaire

• *Expressions et phrases*

Er wurde mit dem Krankenwagen ins Krankenhaus eingeliefert.	*Il a été transporté à l'hôpital par ambulance.*
jemanden aus dem Krankenhaus entlassen (ie, a, ä)	*faire sortir quelqu'un de l'hôpital*
sich operieren lassen (ie, a, ä)	*se faire opérer*
eine Operation vor/nehmen (a, o, i)	*procéder à une opération*
Die Operation wurde unter Vollnarkose vorgenommen.	*L'opération a été faite sous anesthésie générale.*
Die Herzoperation ist gut verlaufen.	*L'opération du cœur s'est bien déroulée.*
jemanden einer Strahlentherapie unterziehen (o, o)	*soumettre quelqu'un à une radiothérapie*
Dem Kranken wurde eine Niere verpflanzt.	*On a transplanté un rein au malade.*
Nach der Narkose mußte er auf der Intensivstation wiederbelebt werden.	*Après l'anesthésie, il a dû être réanimé à la station de réanimation.*

DIE DROGENSUCHT
LA TOXICOMANIE

die Droge (n), das Rauschgift (e)	la drogue	die Ersatzdroge (n)	la drogue de substitution
die Drogensucht	la toxicomanie	das Methadon	la méthadone
die Drogenabhängigkeit	la toxicomanie	der Drogenhandel	le trafic de la drogue
drogensüchtig sein	être toxicomane	der Drogenhändler (-),	le trafiquant de drogue,
rauschgiftsüchtig sein	être toxicomane	der Dealer (-)	le dealer
drogenabhängig sein	être dépendant	die Beschaffungskriminalität	la délinquance liée à la drogue
der Drogensüchtige (adj.)	le toxicomane, le drogué		
der Drogenabhängige (adj.)	le toxicomane, le drogué	der Alkohol	l'alcool
der Drogenkonsum	la consommation de drogue	der Alkoholismus, die Trunksucht	l'alcoolisme
der Drogenmißbrauch	l'abus des drogues	der Alkoholiker (-), der Trinker (-)	l'alcoolique
weiche Drogen	des drogues douces	sich betrinken (a, u)	s'enivrer
harte Drogen	des drogues dures	betrunken sein	être ivre
das Opium	l'opium	der Rausch	
das Heroin	l'héroïne	(sens propre et figuré)	l'ivresse
heroinsüchtig	drogué à l'héroïne		
die Spritze (n)	la piqûre, la seringue	der Tabak,	
der / das Haschisch	le haschisch	(die Tabaksorten)	le tabac
das Kokain	la cocaïne	rauchen	fumer
die Verhaltensstörung (en)	le trouble du comportement	das Rauchen	le tabagisme
die Überdosis (dosen)	l'overdose	der Raucher (-)	le fumeur
sich entwöhnen	se désintoxiquer	das Passivrauchen	le tabagisme passif
die Entwöhnungskur (en)	la cure de désintoxication		

• *Expressions et phrases*

sich (D) Drogen beschaffen	*se procurer de la drogue*
drogensüchtig werden	*devenir drogué*
weiche Drogen legalisieren	*légaliser les drogues douces*
das Ersatzmittel Methadon	*le moyen de substitution la méthadone*
sich einer Entwöhnungskur unterziehen (o, o)	*se soumettre à une cure de désintoxication*

an einer Überdosis sterben (a, o, i, ist)	*mourir d'une overdose*
ein großer Trinker	*un gros buveur*
ein starker Raucher, ein Kettenraucher	*un gros fumeur*
Das Passivrauchen ist fast so schädlich wie das Rauchen selbst.	*Le tabagisme passif est presque aussi nocif que le tabagisme lui-même.*

DER TOD
LA MORT

der Tod	la mort	der Mord (e),	le meurtre
tot, der Tote (adj.)	mort, le mort, le défunt	die Ermordung	l'assassinat
tödlich	mortel	der Mörder	le meurtrier
der Todesfall (¨e)	le décès	der Selbstmord	le suicide
sterben (a, o, i, ist)	mourir	um/kommen (a, o, ist)	mourir de mort violente (accident, meurtre)
sterben an + D	mourir d'une maladie		
der Sterbende (adj.)	le mourant	ums Leben kommen (a, o, ist)	mourir (par accident)
sterblich	mortel		
die Sterblichkeit	la mortalité	jn. ermorden	assassiner qn.
der Verstorbene (adj.)	le défunt	jn. erschießen (o, o)	tuer qn. par balle
		jn. erschlagen (u, a, ä)	tuer qn. en l'assommant
die Lebensgefahr	le danger de mort		
die Leiche (n)	le cadavre	jn. vergiften	empoisonner qn.

DAS BEGRÄBNIS
L'ENTERREMENT

die Todesanzeige (n)	le faire-part de décès	um jn. trauern	porter le deuil de qn.
das Begräbnis (se),		die Trauerfeier (n)	les funérailles
die Beerdigung (en)	l'enterrement	der Sarg (¨e)	le cercueil
jn. begraben (u, a, ä),		das Grab (¨er)	la tombe
jn. beerdigen	enterrer qn.	der Grabstein (e)	la pierre tombale
jn. ein/äschern	incinérer qn.	der Friedhof (¨e)	le cimetière
die Trauer	le deuil		

• *Expressions et phrases*

den Tod finden (a, u)	*trouver la mort*
an einer unheilbaren Krankheit sterben	*mourir d'une maladie incurable*
im Sterben liegen (a, e)	*être mourant*
In Afrika ist die Sterblichkeit noch sehr hoch.	*En Afrique, la mortalité est encore très élevée.*
Sterbehilfe leisten	*pratiquer l'accompagnement à la mort*
einen Mord begehen (i, a) / verüben	*commettre un meurtre*
der Mord an einem Polizisten	*l'assassinat d'un policier*
Selbstmord begehen (i, a)	*se suicider*
sich das Leben nehmen (a, o, i)	*se suicider*
Er ist tödlich verunglückt.	*Il a eu un accident mortel.*
Er ist an Krebs gestorben.	*Il est mort d'un cancer.*
Alle Menschen sind sterblich.	*Tous les hommes sont mortels.*
Er ist durch einen Unfall ums Leben gekommen.	*Il est mort à la suite d'un accident.*
jemandem sein Beileid aus/sprechen (a, o, i)	*exprimer ses condoléances à quelqu'un.*

4. DIE FAMILIE   LA FAMILLE

Vocabulaire général

die Familie (n)	la famille	kindisch	puéril
familiär	familial	der Sohn (¨e)	le fils
das Familienleben	la vie familiale	die Tochter (¨)	la fille
der Familienkreis	le cercle familial	der Bruder (¨)	le frère
das Familien-		brüderlich	fraternel
oberhaupt (¨er)	le chef de famille	die Schwester (n)	la sœur
der Familien-	le membre de la	der Zwilling (e)	le jumeau
angehörige (adj.)	famille	der Drilling (e)	le triplé
die Eltern (pl.)	les parents	die Geschwister (pl.)	les frères et sœurs
der Vater (¨), väterlich	le père, paternel	groß/ziehen,	
die Mutter (¨)	la mère	auf/ziehen (o, o)	élever
mütterlich	maternel	erziehen (o, o)	éduquer
das Kind (er)	l'enfant	die Erziehung	l'éducation
das Einzelkind (er)	l'enfant unique	streng	sévère
kinderlos	sans enfant	duldsam / nachsichtig	indulgent
kindlich	enfantin	jn. verwöhnen	gâter qn.

• *Expressions et phrases*

eine Familie gründen	*fonder une famille*
eine kinderreiche Familie	*une famille nombreuse*
von Kind auf	*dès l'enfance*
im engsten Familienkreis	*dans le cercle familial le plus restreint*
eine alleinstehende Mutter	*une mère célibataire*
Sie hat vier Kinder großgezogen /	*Elle a élevé quatre*
aufgezogen.	*enfants.*
Diese Kinder sind gut erzogen.	*Ces enfants sont bien élevés.*
eine gute Erziehung genießen (o, o)	*jouir d'une bonne éducation*
Er wurde streng erzogen.	*Il a eu une éducation stricte.*
ein verwöhntes Kind	*un enfant gâté*

DIE VERWANDSCHAFT
LA FAMILLE APPARENTÉE

der Verwandte (adj.)	le parent	die Enkelin (nen)	la petite-fille
verwandt sein	être en parenté	der Nachkomme (n, n)	le descendant
der Großvater (¨)	le grand-père	ab/stammen von + D	descendre de
die Großmutter (¨)	la grand-mère	stammen aus + D	être originaire de
die Großeltern	les grand-parents	die Abstammung	l'origine
die Urgroßeltern	les arrière-grand-	der Onkel (-)	l'oncle
	parents	die Tante (n)	la tante
der Vorfahre (n, n)	l'ancêtre	der Neffe (n, n)	le neveu
der Enkel (-)	le petit-fils	die Nichte (n)	la nièce

der Vetter (n)	le cousin	das Adoptivkind (er)	l'enfant adoptif
der Cousin (s)	le cousin	adoptieren	
die Kusine (n)	la cousine	an/nehmen (a, o, i)	adopter
der Schwager (-)	le beau-frère	die Adoption	l'adoption
die Schwägerin (nen)	la belle-sœur	die Pflegeeltern (pl.)	les parents adoptifs
der Schwiegervater (¨)	le beau-père	die Pflegemutter (¨)	la nourrice
die Schwiegermutter (¨)	la belle-mère	das Kindermädchen (-)	la bonne d'enfants
der Schwiegersohn (¨e)	le gendre	das Dienstmädchen (-)	la bonne
die Schwiegertochter (¨)	la belle-fille	der Vormund (e)	le tuteur
die Stiefmutter (¨)	la belle-mère (remariage)		

DAS EHELEBEN
LA VIE EN COUPLE

die Liebe	l'amour	der Ehemann (¨er)	le mari, l'époux
sich in jn. verlieben	tomber amoureux de qn.	die Ehefrau (en)	l'épouse
		die Eheleute (pl.)	les époux
verliebt sein	être amoureux	das Ehepaar (e)	le couple
die Verlobung (sg.)	les fiançailles	der Ehering (e)	l'alliance
sich verloben	se fiancer	ehelich	conjugal
der / die Verlobte (adj.)	le / la fiancé(e)	mit jm. zusammen leben	vivre avec qn.
ledig sein	être célibataire	das Zusammenleben	la vie en commun
der Ledige (adj.)	le célibataire	die Lebens-	la communauté
heiraten (intr.)	se marier	gemeinschaft (en)	de vie
sich verheiraten	se marier	das eheliche	la vie en
verheiratet sein	être marié	Zusammenleben	concubinage
die Hochzeit (en)	le mariage (la fête)	die wilde Ehe	l'union libre
die Hochzeitsreise (n)	le voyage de noces		
die Heirat (sg.)	l'acte de mariage	Die Trennung (en)	la séparation
die Eheschließung (en)	l'acte de mariage	sich von jm. trennen	se séparer de qn.
jn. heiraten	épouser qn.	die Scheidung (en)	le divorce
die Braut (¨e)	la mariée	sich scheiden	
der Bräutigam (e)	le marié	lassen (ie, a, ä)	divorcer
das Brautpaar (e)	les mariés	geschieden sein	être divorcé
die Trauung (en)	la célébration du mariage	das Sorgerecht	le droit de garde
		der Witwer (-)	le veuf
die kirchliche Trauung	la célébration religieuse	die Witwe (n)	la veuve
die standesamtliche		verwitwet sein	être veuf
Trauung	le mariage civil	das Waisenkind (er)	l'orphelin
die Ehe (n)	le mariage (la vie de couple)		

• *Expressions et phrases*

Wir sind verwandt.	*Nous sommes parents.*
Er stammt aus Italien.	*Il est originaire d'Italie.*
Sie ist französischer Abstammung.	*Elle est d'origine française.*
Er hat sich in sie verliebt.	*Il s'est épris d'elle.*
Das war Liebe auf den ersten Blick.	*Ce fut le coup de foudre.*
Ich tue es ihr zuliebe.	*Je le fais par amour pour elle.*
Alte Liebe rostet nicht. (Prov.)	*On revient toujours à ses premières amours.*
eine Ehe schließen (o, o)	*contracter un mariage, se marier*

Hochzeit feiern	*fêter un mariage*
eine Liebesehe	*un mariage d'amour*
ein (un)eheliches Kind	*un enfant (il)légitime*
Sie hat spät geheiratet.	*Elle s'est mariée tard.*
Sie hat einen Deutschen geheiratet.	*Elle a épousé un Allemand.*
Sie sind seit zehn Jahren verheiratet.	*Ils sont mariés depuis dix ans.*
Sie haben sich scheiden lassen.	*Ils ont divorcé.*
Sie sind seit zwei Jahren geschieden.	*Ils sont divorcés depuis deux ans.*
Sie hat das Sorgerecht für ihre Kinder erhalten.	*Elle a obtenu le droit de garde pour ses enfants.*
eine alleinerziehende Mutter	*une mère élevant seule ses enfants*

DIE GEBURT
LA NAISSANCE

die Geburt (en)	la naissance	**die Taufe (n)**	le baptême
der Geburtstag (e)	l'anniversaire	**taufen**	baptiser
die Geburtenrate (n)	le taux de natalité	**der Taufpate (n, n),**	
zur Welt kommen	venir au monde,	**der Patenonkel (-)**	le parrain
(a, o, ist)	naître	**die Taufpatin (nen),**	
geboren werden	naître	**die Patentante (n)**	la marraine
der Neugeborene (adj.)	le nouveau-né	**das Patenkind (er)**	le / la filleul(e)

DAS ALTER
L'ÂGE

die Altersstufe (n)	la tranche d'âge	**minderjährig**	mineur
die Altersgruppe (n)	la catégorie d'âge	**der Minder-**	
jung	jeune	**jährige (adj.)**	le mineur
alt	vieux, ancien	**volljährig**	majeur
der Nachwuchs (sg.)	la nouvelle	**der Volljährige (adj.)**	le majeur
	génération	**die Volljährigkeit**	la majorité
das Baby (ies)	le bébé	**wachsen (u, a, ä, ist)**	grandir
der Säugling (e)	le nourrisson	**erwachsen**	adulte
das Kleinkind (er)	l'enfant en bas âge	**der Erwachsene (adj.)**	l'adulte
das Kind (er)	l'enfant	**die alten Leute**	les personnes âgées
kindlich	enfantin		
die Kindheit	l'enfance	**der Greis (e)**	le vieillard
die Jugend	la jeunesse	**die Lebenserwartung**	l'espérance de vie
jugendlich	juvénile		
der Junge (n, n)	le garçon	**der Erbe (n, n)**	l'héritier
das Mädchen (-)	la fille	**das Erbe**	l'héritage
der Jugendliche (adj.)	le jeune	**die Erbschaft (en)**	l'héritage
der Halbwüchsige (adj.)	l'adolescent	**erben**	hériter
der Teenager (-)	l'adolescent		

- *Expressions et phrases*

ein Kind bekommen (a, o)	*avoir un enfant*
Das Kind ist gesund zur Welt gekommen.	*L'enfant est né en bonne santé.*
Gebranntes Kind scheut das Feuer! (Prov.)	*Chat échaudé craint l'eau froide.*
eine niedrige Geburtenrate	*un faible taux de natalité*
Die Geburtenrate geht zurück.	*Le taux de natalité baisse.*

eine hohe Säuglingssterblichkeit	*un taux de mortalité infantile élevé*
Mit 18 ist man volljährig.	*À 18 ans on est majeur.*
Die Lebenserwartung steigt.	*L'espérance de vie augmente.*
von früher Jugend an	*dès sa prime jeunesse*
in der Blüte der Jugend sein	*être dans la fleur de l'âge*
Jugend muß sich austoben. (Prov.)	*Il faut que jeunesse se passe.*
jemandes Geburtstag feiern	*fêter l'anniversaire de qn.*
jemandem zum Geburtstag gratulieren	*souhaiter un bon anniversaire à qn.*
Er ist der alleinige Erbe.	*Il est l'unique héritier.*
Er hat das Haus von seinem Onkel geerbt.	*Il a hérité la maison de son oncle.*
eine Erbschaft beanspruchen	*revendiquer un héritage*
die Erbschaftssteuer zahlen	*payer les droits de succession*

II. MENSCHLICHE TÄTIGKEITEN

---

5. NAHRUNG UND MAHLZEITEN

LA NOURRITURE ET LES REPAS

Vocabulaire général

essen (a, e, i)	manger	nahrhaft	nourrissant
das Essen (sg.)	le repas	kochen	1. faire la cuisine
das Mittagessen (-)	le déjeuner		2. faire cuire,
das Abendessen (-)	le dîner		bouillir
das Frühstück	le petit-déjeuner	der Koch ("e)	le cuisinier
frühstücken	prendre son petit-déjeuner	die Köchin (nen)	la cuisinière
		die Mahlzeit (en)	le repas
der Hunger	la faim	backen (u, a, ä)	
hungrig	affamé	ou (te, en, a)	cuire au four
der Appetit	l'appétit	braten (ie, a, ä)	rôtir
appetitlich	appétissant	der Braten (-)	le rôti
schmackhaft	savoureux	rösten, grillen	griller
wählerisch	difficile	zu/bereiten	préparer
trinken (a, u)	boire	schmecken	avoir du goût,
schlucken	avaler		être bon
das Getränk (e)	la boisson	bitter	amer
der Durst	la soif	sauer	acide
durstig	assoiffé	süß	sucré, doux
ein/schenken	verser à boire	der Zucker	le sucre
		das Salz	le sel
die Nahrung (sg.)	la nourriture	salzen	saler
die Lebensmittel (pl.)	les aliments,	der Pfeffer	le poivre
	les denrées	pfeffern	poivrer
	alimentaires	das Fett	la graisse
(sich) ernähren	(s')alimenter	fett	gras
die Nahrungsmittel	les aliments	das Brötchen (-)	le petit pain
das Brot	le pain		
die Scheibe Brot	la tranche de pain	der Salat	la salade

das Öl	l'huile	der Imbiß (sses, sse)	la collation
der Essig	le vinaigre	die Vorspeise (n)	l'entrée
der Senf	la moutarde	die Suppe (n)	la soupe
die Kräuter	les fines herbes	das Hauptgericht (e)	le plat principal
die Zwiebel (n)	l'oignon	das Sauerkraut	la choucroute
der Knoblauch	l'ail		
		die Diät (en)	le régime
das Mehl	la farine	die Reformkost	les produits
der Reis	le riz		diététiques
der Teig	la pâte	die Biokost	les produits naturels
die Teigwaren	les pâtes	das Fertiggericht (e)	le plat préparé
die Nudel (n)	la nouille	die Konserve (n)	la conserve
das Rezept (e)	la recette	die Konservendose (n)	la boîte de conserve
das Gericht (e),		die Tiefkühlkost	les produits surgelés
der Gang (¨e)	le plat	ein/frieren (o, o)	congeler

• *Expressions et phrases*

zu Mittag essen (a, e, i)	*déjeuner*
Hunger haben, hungrig sein	*avoir faim*
Durst haben, durstig sein	*avoir soif*
Appetit haben	*avoir de l'appétit*
Guten Appetit! / Mahlzeit!	*Bon appétit !*
eine Mahlzeit zu/bereiten	*préparer un repas*
Zu Tisch!	*À table !*
sich zu Tisch setzen	*se mettre à table*
eine Grillparty organisieren	*organiser un barbecue*
Es schmeckt gut.	*C'est bon.*
Er kann gut kochen.	*Il cuisine bien.*
süßer Wein	*du vin doux*

Vocabulaire spécialisé

OBST UND GEMÜSE
FRUITS ET LÉGUMES

---

das Gemüse	les légumes	die Orange (n)	l'orange
die Gemüsesorten	les différents	die Banane (n)	la banane
	légumes	die Zitrone (n)	le citron
die Kartoffel (n)	la pomme de terre	die Ananas (-)	l'ananas
der Spinat (sg.)	les épinards	die Melone (n)	le melon
der Kohl / das Kraut	le chou	die Kirsche (n)	la cerise
der Blumenkohl	le chou-fleur	der Pfirsich (e)	la pêche
die Bohne (n)	le haricot	die Aprikose (n)	l'abricot
die Erbse (n)	le petit-pois	die Erdbeere (n)	la fraise
die Karotte (n)	la carotte	die Himbeere (n)	la framboise
die Tomate (n)	la tomate	die Traube (n)	le raisin
der Lauch (sg.)	le poireau	die Nuß (¨sse)	la noix
der Spargel (n)	l'asperge	reif	mûr
das Obst (sg.)	les fruits	saftig	juteux
die Frucht (¨e)	le fruit	sauer	acide
der Apfel (¨)	la pomme	verdorben	gâté, avarié
die Birne (n)	la poire	verderben (a, o, i, ist)	se gâter

MILCHPRODUKTE
PRODUITS LAITIERS

das Milchprodukt (e)	le produit laitier	die Torte (n)	la tarte
die Butter	le beurre	der Keks (e)	le gâteau sec
das Ei (er)	l'œuf	das Gebäck	la pâtisserie
der Käse (sg.)	le fromage	der Pfannkuchen (-)	la crêpe
der Schweizerkäse	le gruyère	das Eis	la glace
die Sahne, der Rahm	la crème	das Fruchteis	le sorbet
der Joghurt (s)	le yaourt	die Marmelade	la confiture
		der Honig	le miel
der Nachtisch	le dessert	die Schokolade (sg.)	le chocolat
der Kuchen (-)	le gâteau		

DAS FLEISCH UND DIE FISCHE
LA VIANDE ET LES POISSONS

das Fleisch	la viande	der (Wurst)Aufschnitt	l'assortiment de
die Fleischsorten	les viandes		charcuterie
das Rindfleisch	la viande de bœuf	der Speck	le lard
das Kalbfleisch	le veau	das Geflügel (sg.)	la volaille
das Schweinefleisch	le porc	das Hähnchen (-)	le poulet
das Hammelfleisch	le mouton	das Wild	le gibier
das Lammfleisch	l'agneau	die Soße (n),	
der Braten (-)	le rôti	die Sauce (n)	la sauce
der Schinken	le jambon	das Gewürz (e)	l'épice
fett	gras	gewürzt	épicé
mager	maigre	scharf	très épicé
roh	cru	köstlich	délicieux
zart	tendre		
zäh	dur	die Forelle (n)	la truite
das Steak (s)	le steak	der Lachs (e)	le saumon
das Schnitzel (-)	l'escalope	der Thunfisch (e)	le thon
das Kotelett (s)	la côtelette	der Hering (e)	le hareng
das Hackfleisch	la viande hachée	die Muschel (n)	le coquillage
die Wurst ("e)	1. la charcuterie	die Auster (n)	l'huître
	2. la saucisse		

DIE GETRÄNKE
LES BOISSONS

das Getränk (e)	la boisson	der Wein (e)	le vin
die Milch	le lait	lieblich	doux
der Kaffee	le café	herb	sec
der Tee	le thé	der Sekt	le vin mousseux
das Wasser	l'eau	der Champagner	le champagne
das Trinkwasser	l'eau potable	der Alkohol	l'alcool
das Mineralwasser	l'eau minérale	der Branntwein	l'eau de vie
der Sprudel	l'eau gazeuse	der Schluck (e)	la gorgée
das Cola	le coca cola	voll	plein
der Fruchtsaft	le jus de fruit	füllen	remplir
das Bier	la bière	leer	vide
Bier vom Faß	la bière à la pression	leeren,	
die Brauerei (en)	la brasserie	leer/trinken (a, u)	vider

DER TISCH UND DAS GESCHIRR
LA TABLE ET LA VAISSELLE

der Tisch (e)	la table	der Küchenherd (e)	la cuisinière (fourneau)
die Tischdecke (n)	la nappe		
die Serviette (n)	la serviette de table	der Gasherd (e)	la cuisinière à gaz
das Geschirr	la vaisselle	der Kühlschrank (¨e)	le réfrigérateur
das Besteck (e)	le couvert (cuiller, fourchette, couteau)	der Tiefkühlschrank (¨e)	le congélateur
		die Tiefkühltruhe (n)	le congélateur
der Löffel (-)	la cuiller	die Kaffeemaschine (n)	la cafetière
die Gabel (n)	la fourchette	der Topf (¨e)	1. la casserole
das Messer (-)	le couteau		2. le pot
der Teller (-)	l'assiette	der Kochtopf (¨e)	la casserole
die Schüssel (n)	le plat	der Deckel (-)	le couvercle
die Suppenschüssel (n)	la soupière	die Pfanne (n)	la poêle
die Salatschüssel (n)	le saladier		
die Schale (n)	la coupe, le bol	jn. ein/laden (u, a, ä)	inviter qn.
		der Gast (¨e)	1. l'invité
das Glas (¨er)	le verre		2. le client
das Weinglas (¨er)	le verre à vin	der Gastgeber (-)	l'hôte
die Flasche (n)	la bouteille	das Restaurant (s)	
der Korken (-)	le bouchon	das Gasthaus (¨er)	le restaurant
der Korkenzieher (-)	le tire-bouchon	der Wirt (e)	l'aubergiste
die Kapsel (n)	la capsule	jn. bedienen	servir qn.
die Tasse (n)	la tasse	sich bedienen	se servir
die Untertasse (n)	la soucoupe	die Speisekarte (n)	
die Kaffeekanne (n)	la cafetière	das Menü (s)	le menu
die Teekanne (n)	la théière	der Kellner (-)	le garçon
		die Kellnerin (nen)	la serveuse
das Küchengeschirr	la batterie de cuisine	die Rechnung (en)	la note, l'addition
das Küchengerät (e)	l'ustensile de cuisine	das Trinkgeld (er)	le pourboire
		inbegriffen	compris

• *Expressions et phrases*

frisches Brot	*du pain frais*
Butter aufs Brot streichen (i, i)	*beurrer une tartine*
eine abwechslungsreiche Ernährung	*une alimentation variée*
rohes Fleisch	*de la viande crue*
sich satt essen	*manger à sa faim*
ein weichgekochtes Ei	*un œuf à la coque*
Hunger ist der beste Koch. (Prov.)	*Qui a faim mange tout pain.*
Das Essen schmeckt hervorragend / vorzüglich.	*Le repas est excellent.*
die Käseplatte (n)	*le plateau de fromage*
Er muß Diät halten.	*Il doit suivre un régime.*
den Salat an/machen	*assaisonner la salade*
Kartoffeln schälen	*éplucher des pommes de terre*
das Gemüse putzen	*nettoyer les légumes*
Er trinkt ein oder zwei Glas Wein.	*Il boit un ou deux verres de vin.*
Er trinkt gern Bier vom Faß.	*Il aime boire la bière à la pression.*
Das ist nicht mein Bier. (fig.)	*Ce n'est pas ma tasse de thé.*
Er hat ausgetrunken.	*Il a tout bu.*
aus einem Glas trinken (a, u)	*boire dans un verre*
einen Schluck Wasser trinken (a, u)	*boire une gorgée d'eau*

den Tisch decken	*mettre la table*
den Tisch ab/räumen	*débarrasser la table*
das Geschirr spülen	*laver la vaisselle*
Bedienen Sie sich!	*Servez-vous !*
Sie haben uns zum Kaffee eingeladen.	*Ils nous ont invités pour le café.*
das Essen auf/tragen (u, a, ä)	*servir (un plat)*
eine Mahlzeit ein/nehmen (a, o, i)	*prendre un repas*
jemandem reinen Wein ein/schenken (fig.)	*dire la vérité à qn., ne pas le tromper*

---

6. DIE KLEIDUNG   L'HABILLEMENT

Vocabulaire général

die Kleidung (sg.)	l'habillement	**die Größe (n)**	la taille
das Kleidungsstück (e)	le vêtement	**etw. an/probieren**	essayer qch.
sich kleiden	se vêtir	**passen + D**	aller (convenir)
sich an/ziehen (o, o)	s'habiller (mettre	**der Schneider (-)**	le tailleur
	ses vêtements)	**die Schneiderin (nen)**	la couturière
etw. an/ziehen (o, o)	mettre	**das Maß (e)**	la mesure
	(un vêtement)	**der Maßanzug (¨e)**	le costume sur
sich aus/ziehen (o, o)	se déshabiller		mesure
etw. ab/legen	ôter (un vêtement)	**schneiden (itt, itten)**	couper, tailler
sich um/ziehen (o, o)	se changer	**der Schnitt (e)**	la coupe
auf/setzen	mettre (chapeau,	**nähen**	coudre
	lunettes)	**die Nadel (n)**	l'aiguille
ab/nehmen (a, o, i)	enlever	**der Faden (¨)/ das Garn**	le fil
	(une coiffure)	**die Schere (n)**	les ciseaux
etw. an/haben,		**stopfen**	repriser
etw. tragen (u, a, ä)	porter	**bügeln**	repasser
bequem	confortable	**das Bügeleisen (-)**	le fer à repasser
elegant	élégant	**reinigen**	nettoyer
modisch	à la mode		
altmodisch	démodé	**der Handschuh (e)**	le gant
einfach	simple	**der Kragen (-)**	le col
schick	chic	**der Ärmel (-)**	la manche
auffällig	voyant	**die Falte (n)**	le pli
hübsch	joli	**der Knopf (¨e)**	le bouton
weit	large, ample	**zu/knöpfen**	boutonner
eng, anliegend	serré, collant	**auf/knöpfen**	déboutonner
kurzärmelig	à manches courtes	**der Reißverschluß (¨sse)**	la fermeture éclair
langärmelig	à manches longues	**die Tasche (n)**	la poche
		das Taschentuch (¨er)	le mouchoir
die Mode (n)	la mode	**die Brieftasche (n)**	le portefeuille
die Konfektions-		**stricken**	tricoter
kleidung	le prêt-à-porter	**die Wolle, wollen**	la laine, de laine

die Baumwolle	le coton	die Kunstfaser (n)	la fibre synthétique
sticken	broder	das Leder, ledern	le cuir, de cuir
weben (o, o)	tisser	das Muster (-)	le motif
das Tuch	la toile	gemustert	à motifs
das Leinen	le lin	der Streifen (-)	la rayure
der Samt	le velours	gestreift	rayé
spinnen (a, o)	filer	kariert	à carreaux
die Seide, seiden	la soie, de soie	geblümt	à fleurs

• *Expressions et phrases*

Wollen Sie Ihren Mantel ablegen?	*Voulez-vous enlever votre manteau ?*
Sie ist elegant gekleidet.	*Elle est habillée de façon élégante.*
Er ist warm angezogen.	*Il est chaudement habillé.*
Das steht dir gut.	*Cela te va bien.*
Das paßt dir gut.	*C'est à ta taille.*
die Kleidung nach Maß	*l'habillement sur mesure*
einen Anzug reinigen lassen	*faire nettoyer un costume*
die Ärmel hoch/krempeln	*retrousser les manches*
Sie trägt ein seidenes Kleid.	*Elle porte une robe de soie.*

Vocabulaire spécialisé

DIE DAMENKLEIDUNG
LES VÊTEMENTS FÉMININS

das Kleid (er)	1. la robe	die Bluse (n)	le chemisier
	2. le vêtement	das Halstuch (¨er)	le foulard
das Abendkleid (er)	la robe du soir	die Schürze (n)	le tablier
ausgeschnitten	décolleté	die Handtasche (n)	le sac à main
der Rock (¨e)	la jupe	die Unterwäsche	la lingerie
das Kostüm (e)	le tailleur	der Büstenhalter (-),	
die Jacke (n)	la veste	der BH (s)	le soutien-gorge
die Strickjacke (n)	la veste de laine,	der Slip (s)	le slip
	le gilet	der Schlüpfer (-),	
der Mantel (¨)	le manteau	das Höschen (-)	la culotte
der Pelzmantel (¨)	le manteau	der Strumpf (¨e)	le bas
	de fourrure	die Strumpfhose (n)	le collant
der Regenmantel (¨)	l'imperméable	der Unterrock (¨e)	le jupon
der Regenschirm (e)	le parapluie	das Nachthemd (en)	la chemise de nuit
der Pullover (-)	le pullover	der Morgenrock (¨e)	la robe de chambre
der Pulli (s)	le pull	der Badeanzug (¨e)	le maillot de bain

DIE HERRENKLEIDUNG
LES VÊTEMENTS MASCULINS

der Hut (¨e)	le chapeau	die Krawatte (n),	
die Mütze (n)	la casquette	der Schlips (e)	la cravate
die Baskenmütze (n)	le béret	die Fliege (n)	le nœud papillon
der Schal (s)	l'écharpe	die Weste (n)	le gilet
das Hemd (en)	la chemise	das T-shirt (s)	le T-shirt

die Hose (n)	le pantalon	die Windjacke (n)	le coupe-vent
der Anzug ("e)	le costume		
die Jeans (pl.)		die Unterhose (n)	le caleçon
die Jeanshose (n)	le jean	das Unterhemd (en)	le maillot de corps
die Shorts (pl.)	le short	die Badehose (n)	le maillot de bain
der Gürtel (-)	la ceinture	der Schlafanzug ("e),	
		der Pyjama (s)	le pyjama
der Trainingsanzug ("e)	le survêtement	die Socke (n)	la chaussette
der Anorak (s)	l'anorak		

DIE SCHUHE
LES CHAUSSURES

der Schuh (e)	la chaussure	der Absatz ("e)	le talon
der Stiefel (-)	la botte	die Sohle (n)	la semelle
der Stöckelschuh (e)	la chaussure	gefüttert	fourré
	à talon	ausgetreten	usé, éculé
der Pantoffel (n)	la pantoufle	die Schuhgröße (n)	la pointure

DER SCHMUCK
LES BIJOUX

das Schmuckstück (e)	le bijou	der Diamant (en, en)	le diamant
der Modeschmuck (sg.)	les bijoux fantaisie	die Halskette (n)	le collier
der Juwelier (e)	le bijoutier	das Armband ("er)	le bracelet
das Juweliergeschäft (e)	la bijouterie	der Ring (e)	la bague
das Gold	l'or	der Ehering (e)	l'alliance
golden	en or	der Ohrring (e)	la boucle d'oreille
das Silber	l'argent	die Brosche (n)	la broche
silbern	en argent	der Anhänger (-)	le pendentif
die Perle (n)	la perle	wertvoll / kostbar	précieux
der Edelstein (e)	la pierre précieuse		

• *Expressions et phrases*

Er setzt gern einen Hut auf.	*Il aime mettre un chapeau.*
Hut ab! (fig.)	*Chapeau ! (Bravo)*
viele Menschen unter einen Hut bringen	*mettre tout le monde d'accord*
(brachte, gebracht) (fig.)	
ein ausgeschnittenes Abendkleid	*une robe du soir décolletée*
sich (D)einen Anzug anfertigen lassen	*se faire faire un costume*
die Schuhe putzen	*nettoyer les chaussures*
Ich weiß, wo der Schuh drückt. (fig)	*Je sais où le bât blesse.*
jemand die Schuld in die Schuhe schieben	*faire porter le chapeau à*
(o, o)	*quelqu'un.*

| Das ist nicht meine Schuhgröße. | *Ce n'est pas ma pointure.* |
| Das sind zwei Paar Schuhe! (fig.) | *Ce sont deux choses totalement différentes.* |

Sie trägt eine goldene Halskette.	*Elle porte un collier en or.*
sich (D) eine Brosche an/stecken	*mettre une broche*
von hohem Wert	*de grande valeur*
ein kostbarer Ring	*une bague précieuse*
ein Ring aus echtem Gold	*une bague en or véritable*

7. HAUS UND WOHNEN   LA MAISON ET L'HABITAT

Vocabulaire général

das Haus (¨er)	la maison	kündigen + D	donner congé,
ein Haus bewohnen	habiter une maison		résilier le bail
wohnen in + D	habiter à	ein/ziehen (o, o, ist)	emménager
die Wohnung (en)	l'appartement,	aus/ziehen (o, o, ist)	quitter un
	le logement		appartement
der Wohnort (e)	le domicile	um/ziehen (o, o, ist)	déménager, changer
der Bewohner (-)	l'occupant		d'appartement
	(d'une maison)		
der Einwohner (-)	l'habitant	das Gebäude (-)	le bâtiment
bewohnt	occupé	das Landhaus (¨er)	la maison
unbewohnt	inoccupé		de campagne
der Eigentümer (-),		das Hochhaus (¨er)	l'immeuble (à
der Besitzer (-)	le propriétaire		plusieurs étages)
das Eigentum (sg.),		der Wolkenkratzer (-)	le gratte-ciel
der Besitz (sg.)	la propriété	der Wohnblock (s)	l'immeuble
besitzen (a, e)	posséder		d'habitation
mieten	louer (prendre	die Sozialwohnung (en)	le logement HLM
	en location)	die Eigentums-	l'appartement en
der Mieter (-)	le locataire	wohnung (en)	copropriété
vermieten	louer (donner	die Mietwohnung (en)	l'appartement en
	en location)		location
der Vermieter (-)	le loueur	die Siedlung (en)	le lotissement, la cité
die Miete (n)	le loyer	das Einfamilien-	
der Untermieter (-)	le sous-locataire	haus (¨er)	la maison
der Mietvertrag (¨e)	le bail, le contrat	der Bungalow (s)	individuelle
	de location	das Reihenhaus (¨er)	la maison accolée
		der Bau (ten)	la construction

• *Expressions et phrases*

zu Hause sein	*être chez soi*
nach Hause gehen (i, a, ist)	*rentrer chez soi*
ein eigenes Haus haben	*avoir une maison à soi*
auf Wohnungssuche sein	*être à la recherche d'un appartement*
eine Wohnung mieten	*louer un appartement*
zur Miete wohnen	*habiter en location*
eine hohe Miete zahlen	*payer un loyer élevé*
Der Besitzer kündigt seinem	*Le propriétaire donne congé à son*
Mieter.	*locataire.*
Wir sind letzte Woche umgezogen.	*Nous avons déménagé la semaine dernière.*
in eine neue Wohnung ein/ziehen (o, o, ist)	*emménager dans un nouvel appartement*
Wir sind nach Mainz gezogen.	*Nous avons déménagé à Mayence.*

Vocabulaire spécialisé

DER BAU EINES HAUSES
LA CONSTRUCTION D'UNE MAISON

der Architekt (en, en)	l'architecte	das Brett (er)	la planche
entwerfen (a, o, i)	concevoir	der Hammer (¨)	le marteau
zeichnen	dessiner	der Nagel (¨)	le clou
der Bauunternehmer (-)	l'entrepreneur de construction	die Schraube (n)	la vis
		der Schrauben-	
der Handwerker (-)	l'artisan	zieher (-)	le tournevis
der Maurer (-)	le maçon	bohren	percer
der Bauplatz (¨e)	le terrain de construction	das Fenster (-)	la fenêtre
		das Glas	le verre
die Baustelle (n)	le chantier	die Glasscheibe (n)	la vitre
das Fundament (e),			
die Grundmauer	les fondations	der Gipser (-)	le plâtrier
das Gerüst (e)	l'échafaudage	gipsen, vergipsen	plâtrer
der Backstein (e)	la brique	der Maler (-),	
der Zement	le ciment	der Anstreicher (-)	le peintre
der Beton	le béton	malen,	
der Stahlbeton	le béton armé	an/streichen (i, i)	peindre
der Mörtel	le mortier	die Farbe (n)	la peinture
		der Pinsel (-)	le pinceau
der Zimmermann		tapezieren	tapisser
(leute)	le charpentier		
der Balken (-)	la poutre	der Klempner (-)	le plombier
das Gebälk (sg.)	la charpente	das Rohr (e)	le tuyau
der Dachstuhl (¨e)	la toiture	der Schlosser (-)	le serrurier
das Dach (¨er)	le toit	der Glaser (-)	le vitrier
der Dachdecker (-)	le couvreur	der Elektro-	
der Ziegel (-)	la tuile	installateur (e)	l'électricien
der Schiefer (sg.)	l'ardoise	die elektrische	l'installation
die Leiter (n)	l'échelle	Einrichtung (en)	électrique
		der Dekorateur (e)	le décorateur
der Schreiner (-)		der Plattenleger (-)	le carreleur
der Tischler (-)	le menuisier	die Fliese (n),	
sägen	scier	die Platte (n)	le carreau

• *Expressions et phrases*

ein Haus bauen	*construire une maison*
Der Architekt entwirft und zeichnet den Plan.	*L'architecte conçoit et dessine le plan.*
ein Gerüst auf/stellen	*installer un échafaudage*
ein Dach decken	*couvrir un toit*
Der Mörtel verbindet die Backsteine.	*Le mortier lie les briques.*
Der Schreiner setzt die Fenster ein.	*Le menuisier pose les fenêtres.*
Die Wände werden angestrichen oder tapeziert.	*Les murs sont peints ou bien tapissés.*
Das Badezimmer wird mit Fliesen belegt.	*La salle de bains est carrelée.*

DIE HAUSEINRICHTUNG
L'INSTALLATION DE LA MAISON

die Mauer (n)	le mur	das Arbeitszimmer (-)	le bureau
die Wand (¨e)	la cloison intérieure	das Gästezimmer (-)	la chambre d'amis
der Fußboden (¨)	le sol	das Kinderzimmer (-)	la chambre d'enfant
die Vorderseite (n)	la façade principale	das Spielzimmer (-)	la salle de jeux
der Stock (sg),		das Badezimmer (-)	la salle de bains
das Stockwerk (e),		die Toilette (n)	le W.C.
die Etage (n)	l'étage	der Gang (¨e)	le couloir
das Erdgeschoß (e)	le rez-de-chaussée	der Eingang (¨e)	
der Keller (-)	la cave	der Flur (e)	l'entrée
das Kellergeschoß (e)	le sous-sol	die Treppe (n)	l'escalier
die Garage (n)	le garage	das Treppenhaus (¨er)	la cage d'escalier
die Tiefgarage (n)	le parking souterrain	die Stufe (n)	la marche
der Schornstein (e)	la cheminée	der Lift (e)	
	(extérieure)	der Fahrstuhl (¨e)	
das Dach (¨er)	le toit	der Aufzug (¨e)	l'ascenseur
der Dachboden (¨),			
der Speicher (-)	le grenier	der Hof (¨e)	la cour
die Dachkammer (n)	la mansarde	der Garten (¨)	le jardin
das Zimmer (-)	la chambre	das Gitter (-)	la grille
das Wohnzimmer (-)	le séjour	der Zaun (¨e)	la clôture
das Eßzimmer (-)	la salle à manger	der Rasen (-)	la pelouse
das Schlafzimmer (-)	la chambre à	das Gras	l'herbe
	coucher	mähen	faucher
		der Rasenmäher(-)	la tondeuse à gazon

DIE WOHNUNGSEINRICHTUNG
L'AMÉNAGEMENT INTÉRIEUR

ein/richten	aménager	das Schloß (¨sser)	la serrure
aus/statten	équiper	der Schlüssel (-)	la clé
die Haustür (en)	la porte d'entrée	schließen (o, o)	fermer
der Briefkasten (¨)	la boîte aux lettres	ab/schließen (o, o)	fermer à clé
die Klingel (n)	la sonnette	öffnen,	
die Sprechanlage (n)	l'interphone	auf/schließen (o, o)	ouvrir
die Türschwelle (n)	le seuil	das Fenster (-)	la fenêtre
die Tür (en)	la porte	der (Fenster)laden (¨)	le volet

DIE BELEUCHTUNG
L'ÉCLAIRAGE

beleuchten	éclairer	die Birne (n)	l'ampoule
der Strom	le courant électrique	die Kerze (n)	la bougie
die Elektrizität	l'électricité	das Streichholz (¨er)	l'allumette
die Lampe (n)	la lampe	der Schalter (-)	l'interrupteur
die Stehlampe (n)	le lampadaire	die Steckdose (n)	la prise d'électricité
die Hängelampe (n)	la suspension	die Neonröhre (n)	le tube néon
der Kerzenleuchter (-)	le bougeoir	das Licht an/machen	allumer la lumière
der Leuchter (-)	le lustre	das Licht aus/machen	éteindre la lumière

DIE HEIZUNG
LE CHAUFFAGE

heizen	chauffer (un appartement)	der Kamin (e)	la cheminée (du salon)
wärmen	chauffer (de l'eau)	das Feuer an/zünden	allumer le feu
die Zentralheizung	le chauffage central	das Feuer aus/löschen	éteindre le feu
die elektrische Heizung	le chauffage électrique	der Ofen (¨)	le poêle
die Gasheizung	le chauffage au gaz	brennen, brannte, gebrannt	brûler
die Ölheizung	le chauffage au mazout	die Asche (sg.)	la cendre
der Heizkörper (-)	le radiateur	der Rauch (sg.)	la fumée
die Klimaanlage (n)	la climatisation	heiß	très chaud
der Brennstoff (e)	le combustible	warm	chaud
		kalt	froid

DIE MÖBEL
L'AMEUBLEMENT

das Möbelstück	le meuble	der Teppich (e)	le tapis
die Möbel (pl.)	les meubles, le mobilier	der Bodenteppich (e)	la moquette
		das Parkett (e)	le parquet
der Stuhl (¨e)	la chaise	die Garderobe (n)	le vestiaire
der Sitz (e)	le siège	der Kleiderhaken (-)	le porte-manteau
der Sessel (-)	le fauteuil	das Büffet (e)	le buffet
das Sofa (s),		der Wandschrank (¨e)	le placard
die Couch (s),		der Schreibtisch (e)	le bureau
das Kanapee (s)	le canapé	der Bücherschrank (¨e)	la bibliothèque
der Tisch (e)	la table	das Regal (e)	l'étagère
der Eßzimmertisch (e)	la table de la salle à manger	die Schublade (n)	le tiroir
		die Hi-Fi-Anlage (n)	la chaîne stéréo
		der Aschenbecher (-)	le cendrier

DAS SCHLAFZIMMER
LA CHAMBRE À COUCHER

das Bett (en)	le lit	schläfrig	somnolent
das Bettgestell (e)	le sommier	ein/schlafen (ie, a, ä, ist)	s'endormir
die Matratze (n)	le matelas	gähnen	bâiller
das Bettuch (¨er)		schlummern, dösen	somnoler
das Leintuch (¨er)	le drap	träumen	rêver
die Bettdecke (n)	la couverture	der Traum (¨e)	le rêve
das Federbett (en)	l'édredon, la couette	der Alptraum (¨e)	le cauchemar
das Kopfkissen (-)	l'oreiller		
der Schrank (¨e)	l'armoire	auf/wachen (ist)	se réveiller
die Kommode (n)	la commode	erwachen (ist)	se réveiller
der Nachttisch (e)	la table de nuit	jn. wecken	réveiller qn.
der Vorhang (¨e)	le rideau	der Wecker (-)	le réveil
die Gardine (n)	le rideau	wach	éveillé
		auf/stehen (a, a, ist)	se lever
sich hin/legen	se coucher		
schlafen (ie, a, ä)	dormir		

DAS BADEZIMMER
LA SALLE DE BAINS

das Bad (¨er)	le bain	der Spiegel (-)	le miroir
die Badewanne (n)	la baignoire		
baden, ein Bad		der Kamm (¨e)	le peigne
nehmen (a, o, i)	prendre un bain	(sich) kämmen	(se) peigner,
die Dusche (n)	la douche		(se) coiffer
(sich) duschen,		der Föhn (e),	
eine Dusche		der Haartrockner (-)	le sèche-cheveux
nehmen (a, o, i)	prendre une douche	die Bürste (n)	la brosse
das Waschbecken (-)	le lavabo	bürsten	brosser
die Seife (n)	le savon	die Zahnbürste (n)	la brosse à dents
sich ein/seifen	se savonner	die Zahnpaste (n)	le dentifrice
der Waschlappen (-)	le gant de toilette	sich (D) die Zähne	
der Wasserhahn (¨e)	le robinet	putzen	se brosser les dents
den Hahn auf/drehen	ouvrir le robinet	sich rasieren	se raser
den Hahn zu/drehen	fermer le robinet	der Rasierapparat (e)	le rasoir mécanique
das Handtuch (¨er)	la serviette	der Trockenrasierer	le rasoir électrique
	de toilette	das Rasiermesser (-)	le rasoir
sich ab/trocknen	se sécher	die Schere (n)	les ciseaux
trocken	sec	der Schwamm (¨e)	l'éponge

DIE KÜCHE
LA CUISINE

die eingebaute Küche,		auf/drehen	ouvrir (un bouton,
die Einbauküche (n)	la cuisine intégrée		un robinet)
der Küchenschrank (¨e)	le buffet de cuisine	zu/drehen	fermer (un bouton,
der Gasherd (e)	la cuisinière à gaz		un robinet)
der Elektroherd (e)	la cuisinière	der Spültisch (e)	l'évier
	électrique	der Mülleimer (-)	la poubelle
der Backofen (¨)	le four	die Spülmaschine (n)	le lave-vaisselle
das Küchengerät (e)	l'ustensile de cuisine		

DER HAUSHALT
LE MÉNAGE

die Hausfrau (en)	la ménagère,	der Dreck	la crasse
	la femme au foyer	putzen	nettoyer,
die Hausarbeit (en)	les travaux ménagers		faire le ménage
das Haushaltsgerät (e)	l'appareil ménager	die Putzfrau (en)	la femme de ménage
die Waschmaschine (n)	la machine à laver	fegen / kehren	balayer
die Waschküche (n)	la buanderie	der Besen (-)	le balai
bügeln	repasser	der Lappen (-)	le chiffon
das Bügeleisen (-)	le fer à repasser	auf/räumen	ranger
der Staub	la poussière	bequem	confortable
der Staubsauger (-)	l'aspirateur	hell	clair
sauber	propre	dunkel	sombre
die Sauberkeit	la propreté	geräumig	spacieux
schmutzig	sale	hoch	haut
der Schmutz	la saleté	niedrig	bas
dreckig	crasseux		

• *Expressions et phrases*

sich (D) ein Haus bauen lassen (ie, a, ä)	*se faire construire une maison*
ein Haus mit drei Stockwerken	*une maison à trois étages*
Er wohnt im dritten Stock.	*Il habite le troisième étage.*
Das Haus ist bequem und schön eingerichtet.	*La maison est confortable et joliment aménagée.*
mit Fliesen ausgelegt	*carrelé*
Der Boden ist mit Teppichen ausgelegt.	*Le sol est recouvert de tapis.*
Der Wein wird im Keller aufbewahrt.	*Le vin est conservé à la cave.*
Das Haus ist gut geheizt.	*La maison est bien chauffée.*
Er hat kein Auge zugemacht.	*Il n'a pas fermé l'œil (de la nuit).*
Wie man sich bettet, so liegt man. (Prov.)	*Comme on fait son lit, on se couche.*
zu Bett gehen (i, a, ist)	*aller au lit*
Er muß früh aufstehen.	*Il doit se lever tôt.*
den Haushalt führen	*tenir une maison*
Hausarbeiten verrichten	*faire des travaux ménagers*
staub/saugen	*aspirer la poussière, passer l'aspirateur*
die Wäsche bügeln	*repasser le linge*
das Geschirr spülen	*laver la vaisselle*
ein Zimmer auf/räumen	*ranger une pièce*
Die Zimmer sind hell und geräumig.	*Les chambres sont claires et spacieuses.*

8• STELLUNGEN UND BEWEGUNGEN

POSITIONS ET MOUVEMENTS

STELLUNGEN
POSITIONS

sitzen (a, e)	être assis	**die Stellung (en)**	la position
sich setzen	s'assoir	**auf/stehen (a, a, ist)**	se lever
der Sitz (e)	le siège	**liegen (a, e)**	être couché
stehen (a, a)	être debout	**legen**	poser (à plat)
(sich) stellen	(se) poser, (se) placer	**sich hin/legen**	se coucher
die Stelle (n)	l'endroit, la place		

• *Expressions et phrases*

Ich sitze auf dem Stuhl.	*Je suis assis sur la chaise.*
Ich setze mich auf den Stuhl.	*Je m'assois sur la chaise.*
Nehmen Sie Platz!	*Prenez place !*
Stehen Sie auf!	*Levez-vous !*
Er stand vor der Tür.	*Il était debout devant la porte.*
Er stellte sich vor das Fenster.	*Il se plaça devant la fenêtre.*
an dieser Stelle	*à cet endroit*
Er hat eine führende Stellung.	*Il occupe une position dirigeante.*
Ich möchte dazu Stellung nehmen.	*Je voudrais prendre position là-dessus.*
Das Buch liegt auf dem Tisch.	*Le livre est sur la table.*
Ich habe das Buch auf den Tisch gelegt.	*J'ai posé le livre sur la table.*
Ich möchte mich hinlegen.	*Je voudrais m'allonger.*

SICH FORTBEWEGEN
SE DÉPLACER

die Bewegung (en)	le mouvement	marschieren	marcher
sich bewegen	bouger, se mouvoir	laufen (ie, au, äu, ist)	courir, marcher
beweglich	mobile	der Lauf (¨e)	la course
die Beweglichkeit	la mobilité	rennen	
gelenkig	agile	(rannte, gerannt)	courir
die Haltung (en)	la tenue, l'attitude	eilen (ist)	se hâter
das Verhalten (sg.)	le comportement	sich beeilen	se dépêcher
(sich) halten (ie, a, ä)	(se) tenir	die Eile, die Hast	la hâte
gehen (i, a, ist)	aller	bummeln	flâner
der Gang	la démarche	schlendern	traîner
langsam	lent, lentement	hinken	boiter
ruhig	calme, calmement	schwanken	chanceler
schnell	rapide, vite	kriechen (o, o, ist)	ramper
hastig	précipité,	schleichen (i, i, ist)	se glisser
	précipitamment	geschickt	adroit
schreiten (i, i, ist)	marcher	ungeschickt	maladroit
der Schritt (e)	le pas	die Geschicklichkeit	l'adresse
der Marsch	la marche	schwerfällig	lourd

SPRINGEN UND STÜRZEN
SAUTER ET CHUTER

springen (a, u, ist)	sauter	der Sturz (¨e)	la chute
der Sprung (¨e)	le saut	stolpern (ist)	trébucher
hoch/springen (a, u, ist)	bondir	rutschen (ist)	glisser
fallen (ie, a, ä, ist)	tomber	aus/rutschen (ist)	déraper
stürzen (ist)	1. faire une chute	um/fallen (ie, a, ä, ist)	tomber à la renverse
	2. se précipiter		

ANDERE BEWEGUNGEN
AUTRES MOUVEMENTS

nicken	faire un signe approbatif de la tête	ziehen (o, o)	tirer
		sich drängen	se pousser, se frayer un passage
winken	faire signe de la main	das Gedränge (sg.)	la cohue
		sich strecken	s'étirer
sich rühren	bouger	aus/strecken	étendre (les bras ou les jambes)
sich bücken	se baisser		
sich verbeugen	s'incliner	sich auf/richten	se redresser
beugen	plier, courber	heben (o, o)	lever
sich lehnen an + A	s'appuyer contre	hoch/heben (o, o)	soulever
sich stützen auf + A	s'appuyer sur	auf/heben (o, o)	ramasser
knien	être à genoux	fassen	saisir
sich hin/knien	s'agenouiller	fangen (i, a, ä)	attraper
schieben (o, o)	pousser	ergreifen (i, i)	saisir, s'emparer de

• *Expressions et phrases*

sehr beweglich sein	*être très mobile*
eine schlechte Haltung haben	*mal se tenir*
Schritt für Schritt	*pas à pas*
etwas in Gang bringen (brachte, gebracht)	*mettre qch. en marche*
seinen Gang gehen (i, a, ist)	*aller son train*
im Laufe der Woche	*dans le courant de la semaine*
im Laufe des Gesprächs	*au cours de la conversation*
einer Sache freien Lauf lassen (ie, a, ä)	*laisser libre cours à qch.*
beim Laufen	*en courant*
sich müde laufen (ie, au, äu, ist)	*se fatiguer à force de courir*
mit jm. um die Wette laufen (ie, au, äu, ist)	*faire une course avec qn.*
Er kommt angelaufen.	*Il vient en courant.*
Die Zeit eilt.	*Le temps presse.*
Ich habe es eilig.	*Je suis pressé.*
Er eilte nach Hause.	*Il se dépêcha de rentrer chez lui.*
Eile mit Weile! (Prov.)	*Hâte-toi lentement !*
einen Stadtbummel machen	*faire une balade en ville*
Er ist aus dem Zimmer geschlichen.	*Il est sorti furtivement de la pièce.*

Er ist aus dem Fenster gesprungen.	*Il a sauté par la fenêtre.*
Er ist auf den Boden gefallen.	*Il est tombé par terre.*
Er ist vom Baum gestürzt.	*Il est tombé de l'arbre.*
Er stürzte in den Raum.	*Il se précipita dans la pièce.*
den Arm beugen	*plier le bras*
sich ans Fenster lehnen	*s'appuyer contre la fenêtre*
sich aus dem Fenster hinaus/lehnen	*se pencher par la fenêtre*
sich durch die Menge drängen	*se frayer un passage dans la foule*
Er streckt seine Beine aus.	*Il étire ses jambes.*
Er richtete sich auf.	*Il se redressa.*
Heben Sie den Arm hoch!	*Levez le bras !*
die Gelegenheit ergreifen (i, i)	*saisir l'occasion*
die Flucht ergreifen (i, i)	*prendre la fuite*

---

9. DER SPORT   LE SPORT

Vocabulaire général

der Sport	le sport	**der Massensport**	le sport de masse
die Sportarten	les sports	**der Leistungssport**	le sport de
Sport treiben (ie, ie)	faire du sport		compétition
sportlich	sportif	**der Profi (s)**	le professionnel
unsportlich	antisportif	**der Berufssport**	le sport
der Sportler (-)	le sportif		professionnel
die Sportlerin (nen)	la sportive	**der Wettkampf (¨e)**	la compétition
der Amateur (e)	l'amateur		

der Wettkämpfer (-)	le compétiteur, le concurrent	über jn. siegen	vaincre qn.
kämpfen (um + A)	se battre (pour)	gewinnen (a, o)	gagner
spielen, der Spieler (-)	jouer, le joueur	der Gewinner (-)	le gagnant
trainieren	s'entraîner	die Medaille (n)	la médaille
das Training	l'entraînement	(sich) dopen	(se) doper
der Trainer (-)	l'entraîneur	das Doping	le dopage
der Sportklub (s) /		verlieren (o, o)	perdre
der Sportverein (e)	le club sportif	der Verlierer (-)	le perdant
der Meister (-)	le champion	die Niederlage (n)	la défaite
der Weltmeister (-)	le champion du monde	der Spielstand	le score
die Meisterschaft (en)	le championnat	der Sportplatz ("e)	le terrain de sport
die Welt- meisterschaft (en)	le championnat du monde	die Sporthalle (n)	la salle de sports
		das Stadion (ien)	le stade
die Olympischen Spiele/		das Publikum (sg.)	le public
die Olympiade (n)	les Jeux Olympiques	der Zuschauer (-)	le spectateur
der Sponsor (en)	le sponsor	der Anhänger (-)	le supporter
sponsern	sponsoriser	der Beifall (sg.)	les applaudissements
die Qualifikation (en)	la qualification	die Anstrengung (en)	l'effort
sich qualifizieren	se qualifier	sich an/strengen	faire des efforts
das Finale (-),		müde	fatigué
das Endspiel (e)	la finale	ermüden	se fatiguer
das Halbfinale (-)	la demi-finale	die Müdigkeit	la fatigue
		erschöpft	épuisé
der (Welt)Rekord (e)	le record (du monde)	fit	en forme
		die Fitneß	la forme
der Rekordhalter (-)	le recordman	sich aus/ruhen	se reposer
der Sieg (e)	la victoire	die Ruhe	le repos
der Sieger (-)	le vainqueur	überwinden (a, u)	surmonter

• *Expressions et phrases*

an einem Wettkampf teil/nehmen (a, o, i)	*participer à une compétition*
um eine Medaille kämpfen	*se battre pour une médaille*
Sie müssen hart trainieren.	*Ils doivent s'entraîner durement.*
ins Finale kommen (a, o, ist)	*parvenir en finale*
das Halbfinale erreichen	*arriver en demi-finale*
einen Rekord auf/stellen	*établir un record*
einen Rekord brechen (a, o, i)	*battre un record*
den Sieg davon/tragen (u, a, ä)	*remporter la victoire*
die Goldmedaille gewinnen (a, o)	*gagner la médaille d'or*
Dieser Spieler hat sich gedopt.	*Ce joueur s'est dopé.*
eine Niederlage erleiden (i, i)	*subir une défaite*
Beifall klatschen	*applaudir*
Trotz seiner Anstrengungen ist er noch fit.	*Malgré ses efforts, il est encore en forme.*
Es gelang ihm, seine Müdigkeit zu überwinden.	*Il réussit à surmonter sa fatigue.*

Vocabulaire spécialisé

DER FUSSBALL
LE FOOTBALL

der Ball (¨e)	la balle	schießen (o, o)	tirer
Fußball spielen	jouer au football	der Schuß (¨sse)	le tir
das Fußballspiel (e)	le match de football	der Elfmeter (-)	le penalty
der Fußballspieler (-)	le footballeur	der Eckball (¨e)	le corner
der Fußballplatz (¨e)	le terrain de football	der Freistoß (¨e)	le coup franc
das Spielfeld (er)	la surface de jeu	das Foul (s)	la faute
das Tor (e)	le but	die Halbzeit (en)	la mi-temps
der Torwart (e)	le gardien de but	der Schiedsrichter (-)	l'arbitre
der Stürmer (-)	l'attaquant	der Linienrichter (-)	le juge de ligne
der Verteidiger (-)	le défenseur	unentschieden	match nul

DAS TENNIS
LE TENNIS

Tennis spielen	jouer au tennis	der Aufschlag (¨e),	
der Tennisplatz (¨e)	le court de tennis	das Service (s)	le service
das Match (s)	le match de tennis	die Vorhand	le coup droit
das Einzelspiel (e)	le simple	die Rückhand	le revers
das Doppel (s)	le double	der Flugball (¨e)	la volée
das Turnier (e)	le tournoi	das Netz (e)	le filet
der Partner (-)	le partenaire	das Spiel (e)	le jeu
der (Tennis)Schläger (-)	la raquette de tennis	der Satz (¨e)	la manche, le set
auf/schlagen (u, a, ä)	servir		

SCHWIMMEN UND WASSERSPORT
LA NATATION ET LES SPORTS NAUTIQUES

schwimmen (a, o, ist / hat)	nager	das Segeln, der Segelsport	la voile (le sport)
der Schwimmer (-)	le nageur	das Segel (-)	la voile
das Schwimmbad (¨er)	la piscine	segeln (hat oder ist)	faire de la voile
das Hallenbad (¨er)	la piscine couverte	das Segelboot (e)	le voilier
das Freibad (¨er)	la piscine de plein air	der Wasserski	le ski nautique
		surfen	faire de la planche à voile
der Wasserball	le water-polo		
das Sprungbrett (er)	le plongeoir	das Surfbrett (er)	la planche à voile
tauchen	plonger	der Windsurfer (-)	le véliplanchiste
das Tiefseetauchen	la plongée sous-marine	das Rudern	l'aviron
		rudern	faire de l'aviron

DIE LEICHTATHLETIK
L'ATHLÉTISME

der Athlet (en, en)	l'athlète	der Läufer	le coureur
laufen (ie, au, äu, ist)	courir	der Hundertmeter-	
der Lauf (¨e)	la course	lauf (¨e)	le cent mètres

der Hürdenlauf (¨e)	la course de haies	der Weitsprung	le saut en longueur
der Kurzstrecken- lauf (¨e)	la course de vitesse	der Anlauf (¨e)	l'élan
der Langstrecken- lauf (¨e)	la course de fond	das Kugelstoßen	le lancer du poids
der Marathonlauf (¨e)	le marathon	das Hammerwerfen	le lancer du marteau
der Start (s)	le départ	das Diskuswerfen	le lancer du disque
der Fehlstart (s)	le faux-départ	das Speerwerfen	le lancer du javelot
jn. ein/holen	rattraper qn.	der Zehnkampf (¨e)	le décathlon
der Rückstand (¨e)	le retard	das Turnen	la gymnastique
springen (a, u, ist)	sauter	turnen	faire de la gymnastique
der Sprung (¨e)	le saut	der Turner (-)	le gymnaste
der Hochsprung	le saut en hauteur	die Turngeräte (pl.)	les agrès
der Stabhochsprung	le saut à la perche		

DER RADSPORT UND DAS AUTORENNEN
LE CYCLISME ET LA COURSE AUTOMOBILE

das Fahrrad (¨er)	le vélo	der Reifen (-)	le pneu
der Radfahrer (-)	le cycliste		
der Radrennfahrer (-)	le coureur cycliste	das Rennauto (s)	la voiture de course
rad/fahren (u, a, ä, ist)	faire du vélo	das Autorennen (-)	la course automobile
das Motorrad (¨er)	la moto	der Rennfahrer (-)	le coureur automobile
das Ziel (e)	l'arrivée		
die Lenkstange (n)	le guidon	die Rennstrecke (n)	le circuit
der Sattel (-)	la selle	die Runde (n)	le tour

DER WINTERSPORT
LES SPORTS D'HIVER

der Wintersportort (e)	la station de sports d'hiver	Schlitten fahren (u, a, ä, ist), rodeln (ist)	faire de la luge
Ski laufen (ie, au, äu, ist)	faire du ski	der Bob (s)	le bobsleigh
Ski fahren (u, a, ä, ist)	faire du ski	Bob fahren (u, a, ä, ist)	faire du bob
das Skilaufen	le ski (sport)	die Eisbahn (en)	la patinoire
der Skiläufer (-)	le skieur	der Schlittschuh (e)	le patin à glace
der Abfahrtslauf	le ski de piste	das Schlittschuhlaufen	le patinage
die Piste (n)	la piste	der Eiskunstlauf	le patinage artistique
der Langlauf	le ski de fond	der Schlittschuh- läufer (-)	le patineur
die Loipe (n)	le piste de ski de fond	das Eishockey	le hockey sur glace
die Skiausrüstung (en)	l'équipement de ski		
der Ski (er), der Schi (er)	le ski	klettern	grimper
der Skistock (¨e)	le bâton	das Bergsteigen	l'escalade
der Skistiefel (-)	la chaussure de ski	der Bergsteiger (-)	l'alpiniste
der Skilift (e)	le téléski	der Aufstieg (e)	la montée
der Sessellift (e)	le télésiège	der Abstieg (e)	la descente
die Gondelbahn (en)	la télécabine	der Gipfel (-)	le sommet
der Schlitten (-)	le traîneau	das Seil (e)	la corde
		sich an/seilen	s'encorder

DER REITSPORT
L'ÉQUITATION

reiten (i, i) (intr.: sein; tr.: haben)	aller à cheval	das Pferderennen (-)	la course de cheval
das Reiten	l'équitation	der Trab, im Trab	le trot, au trot
der Reiter (-)	le cavalier	der Galopp, im Galopp	le galop, au galop

ANDERE SPORTARTEN
AUTRES SPORTS

der Volleyball	le volley-ball	der Boxkampf (¨e)	le combat de boxe
der Handball	le handball	das Judo	le judo
der Basketball	le basket	das Karate	le karaté
das Rugby	le rugby	das Yoga	le yoga
der Federball	le badmington	das Fechten	l'escrime
das Golf	le golf	fechten (o, o, i)	faire de l'escrime
das Tischtennis	le tennis de table	das Schießen	le tir
das Gewichtheben	l'haltérophilie	schießen (o, o)	tirer
die Hantel (n)	l'haltère	das Turnen	la gymnastique (de compétition)
das Ringen	la lutte		
ringen	lutter	die Gymnastik	la gymnastique (d'entretien)
das Boxen	la boxe		
boxen	boxer	das Bodybuilding	le bodybuilding
der Boxer (-)	le boxeur	das Muskeltraining	la musculation
		die Sauna (s)	le sauna

• *Expressions et phrases*

ein Tor schießen (o, o)	*marquer un but*
das Spiel ab/pfeifen (i, i)	*siffler la fin du match*
zwei zu null gewinnen (a, o)	*gagner deux à zéro*
Becker hat den ersten Satz gewonnen.	*Becker a gagné le premier set.*
Er hat gut aufgeschlagen.	*Il a bien servi.*
Er ist den ganzen Tag gesegelt.	*Il a fait de la voile toute la journée.*
Er hat seinen Gegner eingeholt.	*Il a rattrapé son adversaire.*
Er hat seinen Rückstand aufgeholt.	*Il a rattrapé son retard.*
einen Anlauf nehmen (a, o, i)	*prendre son élan*
in bester Form sein	*être en grande forme*
Der Skiläufer hat eine hervorragende Leistung vollbracht.	*Le skieur a réalisé une performance remarquable.*
einen Gipfel besteigen (ie, ie)	*faire l'ascension d'un sommet*
Er hat das Pferd geritten.	*Il a monté le cheval.*
Sie ist durch den Wald geritten.	*Elle a traversé la forêt à cheval.*
aufs Pferd steigen (ie, ie, ist)	*monter à cheval*
vom Pferd steigen (ie, ie, ist)	*descendre de cheval*
fit sein	*être en forme*
Trimm dich fit!	*Fais de l'exercice pour être en forme !*

DAS ANGELN UND DIE JAGD
LA PÊCHE ET LA CHASSE

angeln	pêcher à la ligne	die Angel (n)	la ligne
der Angler (-)	le pêcheur à la ligne	die Schnur (¨e)	le fil
die Angelrute (n)	la canne à pêche	fischen, der Fischer (-)	pêcher, le pêcheur

an/beißen (i, i)	mordre	der Förster (-)	le garde-forestier
der Fang (¨e)	la prise	der Wilddieb (e), der	
das Netz (e)	le filet	Wilderert	le braconnier
		die Spur (en)	la trace
die Jagd	la chasse	das Wild	le gibier
jagen, der Jäger (-)	chasser, le chasseur	lauern auf + A	guetter
das Jagdgewehr (e)	le fusil de chasse	zielen	viser
die Jagdtasche (n)	la gibecière	schießen (o, o)	tirer
der Jagdhund (e)	le chien de chasse	der Schuß (¨sse)	le coup de feu
der Jagdhüter (-)	le garde-chasse	treffen (a, o, i)	toucher

• *Expressions et phrases*

die Angel aus/werfen (a, o, i)	*lancer la ligne*
Fische fangen (i, a, ä)	*attraper des poissons*
einen guten Fang machen	*faire une bonne prise*
auf die Jagd gehen (i, a, ist)	*aller à la chasse*
auf einen Hasen schießen (o, o)	*tirer sur un lièvre*
den Hasen treffen (a, o, i)	*toucher le lièvre*
das Ziel verfehlen	*manquer son but*
auf der Lauer liegen (a, e)	*être aux aguets*

---

10. DIE FREIZEIT	LES LOISIRS

Vocabulaire général

die freie Zeit	le temps libre	vergnügt / fröhlich	joyeux
die Freizeit (sg.)	les loisirs	der Spaß (sg.)	1. le plaisir, le
die Freizeit-	le loisir,		divertissement
beschäftigung (en)	l'activité de loisir		2. la plaisanterie
die Freizeit-	le loisir,	das Hobby (s)	le hobby
tätigkeit (en)	l'activité de loisir	der Zeitvertreib (sg.)	le passe-temps
die Freizeit-	l'organisation	die Lieblings-	
gestaltung	des loisirs	beschäftigung (en)	le passe-temps favori
die Freizeitgesellschaft	la société de loisirs	die Zeit verbringen	
sich entspannen	se détendre	(verbrachte,	
die Entspannung	la détente	verbracht)	passer le temps
sich erholen	se reposer	untätig	inactif
die Erholung	le repos	die Untätigkeit	l'inactivité
sich aus/ruhen	se reposer	müßig	oisif
sich zerstreuen	se distraire	der Müßiggang	l'oisiveté
die Zerstreuung (en)	la distraction	spannend	passionnant
die Vergnügung (en)	la distraction,	langweilig	ennuyeux
	le plaisir	sich langweilen	s'ennuyer
sich vergnügen	s'amuser	die Langeweile	l'ennui

Vocabulaire spécialisé

FREIZEITBESCHÄFTIGUNGEN
ACTIVITÉS DE LOISIRS

lesen (a, e, ie)	lire	erscheinen (ie, ie, ist)	paraître
das Lesen	la lecture	die Neu-	la nouvelle
die Zeitung (en)	le journal	erscheinung (en)	parution
die Zeitschrift (en)	la revue	veröffentlichen	publier
das Buch (¨er)	le livre		

fern/sehen (a, e, ie)	regarder	das Videospiel (e)	le jeu vidéo
	la télévision	ein/schalten	allumer
das Fernsehen	la télévision	aus/schalten	éteindre
der Fernseher (-)	le téléviseur	die Fernbedienung (en)	la télécommande
der Fernseh-		das Programm (e)	la chaîne
zuschauer (-)	le téléspectateur	der Sender (-)	l'émetteur
die Fernseh-	l'émission de	um/schalten	changer de chaîne
sendung (en)	télévision	die Taste (n)	la touche
der Bildschirm (e)	l'écran		

Musik hören	écouter	die Hi-Fi-Anlage (n)	
	de la musique	die Stereoanlage (n)	la chaîne Hi-fi
die Musik	la musique	der Kassetten-	le magnétophone
die Lautstärke (n)	le volume sonore	recorder (-)	à cassettes
laut	fort (volume sonore)		
leise	bas (volume sonore)	singen (a, u)	chanter
die Schallplatte (n)	le disque	der Chor (¨e)	
die CD (s)	le compact disque	der Gesangverein (e)	la chorale

basteln	bricoler	die Sammlung (en)	la collection
das Basteln	le bricolage	die Briefmarken-	la collection
der Bastler (-)		sammlung (en)	de timbres
der Heimwerker (-)	le bricoleur	die Kunst-	
sammeln	collectionner	sammlung (en)	la collection d'art
der Sammler (-)	le collectionneur		

fotographieren		der Photoapparat (e)	l'appareil photo
photographieren	photographier	die Filmkamera (s)	la caméra
die Fotographie (n)		das Blitzlicht (er)	le flash
die Photographie	la photographie	der Film (e)	le film
das Foto (s)		filmen	filmer
das Photo (s)		das Diapositiv (e)	
das Bild (er)	la photo	das Dia (s)	la diapositive
der Photograph (en, en)	le photographe	entwickeln	développer
die Kamera (s)	l'appareil photo	vergrößern	agrandir

aus/gehen (i, a, ist)	sortir	das Nachtlokal (e)	la boîte de nuit
ein/laden (u, a, ä),		tanzen	danser
die Einladung (en)	inviter, l'invitation	der Tanz (¨e)	la danse
die Stimmung	l'ambiance	der Tänzer (-)	le danseur
die Diskothek (en)	la discothèque	jn. zum Tanz	
die Party (ies)	la soirée (dansante)	auf/fordern	inviter qn. à danser

Das Kino (s)	le cinéma	der Science-Fiction-	le film de
der Kinosaal (-säle)	la salle de cinéma	Film (e)	science-fiction
die Vorstellung (en)	la séance	der Horrorfilm (e)	
der Kassenschlager (-)	le grand succès	der Gruselfilm (e)	le film d'horreur
der Spielfilm (e)	le film, le long	der Kurzfilm (e)	le court-métrage
	métrage	der Stummfilm (e)	le film muet
der Zeichentrickfilm (e)	le dessin animé	der Zuschauer (-)	le spectateur
der Krimi (s),		die Eintrittskarte (n)	le billet d'entrée
der Kriminalfilm (e)	le film policier	der Sitz (e)	la place, le fauteuil
der Abenteuerfilm (e)	le film d'aventures	die Reihe (n)	la rangée

- *Expressions et phrases*

Er verfügt über viel freie Zeit.	*Il dispose de beaucoup de temps libre.*
seine Freizeit gestalten	*organiser ses loisirs*
Nach dieser schweren Arbeit braucht er	*Après ce dur travail il a besoin de*
Erholung.	*repos.*
Das macht mir Spaß.	*Cela me fait plaisir.*
Ich wünsche dir viel Spaß!	*Amuse-toi bien !*
Das war nur Spaß.	*Ce n'était qu'une plaisanterie.*
Er versteht keinen Spaß.	*Il ne comprend pas la plaisanterie.*
Ich verbringe meine Zeit gern mit Lesen.	*J'aime occuper mon temps à lire.*
Ich habe die Zeitung nur durchgeblättert.	*Je n'ai que feuilleté le journal.*
Wir haben gestern abend ferngesehen.	*Nous avons regardé la télévision hier soir.*
Was läuft im ersten Programm?	*Qu'y a-t-il sur la première chaîne ?*
Ich habe auf das zweite Programm	*Je suis passé sur la deuxième*
umgeschaltet.	*chaîne.*
eine Platte auf/legen	*mettre un disque*
Du mußt dir diese Platte anhören.	*Il faut que tu écoutes ce disque.*
die Lautstärke ein/stellen	*régler le volume*
die Lautstärke leiser / lauter stellen	*baisser / augmenter le volume*
Ich will ein Bild von Ihnen machen.	*Je vais faire une photo de vous.*
Heute abend gehen wir aus.	*Ce soir nous sortons.*
jemanden zum Essen ein/laden (u, a, ä)	*inviter qn. à manger*
auf eine Party gehen (i, a, ist)	*aller à une soirée*
in die Diskothek gehen (i, a, ist)	*aller en discothèque*
in guter Stimmung sein	*être dans une bonne ambiance, s'amuser*
Stimmung machen	*mettre de l'ambiance*
Er hat uns die Stimmung verdorben.	*Il nous a gâché l'ambiance.*
ins Theater / ins Kino / ins Konzert gehen	*aller au théâtre / au cinéma / au concert*
sich (D) einen guten Film an/sehen (a, e, ie)	*regarder un bon film*

DIE SPIELE
LES JEUX

spielen, das Spiel (e)	jouer, le jeu	Karten spielen	jouer aux cartes
das Spielzeug (e)	le jouet	aus/teilen	distribuer
das Gesellschafts-		das Bridge	le bridge
spiel (e)	le jeu de société	der Trumpf (¨e), das As	l'atout, l'as
der Spieler (-)	le joueur	der Stich (e)	le pli
die Spielregel (n)	la règle du jeu	das Kreuz, das Herz,	le trèfle, le cœur,
der Gegner (-)	l'adversaire	das Karo, das Pik	le carreau,
gewinnen (a, o)	gagner		le pique
verlieren (o, o)	perdre		
die Karte (n)	la carte	das Schachspiel	le jeu d'échecs
das Kartenspiel (e)	le jeu de cartes	Schach spielen	jouer aux échecs

das Schachbrett (er)	l'échiquier	das Spielkasino (s)	le casino
die Schachfigur (en)	la pièce	das Glücksspiel (e)	le jeu de hasard
schachmatt	échec et mat	der Würfel (-)	le dé
		das Würfelspiel (e)	le jeu de dés
das Damespiel (e)	le jeu de dames	würfeln	jeter les dés
das Damebrett (er)	le damier	die Lotterie (n)	la loterie
das Billard	le billard	das Los (e)	le billet, le lot
der Billiardstock (¨e)	la queue de billard		
die Kugel (n)	la boule	das Rätsel (-)	la devinette,
das Kegeln	le jeu de quilles		l'énigme
der Kegel (-)	la quille	das Kreuzworträtsel (-)	les mots croisés
die Kegelbahn (en)	la piste de quilles		

• *Expressions et phrases*

das Spiel auf/geben (a, e, i)	*abandonner la partie*
die Hand im Spiel haben	*être impliqué dans une affaire*
leichtes Spiel haben	*avoir beau jeu*
alles aufs Spiel setzen	*mettre tout en jeu*
Was steht auf dem Spiel?	*Qu'est-ce qui est en jeu ?*
ein gefährliches Spiel treiben (ie, ie)	*jouer un jeu dangereux*
die Spielregeln ein/halten (ie, a, ä)	*respecter les règles du jeu*
falsch spielen / mogeln (fam.)	*tricher*
um Geld spielen	*jouer pour de l'argent*
sein ganzes Vermögen verspielen	*perdre toute sa fortune au jeu*
jemandem einen Streich spielen	*jouer un tour à qn.*
die Karten mischen	*battre les cartes*
keinen Stich machen	*ne pas faire un pli*
den letzten Trumpf aus/spielen	*abattre son dernier atout*
alle Trümpfe in der Hand haben (fig.)	*avoir tous les atouts en main*
jemanden schachmatt setzen	*mettre qn. échec et mat*
Die Würfel sind gefallen.	*Les dés sont jetés. Le sort en est jeté.*
Glück haben ≠ Pech haben	*avoir de la chance ≠ avoir de la malchance*
das Große Los ziehen (o, o)	*gagner le gros lot*
Das ist mir ein Rätsel.	*Je n'y comprends rien.*

III. DIE GESELLSCHAFT

DIE ZWISCHENMENSCHLICHEN BEZIEHUNGEN
LES RELATIONS HUMAINES

die Gesellschaft (en)	la société	das Treffen (-),	
gesellschaftlich	social (relatif	die Begegnung (en)	la rencontre
	à la société)	jn. vor/stellen + D	présenter qn. à qn.
sozial	social (relatif	die Vorstellung (en)	la présentation
	au social)	jn. ein/laden (u, a, ä)	inviter qn.
gesellig	sociable	die Einladung (en)	l'invitation
das Gesellschaftsleben	la vie sociale	zusammen/kommen	se rencontrer,
der Kreis (e)	le milieu	(a, o, ist)	se réunir
mit jm. verkehren	fréquenter qn.	das Fest (e)	la fête
jn. besuchen	rendre visite à qn.	die Fete (n),	
der Besuch (e)	la visite	die Party (s)	la surprise-party
der Umgang	la fréquentation	feiern	fêter qch.,
die Umgangsformen	le savoir-vivre,		faire la fête
(pl.) die Manieren	les manières	der Gast (¨e)	l'invité
einfach	simple	der Gastgeber (-)	l'hôte (celui
bescheiden	modeste		qui reçoit)
der Einfluß (¨sse)	l'influence	empfangen (i, a, ä)	recevoir
einflußreich	influent	der Empfang (¨e)	la réception
die Beziehung (en)	la relation	zu/sagen	donner son accord
der Bekannte (adj.)	l'ami,		(à une invitation)
	la connaissance	ab/sagen	annuler
die Bekanntschaft	la connaissance		(une invitation)
jn. kennen/lernen	faire la connaissance	ab/lehnen	refuser, décliner
	de qn.		(une invitation,
jn. treffen (a, o, i)	rencontrer qn.		une offre)
jm. begegnen (ist) + D	rencontrer qn.		

• *Expressions et phrases*

die gesellschaftlichen Kreise	*les milieux sociaux*
jemandem Gesellschaft leisten	*tenir compagnie à qn.*
gute Umgangsformen haben	*avoir de bonnes manières*
einen großen Einfluß haben	*avoir une grande influence*
einflußreiche Beziehungen haben	*avoir des relations influentes*

Wir haben gestern Bekanntschaft gemacht. /	*Nous avons fait connaissance*
Wir haben uns gestern kennengelernt.	*hier.*
Ich habe ihn in der Stadt getroffen.	*Je l'ai rencontré en ville.*
Ich bin ihm auf der Straße begegnet.	*Je l'ai rencontré dans la rue.*
Wir haben ihn zur Party eingeladen.	*Nous l'avons invité à la soirée.*
Wir feiern heute meinen Geburtstag.	*Nous fêtons aujourd'hui mon anniversaire.*
Alle Freunde haben zugesagt.	*Tous les amis ont confirmé leur venue.*
Nur einer mußte schließlich	*Un seul a dû finalement annuler sa*
absagen.	*participation.*
Doch keiner hat unsere Einladung abgelehnt.	*Mais personne n'a décliné notre invitation.*

Vocabulaire spécialisé

DIE GESELLSCHAFTLICHEN SCHICHTEN
LES CLASSES SOCIALES

die gesellschaftliche		der Freiberufler (-)	le membre d'une
Gruppe (n)	le groupe social		profession libérale
die Schicht (en)	la classe sociale	der Beamte (adj.)	le fonctionnaire
die Elite (n)	l'élite	der Angestellte (adj.)	l'employé
der Adel	la noblesse	der Handwerker (-)	l'artisan
aristokratisch	aristocratique		
die Aristokratie	l'aristocratie	die Arbeiterklasse	la classe ouvrière
der Fürst (en, en)	le prince	jn. aus/beuten	exploiter qn.
der Herzog (¨e)	le duc	die Ausbeutung	l'exploitation
der Herrscher (-)	le souverain	reich	riche
das Privileg (ien)	le privilège	der Reichtum	la richesse
privilegiert	privilégié	sich bereichern	s'enrichir
der Mittelstand	la classe moyenne	das Vermögen (-)	la fortune
das Bürgertum	la bourgeoisie	wohlhabend	aisé
der Bürger (-)	le citoyen	der Wohlstand	l'aisance,
der Bourgeois (-)	le bourgeois		la prospérité
der Kleinbürger (-)	le petit-bourgeois	die Wohlstands-	la société
bürgerlich	1. relatif à la	gesellschaft	d'abondance
	citoyenneté	der Überfluß	la surabondance
	2. bourgeois	arm	pauvre
der Selbständige (adj.)	la personne établie	die Armut	la pauvreté
	à son compte	verarmen	s'appauvrir
selbständig	indépendant	hilfsbedürftig	nécessiteux
die freien Berufe	les professions	die Sozialhilfe	l'aide sociale
	libérales		

• *Expressions et phrases*

sich selbständig machen	*se mettre à son compte*
die führenden Schichten	*les classes dominantes*
ein bürgerliches Leben führen	*mener une vie bourgeoise*
die bürgerlichen Pflichten und Rechte	*les devoirs et les droits du citoyen*
Privilegien verteidigen	*défendre des privilèges*
Er hat sich ein großes Vermögen erarbeitet.	*Il s'est constitué une grosse fortune.*
im Wohlstand leben	*vivre dans l'aisance*

DIE POLITISCHEN KONFLIKTE
LES CONFLITS POLITIQUES

kämpfen gegen + A	se battre contre	unterdrücken	opprimer
etw. oder jn.	lutter contre qch.	die Unterdrückung	l'oppression
bekämpfen	ou qn.		
der Klassenkampf ("e)	la lutte des classes	scheitern (ist)	échouer
der Konflikt (e)	le conflit	auf/geben (a, e, i)	abandonner
der Protest (e)	la protestation		(une lutte)
protestieren gegen + A	protester contre	verzichten auf + A	renoncer à
sich auf/lehnen	se soulever contre,	der Verzicht (e) auf + A	le renoncement
gegen + A	s'insurger	nach/geben (a, e, i) + D	céder à
die Auflehnung	le soulèvement	sich fügen + D	se soumettre
der Aufstand ("e)	l'insurrection	sich unterwerfen	
aus/brechen (a, o, i)	éclater	(a, o, i)	se soumettre
	(guerre, conflit)	zusammen/brechen	
die Gewalt (sg.)	la violence	(a, o, i, ist)	s'effondrer
widerstehen (a, a) + D	résister à	der Zusammen-	
der Widerstand ("e)	la résistance	bruch ("e)	l'effondrement
sich widersetzen + D	s'opposer à		

• *Expressions et phrases*

Widerstand leisten	*opposer de la résistance*
Er widersetzt sich mir.	*Il s'oppose à moi.*
Der Konflikt brach plötzlich aus.	*Le conflit a éclaté soudainement.*
Gewalt an/wenden	*user de violence*
Das Volk lehnte sich gegen die Tyrannei auf.	*Le peuple s'est insurgé contre la tyrannie.*
Der Aufstand wurde gewaltsam unterdrückt.	*Le soulèvement fut violemment réprimé.*
Der Aufstand ist gescheitert.	*Le soulèvement a échoué.*
den Kampf auf geben (a, e, i)	*abandonner la lutte*
Das Regime ist zusammengebrochen.	*Le régime s'est effondré.*

DIE RASSENPROBLEME
LES PROBLÈMES RACIAUX

die Rasse (n)	la race	der Schwarze (adj.)	le noir
der Rassist (en, en)	le raciste	der Farbige (adj.)	la personne
der Rassismus	le racisme		de couleur
die Rassentrennung,		die Minderheit (en)	la minorité
die Apartheid	la ségrégation raciale	jn. verfolgen	poursuivre,
der Antisemitismus	l'antisémitisme		persécuter qn.
die Ausländer-		die Verfolgung (en)	la persécution
feindlichkeit,		der Jude (n, n)	le juif
der Ausländerhaß	la xénophobie	jüdisch	juif
die Rassenunruhen	les troubles raciaux	die Juden-	la persécution
der Weiße (adj.)	le blanc	verfolgung (en)	des Juifs

DIE EINWANDERUNG
L'IMMIGRATION

ein/wandern (ist)	immigrer	der Auswanderer (-)	l'émigrant
der Einwanderer (-)	l'immigrant	die Einwanderung	l'immigration
aus/wandern (ist)	émigrer	die Auswanderung	l'émigration

der Flüchtling (e)	le réfugié	ab/lehnen	
der Flüchtlings-		ab/weisen (ie, ie)	rejeter
strom ("e)	l'afflux de réfugiés	der Aussiedler (-)	l'immigré de souche
fliehen (o, o, ist)	fuir		allemande
die Flucht (sg.)	la fuite		(originaire des
der Gastarbeiter (-)	le travailleur		pays de l'Est)
	immigré	der Illegale (n, n)	le clandestin
die Heimat	le pays natal	jn. aus/weisen (ie, ie)	expulser / refouler
das Asyl	l'asile	ab/schieben (o, o)	qn.
das Asylrecht	le droit d'asile	die Ausweisung (en)	
der Asylant (en, en)		die Abschiebung (en)	l'expulsion
Asylbewerber (-)	le demandeur d'asile	die Familienzusammen-	le regroupement
der Antrag ("e)	la demande	führung (en)	familial
beantragen	solliciter	die Quote (n)	le quota
genehmigen	autoriser	stammen aus + D	être originaire de
die Genehmigung (en)	l'autorisation	das Asylantenlager (-)	le camp de réfugiés
sich auf/halten (ie, a, ä)	séjourner	jn. unter/bringen	
die Aufenthalts-	le permis	(brachte,	
erlaubnis (se)	de séjour	untergebracht)	héberger qn.
verweigern	refuser	die Unterbringung	l'hébergement

EINWANDERUNGSPROBLEME
PROBLÈMES D'IMMIGRATION

der Einheimische (adj.)	l'autochtone	sich oder jn.	s'intégrer ou
fremdenfeindlich,		ein/gliedern in + A	intégrer qn.
ausländerfeindlich	xénophobe	die Integration in + A	l'intégration dans
die Ausländer-		die Ein-	
feindlichkeit	la xénophobie	gliederung in + A	l'intégration dans
die Unruhen (pl.)	les troubles	sich an/passen + D	s'adapter
schwarz arbeiten	travailler au noir	die Anpas-	
die Schwarzarbeit	le travail au noir	sung (en) an + A	l'adaptation à
der Hungerlohn ("e)	le salaire de misère	anpassungsfähig	capable de s'adapter

- *Expressions et phrases*

In Südafrika wurde die Apartheid abgeschafft.	*En Afrique du Sud, l'apartheid a été aboli.*
Manche Minderheiten sind dem Ausländerhaß ausgesetzt.	*Certaines minorités sont exposées à la xénophobie.*
Sie werden wegen ihrer Rasse diskriminiert.	*Ils subissent une discrimination à cause de leur race.*
Er ist voriges Jahr in die Bundesrepublik eingewandert.	*Il a immigré l'an dernier en République Fédérale.*
Viele Deutsche sind in die USA ausgewandert.	*De nombreux Allemands ont émigré aux États-Unis.*
Die Hungersnot hat diesen Mann zur Auswanderung getrieben.	*La famine a poussé cet homme à émigrer.*
Er flieht aus seiner Heimat.	*Il fuit son pays natal.*
Diese Familie hat Asyl beantragt.	*Cette famille a sollicité le droit d'asile.*
einen Antrag auf Asyl stellen	*faire une demande d'asile*
das Asylrecht gewähren	*accorder le droit d'asile*
das Asylrecht genießen (o, o)	*jouir du droit d'asile*
das Asylrecht ein/schränken	*restreindre le droit d'asile*
Das Asylrecht wurde ihm verweigert.	*Le droit d'asile lui a été refusé.*
Sein Antrag wurde abgewiesen.	*Sa demande a été rejetée.*

Die illegalen Einwanderer werden abgeschoben.	*Les immigrés illégaux sont expulsés.*
Der Flüchtlingsstrom hat Ausländerfeindlichkeit und Rassismus ausgelöst.	*L'afflux de réfugiés a provoqué de la xénophobie et du racisme.*
Viele türkische Gastarbeiter haben sich gut in die deutsche Gesellschaft eingegliedert.	*De nombreux travailleurs immigrés turcs se sont bien intégrés dans la société allemande.*
Sie passen sich den neuen Verhältnissen an.	*Ils s'adaptent aux nouvelles conditions.*

DAS HEIMATLAND UND DAS VATERLAND
LE PAYS NATAL ET LA PATRIE

der Geburtsort (e)	le lieu de naissance	die Rückkehr	le retour
die Heimat (sg.)	le pays natal	zurück/kehren (ist)	retourner
das Vaterland ("er)	la patrie	fremd	1. étranger,
das Heim (e)	le foyer, le chez-soi	der Fremde (adj.)	l'étranger
das Heimweh	la mal du pays		(au lieu)
die Sehnsucht nach + D	la nostalgie de		2. inconnu
sich sehnen nach	avoir la nostalgie de	das Ausland (sg.)	l'étranger (les
der Landsmann (leute)	le compatriote		pays étrangers)
der Mitbürger (-)	le concitoyen	der Ausländer (-)	l'étranger (au pays)
der Staatsbürger (-)	le citoyen	ausländisch	étranger (venant
die Staatsbürgerschaft	la nationalité		d'un autre pays)
sich nieder/lassen (ie, a, ä) in + D	s'installer, s'établir		

• *Expressions et phrases*

Er sehnt sich nach der Heimat.	*Il a la nostalgie du pays natal.*
Er hat sich in der Schweiz niedergelassen.	*Il s'est établi en Suisse.*
Er ist in die Heimat zurückgekehrt.	*Il est retourné dans son pays natal.*
Er möchte die deutsche Staatsbürgerschaft erhalten.	*Il voudrait obtenir la nationalité allemande.*
Ich kenne diese Gegend nicht; ich bin hier fremd.	*Je ne connais pas cette région ; je ne suis pas d'ici.*
Er wohnt seit Jahren im Ausland.	*Il habite depuis des années à l'étranger.*
Er stammt aus der Türkei; er ist Ausländer	*Il est originaire de la Turquie ; c'est un étranger*

DIE SOZIALEN PROBLEME
LES PROBLÈMES SOCIAUX

das Elend	la misère	der Aussteiger (-)	le marginal (qui s'est volontairement marginalisé)
das Elendsviertel	le bidonville		
die Wohnungsnot	la pénurie de logements	der Außenseiter (-)	le marginal
obdachlos	sans abri,	die Prostitution	la prostitution
der Obdachlose (adj.)	le sans-abri, le SDF	die Prostituierte (adj.)	la prostituée
menschenunwürdig	indigne d'un être humain	die Droge (n), das Rauschgift (sg.)	la drogue
der Stadtstreicher (-)	le clochard	die Drogensucht	la toxicomanie
betteln	mendier	der Drogensüchtige (adj.)	le drogué, le toxicomane
der Bettler (-)	le mendiant		

der Rauschgift- süchtige (adj.)	le drogué, le toxicomane	die Forderung (en) nach + D	la revendication
die Abhängigkeit	la dépendance	der Slogan (s)	le slogan
		die Parole (n)	le mot d'ordre (politique)
demonstrieren	manifester		
die Demonstration (en)	la manifestation	das Transparent (e)	la banderole
		das Flugblatt (¨er)	le tract
der Demonstrant (en, en)	le manifestant	die Gewalt (sg.)	la violence (le phénomène)
auf die Straße gehen (i, a, ist)	descendre dans la rue	die Gewalttätigkeit (en) gewalttätig	la violence (l'acte) violent
etw. fordern / verlangen	revendiquer, réclamer qch.	der Gewalttätige (adj.)	la personne violente

DIE KRIMINALITÄT
LA DÉLINQUANCE

kriminell	criminel	der Einbruchs- diebstahl (¨e)	le cambriolage
der Kriminelle (adj.)	le criminel le délinquant	ein/brechen (a, o, i, ist) in + A	cambrioler
das Verbrechen (-)	le crime	der Überfall (¨e)	l'agression
der Verbrecher (-)	le criminel	der Raubüberfall (¨e)	le hold-up
verbrecherisch	criminel	der Anschlag (¨e),	
stehlen (a, o, ie)	voler	das Attentat (e)	l'attentat
der Dieb (e)	le voleur	der Mord (e)	le meurtre
der Diebstahl (¨e)	le vol	der Mörder (-)	le meurtrier
der Einbrecher (-)	le cambrioleur		

• *Expressions et phrases*

eine Demonstration veranstalten
die Forderung nach einer Lohnerhöhung

Gewalt an/wenden
Die Diebe sind in die Wohnung eingebrochen.
einen Mord begehen (i, a)

organiser une manifestation
la revendication d'une augmentation de
salaire
faire usage de la violence
Les voleurs ont cambriolé l'appartement.
commettre un meurtre

12• FESTE UND FEIERTAGE   FÊTES ET JOURS FÉRIÉS

Vocabulaire général

das Fest (e)	la fête	**veranstalten**	organiser
festlich	festif / de fête	**statt/finden (a, u)**	avoir lieu
der Feiertag (e)	le jour férié	**bei/wohnen + D**	assister à
die Feier (n)	la cérémonie,	**jm. gratulieren**	féliciter qn.
	la festivité	**jm. etw. schenken**	offrir qch. à qn.
feiern	fêter, célébrer	**das Geschenk (e)**	le cadeau
feierlich	solennel	**jn. bescheren**	faire un cadeau à qn.
die Feierlichkeit (sg.)	la solennité	**die Bescherung (en)**	la remise
die Feierlichkeiten (pl.)	les cérémonies		des cadeaux
organisieren	organiser		

Vocabulaire spécialisé

FAMILIENFESTE
LES FÊTES FAMILIALES

das Familienfest (e)	la fête de famille	**der Vatertag (e)**	la fête des pères
der Geburtstag (e)	l'anniversaire	**die Verlobung (en)**	les fiançailles
der Namenstag (e)	la fête	**die Hochzeit (en)**	le mariage
der Muttertag (e)	la fête des mères		

KIRCHENFESTE
LES FÊTES RELIGIEUSES

das Kirchenfest (e)	la fête religieuse	**der Rosenmontag**	le lundi précédant
Weihnachten	Noël		le Mardi gras
der Weihnachts-			(jour des grands
mann (¨er)	le Père Noël		cortèges
der Weihnachts-			carnavalesques)
baum (¨e)	le sapin de Noël	**der Aschermittwoch**	le mercredi
der Weihnachts-			des Cendres
markt (¨e)	le marché de Noël	**der Festzug (¨e)**	le défilé,
der Heilige Abend	la veillée de Noël	**der Korso (s)**	le cortège
der Silvesterabend	le réveillon de la		carnavalesque
	Saint-Sylvestre	**der Palmsonntag**	le dimanche
Neujahr	le jour		des Rameaux
	du Nouvel An	**der Karfreitag**	le Vendredi Saint
der Karneval	le carnaval	**Ostern**	Pâques
der Fasching	le carnaval	**der Osterhase (n, n)**	le lapin de Pâques
		Christi Himmelfahrt	l'Ascension

Pfingsten	La Pentecôte	der Buß- und Bettag	le Jour de Pénitence
Allerheiligen	la Toussaint		et de Prière
der Sankt-Nikolaustag	la Saint-Nicolas		(jour férié)

NATIONALFEIERTAGE
LES FÊTES NATIONALES

der Nationalfeiertag (e)	la fête nationale	jn. aus/zeichnen	décorer qn.
der Tag der Deutschen Einheit (3. Oktober)	le jour de l'Unité allemande	der Brauch (¨e)	la coutume
der Erste Mai	le 1er mai	die Sitte (n)	la coutume
die Gedenkfeier (n)	la commémoration	die Tradition (en)	la tradition
jds. gedenken (gedachte, gedacht)	célébrer la mémoire de qn.	traditionell	traditionnel
der Jahrestag (e)	le jour commémoratif	herkömmlich	traditionnel
jn. ehren	honorer qn.	das Volksfest (e)	la fête populaire
die Ehre (n)	l'honneur	der Jahrmarkt (¨e)	la foire annuelle
das Denkmal (¨er)	le monument	das Karussell (e)	le manège
die Auszeichnung (en)	la décoration	das Feuerwerk (e)	le feu d'artifice
		sich amüsieren	s'amuser
		sich verkleiden	se déguiser

• *Expressions et phrases*

Geburtstag feiern	*fêter l'anniversaire*
Ich gratuliere dir zum Geburtstag.	*Je te souhaite un bon anniversaire.*
Herzlichen Glückwunsch zum Geburtstag!	*Bon anniversaire !*
Alles Gute zum Neuen Jahr!	*Tous mes vœux pour la Nouvelle Année !*
Guten Rutsch ins Neue Jahr!	*Bonne année !*
Fröhliche Weihnachten!	*Joyeux Noël !*
Frohe Ostern!	*Joyeuses Pâques !*
Bei dieser Feier gedachte man der Gefallenen.	*À cette cérémonie on a célébré la mémoire des morts au champ de bataille.*
jemandem einen Orden verleihen (ie, ie)	*décerner une décoration à qn.*
Das tun wir ihm zu Ehren.	*Nous faisons cela en son honneur.*

---

13. STADT UND STADTLEBEN   LA VILLE ET LA VIE URBAINE

Vocabulaire général

die Stadt (¨e)	la ville	der Radweg (e)	la piste cyclable
die Hauptstadt (¨e)	la capitale	der Bürgersteig (e),	
die Altstadt (¨e)	la partie ancienne	das Trottoir (s)	le trottoir
	de la ville	die Fußgängerzone (n)	la zone piétonnière
die Neustadt (¨e)	la ville nouvelle	die Kreuzung (en)	le carrefour,
die Vorstadt (¨e)	la banlieue		le croisement
der Vorort (e)	la localité de	die Brücke (n)	le pont
	banlieue	der Tunnel (s)	le tunnel
die Innenstadt (¨e),		die Unterführung (en)	le passage souterrain
die City (s)	le centre-ville	die Verkehrsampel (n)	le feu tricolore
das Stadtviertel (-),		die Straßen-	
der Stadtteil (e)	le quartier	beleuchtung	l'éclairage public
der Stadtplan (¨e)	le plan de la ville	die Straßenlaterne (n)	le lampadaire
die Straße (n)	la rue	die Grünanlage (n)	l'espace vert
die Hauptstraße (n)	la rue principale	der Stadtpark (s)	le jardin public
die Einbahnstraße (n)	la rue en sens unique	der Rasen (-)	la pelouse
die Geschäftsstraße (n)	la rue commerçante	das Blumenbeet (e)	le parterre de fleurs
die Gasse (n)	la ruelle	der Springbrunnen (-)	la fontaine,
die Sackgasse (n)	l'impasse		le jet d'eau
der Platz (¨e)	la place	der Kinder-	
der Marktplatz (¨e)	la place du marché	spielplatz (¨e)	le terrain de jeux

DER STADTVERKEHR
LE TRAFIC URBAIN

---

verkehren	1. circuler	der Parkplatz (¨e)	le parking
	2. fréquenter	das Parkhaus (¨er)	le parking couvert
der Autoverkehr	la circulation	die Tiefgarage (n)	le parking souterrain
	automobile	die Parkuhr (en)	le parcmètre
verkehrsreich	très fréquenté	die Parkgebühr (en)	la taxe de
verkehrsfrei	interdit à la		stationnement
	circulation	das Parkverbot (e)	l'interdiction de
dicht	dense		stationner
das Verkehrsschild (er)	le panneau de	das Halteverbot (e)	l'interdiction de
	circulation		s'arrêter
die Vorfahrt	la priorité	der Strafzettel (-)	la contravention
parken	stationner	die Geldstrafe (n)	l'amende

DIE ÖFFENTLICHEN VERKEHRSMITTEL
LES TRANSPORTS EN COMMUN

das Verkehrsmittel (-)	le moyen de transport	der Fahrkartenautomat (en, en)	le distributeur automatique de billets
der Bus (se)	le bus		
die Straßenbahn (en)	le tramway	der Nahverkehr	le trafic de banlieue
die U-Bahn (en)		die Linie (n)	la ligne
= die Untergrundbahn	le métro	die Haltestelle (n)	l'arrêt (de bus, de tramway)
die S-Bahn (en)			
= die Schnellbahn	le R.E.R., train de banlieue	die U-Bahnstation (en)	la station de métro
		an/halten (ie, a, ä, ist)	s'arrêter
die Fahrkarte (n)	le billet	das Taxi (s)	le taxi

DIE VERKEHRSPROBLEME
LES PROBLÈMES DE CIRCULATION

der Stau (s)	le bouchon, l'embouteillage	die Luft verpesten	polluer l'air
die Verkehrs-stockung (en)	le bouchon, l'embouteillage	die Luftverschmutzung	la pollution de l'air
die Abgase (pl.)	les gaz d'échappement	der Gestank	la puanteur
		stinken (a, u)	sentir mauvais
der Schadstoff (e)	le produit toxique	der Lärm (sg.)	le bruit
aus/stoßen (ie, o, ö)	émettre	die Lärmbelastung (en)	la nuisance par le bruit
der Ausstoß (¨sse)	l'émission		
die Luft verschmutzen	polluer l'air	schaden + D	nuire à
		gesundheitsschädlich	nocif pour la santé

• *Expressions et phrases*

eine Stadtrundfahrt machen	*effectuer une visite guidée de la ville*
nach dem Weg fragen	*demander son chemin*
in der Innenstadt wohnen	*habiter au centre-ville*
eine verkehrsreiche Straße	*une rue très fréquentée*
rechts ab/biegen (o, o, ist)	*bifurquer à droite*
die Vorfahrt beachten	*respecter la priorité*
Parken ist nur an den vorgesehenen Stellen erlaubt.	*Le stationnement n'est autorisé qu'aux endroits prévus.*
Der Parkplatz ist gebührenpflichtig.	*Le parking est payant.*
eine Fahrkarte am Schalter lösen	*prendre un billet au guichet*
in den Bus ein/steigen (ie, ie, ist)	*monter dans un bus*
mit dem Bus fahren (u, a, ä, ist)	*aller en bus*
Der Bus hält an jeder Haltestelle.	*Le bus s'arrête à tous les arrêts.*
im Stau stecken	*être pris dans un embouteillage*
Die Autos stoßen Schadstoffe aus.	*Les voitures émettent des produits toxiques.*
Die Autoabgase sind gesundheits-schädlich.	*Les gaz d'échappement sont nocifs pour la santé.*

Vocabulaire spécialisé

DIE GEBÄUDE
LES ÉDIFICES

das Gebäude (-) — l'édifice
das Denkmal (¨er) — le monument
die Sehens-
würdigkeit (en) — la curiosité
sehenswert — qui mérite d'être vu
besichtigen — visiter
die Besichtigung (en) — la visite
das Rathaus (¨er) — l'hôtel de ville, la mairie
das Postamt (¨er) — le bureau de poste
das Verkehrsamt (¨er) — l'office du tourisme
das Museum (Museen) — le musée
die (Stadt)
Bibliothek (en) — la bibliothèque (municipale)
das Theater (-) — le théâtre
die Oper (n) — l'opéra
das Kino (s) — le cinéma
der Fernsehturm (¨e) — la tour de télévision
das Stadion (ien) — le stade

das Hallenbad (¨er) — la piscine couverte
das Freibad (¨er) — la piscine de plein air
die Eisbahn (en),
das Eisstadion (ien) — la patinoire
die Kirche (n) — l'église
der Dom (e),
das Münster (-) — la cathédrale
das Krankenhaus (¨er) — l'hôpital
das Gesundheits-
amt (¨er) — le service d'hygiène
das Wohnamt (¨er) — le service du logement
die Börse (n) — la bourse
die Handelskammer (n) — la chambre de commerce
die Handwerks-
kammer (n) — la chambre des métiers
die Messe (n) — la foire

DIE STADTVERWALTUNG
L'ADMINISTRATION MUNICIPALE

verwalten — gérer, administrer
die Stadtverwaltung — la municipalité
die (Stadt)Behörde (n) — l'administration municipale
der Bürgermeister (-) — le maire
der Stadtrat (¨e) — 1. le conseil municipal
2. le conseiller municipal

sich an/melden — faire une déclaration de domicile
das Ausländeramt (¨er) — le bureau d'accueil des étrangers
die Aufenthalts-
erlaubnis (se) — l'autorisation de séjour
das Sozialamt (¨er) — le service d'aide sociale

- *Expressions et phrases*

eine Stadt besichtigen — *visiter une ville*
das Museum besuchen — *visiter le musée*
zur Post gehen (i, a, ist) — *aller à la poste*
ins Kino / ins Theater / ins Konzert gehen — *aller au cinéma / au théâtre / au concert*
den Münsterturm besteigen (ie, ie) — *monter sur le clocher de la cathédrale*
Der Fernsehturm bietet eine schöne Aussicht auf die Stadt. — *La tour de télévision offre une belle vue sur la ville.*
Was läuft zur Zeit im Theater? — *Que joue-t-on actuellement au théâtre ?*
Die Leipziger Messe lockt viele Besucher an. — *La foire de Leipzig attire de nombreux visiteurs.*
Bürgermeister und Stadträte leiten die gesamte Stadtverwaltung. — *Le maire et les conseillers dirigent l'ensemble de l'administration municipale.*
eine Aufenthaltserlaubnis erhalten (ie, a, ä) — *obtenir une autorisation de séjour*

einen Paß aus/stellen   *délivrer un passeport*
Das Sozialamt kümmert sich um die   *Le bureau d'aide sociale s'occupe des sans-*
Obdachlosen und Bedürftigen.   *abri et des nécessiteux.*

---

14. DAS POLITISCHE LEBEN	LA VIE POLITIQUE

Vocabulaire général

die Bundesrepublik	La République	der Diktator (en)	le dictateur
Deutschland	Fédérale	die Diktatur (en)	la dictature
	d'Allemagne	der totalitäre Staat (en)	l'État totalitaire
der Staat (en)	l'État	der Rechtsstaat (en)	l'État de droit
der Bundesstaat	L'État Fédéral	das Gesetz (e)	la loi
der Föderalismus	le fédéralisme	das Grundgesetz	la Loi Fondamentale
das Land ("er)	le pays		(la Constitution
das Vaterland	la patrie		de la RFA)
das Bundesland ("er)	le land	die Verfassung (en)	la Constitution
die Staatsform (en)	la forme	der Gesetzgeber (-)	le législateur
	de gouvernement	das Parlament (e)	le parlement
die Demokratie (n)	la démocratie	der Bundesrat	le Bundesrat
demokratisch	démocratique		(Assemblée
die Republik (en)	la république		représentant
der Bürger (-)	le citoyen		les länder)
die Staatsangehörigkeit	la nationalité	der Bundestag	Le Bundestag
der Präsident (en, en)	le Président		(le parlement
die Monarchie (n)	la monarchie		fédéral)
der Herrscher (-)	le souverain	das Grundrecht (e)	le droit fondamental
der König (e)	le roi	die Politik	la politique
das Volk ("er)	le peuple	politisch	politique
die Nation (en)	la nation	der Politiker (-)	l'homme politique
die Heimat	le pays natal		

DIE LÄNDER
LES LÄNDER

Die elf alten	Les onze anciens	Nordrhein-Westfalen	La Rhénanie-
Bundesländer:	länder :	(Düsseldorf)	Westphalie
Schleswig-Holstein	Le Schleswig-	Hessen	
(Kiel)	Holstein	(Wiesbaden)	la Hesse
Hamburg	Hambourg	das Saarland	la Sarre
Bremen	Brême	(Saarbrücken)	(Sarrebrück)
Berlin	Berlin	Rheinland-Pfalz	la Rhénanie-
Niedersachsen	La Basse-Saxe	(Mainz)	Palatinat
(Hannover)	(Hannovre)		(Mayence)

Baden-Württemberg (Stuttgart)	le Bade-Württemberg	Brandenburg (Potsdam)	le Brandebourg
Bayern (München)	la Bavière (Munich)	Thüringen (Erfurt)	la Thuringe
Die fünf neuen Bundesländer:	Les cinq nouveaux länder (à l'Est) :	Sachsen-Anhalt (Magdeburg)	la Saxe-Anhalt (Magdebourg)
Mecklenburg-Vorpommern (Schwerin)	le Mecklembourg	Sachsen (Dresden)	la Saxe (Dresde)

- *Expressions et phrases*

einen Staat gründen	*fonder un État*
Die Bundesrepublik ist ein demokratischer Rechtsstaat.	*La République Fédérale est un État de droit démocratique.*
der Bundesbürger (-)	*le citoyen de la RFA*
die Grundrechte beachten	*respecter les droits fondamentaux*
ein verfassungswidriger Beschluß	*une décision contraire à la constitution*
die Gleichberechtigung von Mann und Frau	*l'égalité de droits de l'homme et de la femme*
das Grundgesetz ändern	*modifier la Constitution*
die Macht mißbrauchen	*abuser du pouvoir*

Vocabulaire spécialisé

DIE AUSFÜHRENDE GEWALT
LE POUVOIR EXÉCUTIF

die Bundesregierung, das Bundeskabinett	le gouvernement fédéral	der Außenminister	le ministre des affaires étrangères
der (Bundes)Kanzler (-)	le chancelier (fédéral)	das Auswärtige Amt	le ministère des affaires étrangères
das Kanzleramt	la Chancellerie	der Finanzminister	le ministre des Finances
regieren	gouverner		
ernennen (ernannte, ernannt)	nommer	der Wirtschaftsminister	le ministre de l'Économie
das Staatsober- haupt ("er)	le chef d'État	der Verteidigungs- minister	le ministre de la Défense
der Staatsmann ("er)	l'homme d'État	der Kultusminister	le ministre de l'Éducation
der Minister (-)	le ministre		
das Ministerium (ien)	le ministère	der Justizminister	le ministre de la Justice
der Innenminister	le ministre de l'Intérieur		

DIE ÖFFENTLICHEN FINANZEN
LES FINANCES PUBLIQUES

der (Staats)Haushalt (e), der Etat (s)	le budget (de l'État)	Geld aus/geben (a, e, i)	dépenser de l'argent
die Einnahme (n)	la recette	das Finanzamt ("er)	le centre des impôts
die Ausgabe (n)	la dépense	die Steuer (n)	l'impôt
Geld ein/nehmen (a, o, i)	percevoir de l'argent	die Abgabe (n)	la redevance
		die (Fernseh) Gebühr (en)	la taxe (de télévision)

der Steuerzahler (-)	le contribuable	die Lohnsteuer	l'impôt
der Steuereinnehmer (-)	le percepteur		sur les salaires
besteuern	imposer	die Umsatzsteuer	l'impôt sur le
steuerpflichtig	imposable		chiffre d'affaires
die Einkommenssteuer	l'impôt sur le revenu	die Mehrwertsteuer MwSt	la Taxe sur la Valeur Ajoutée (T.V.A.)

DIE LÄNDERORGANISATION
L'ORGANISATION DES LÄNDER

der Minister- präsident (en, en)	le Ministre-Président du land	der Kreis (e)	l'arrondissement (le canton)
die Landesregierung	le gouvernement du land	die Gemeinde (n)	la commune
der Landtag (e)	le parlement du land	der Gemeinderat ("e)	1. le Conseil municipal
die Verwaltung (en)	l'administration		2. le conseiller municipal
die Behörde (n)	l'autorité responsable	der Bürgermeister (-)	le maire
der öffentliche Dienst	le service public	die Stadt- verwaltung (en)	l'administration communale
der Beamte (adj.)	le fonctionnaire		

DAS PARLAMENT UND DIE WAHLEN
LE PARLEMENT ET LES ÉLECTIONS

die gesetzgebende Gewalt	le pouvoir législatif	der erste / zweite Wahlgang	le premier / deuxième tour
die Gesetzgebung	la législation	die Stimmenthaltung	l'abstention
der Bundestag	le Bundestag (le parlement fédéral)	wahlberechtigt sein	avoir le droit de vote
		die Stimme (n)	la voix
der Abgeordnete (adj.)	le député	der Stimmzettel (-)	le bulletin de vote
die Sitzung (en)	la séance	der Kandidat (en, en)	le candidat
der Gesetzentwurf ("e)	le projet de loi	die Mehrheitswahl	le scrutin majoritaire
gesetzlich	légal	die Verhältniswahl	le scrutin proportionnel
gesetzwidrig	illégal, contraire à la loi	der Wahlkreis (e)	la circonscription électorale
wählen	voter	die Mehrheit	la majorité
der Wähler (-)	l'électeur	die Minderheit	la minorité
die Wahl (en)	1. le vote 2. le choix	der Sitz (e)	le siège
die Bundestagswahlen	les élections au Bundestag	die Volks- abstimmung (en)	le référendum
die Kommunalwahlen	les élections municipales	gewinnen (a, o)	gagner
		verlieren (o, o)	perdre
das Wahlrecht	le droit de vote	der Sieg (e)	la victoire
die Wahlbeteiligung	la participation électorale	der Sieger (-)	le vainqueur
		der Wahlsieg (e)	la victoire électorale
		die Niederlage (n)	la défaite

DIE PARTEIEN
LES PARTIS

die CDU (Christlich-Demokratische Union)	L'Union Chrétienne démocrate	das Parteimitglied (er)	le membre d'un parti
die CSU (Christlich-Soziale Union)	l'Union Chrétienne sociale	an/gehören + D	appartenir à
		sozialistisch	socialiste
die SPD (Soziademokratische Partei Deutschlands)	le parti social-démocrate	der Sozialist (en, en)	le socialiste
		kommunistisch	communiste
		der Kommunist (en, en)	le communiste
die FDP (Freie Demokratische Partei)	Le parti libéral	liberal	libéral
		der Liberale (adj.)	le libéral
		nationalistisch	nationaliste
die PDS (Partei des demokratischen Sozialismus)	Le parti du socialisme démocratique	der Nationalist (en, en)	le nationaliste
		rechtsradikal	extrémiste de droite
die Grünen	les Verts	der Rechtsradikale (adj.)	l'extrémiste de droite
die Republikaner	les Républicains (parti d'extrême droite)	der Parteivorsitzende (adj.)	le président du parti
die Linke	la gauche	der Parteivorstand ("e)	la direction du parti
die Rechte	la droite (désigne en fait plutôt l'extrême-droite)	der Anhänger (-)	le partisan
		die Koalition (en)	la coalition
		das Bündnis (se)	l'alliance

• *Expressions et phrases*

eine Politik führen	*mener une politique*
eine Regierung bilden	*former un gouvernement*
eine Regierung stürzen	*renverser un gouvernement*
einen Minister ernennen (ernannte, ernannt)	*nommer un ministre*
Der Minister tritt zurück.	*Le ministre démissionne.*
Steuern erheben (o, o)	*lever des impôts*
ein Gesetz verabschieden	*voter une loi*
Ein Gesetz tritt in Kraft.	*Une loi entre en vigueur.*
allgemeine, freie und geheime Wahlen	*des élections au scrutin universel, libre et secret*
eine Partei wählen	*voter pour un parti*
für einen Kandidaten stimmen	*voter pour un candidat*
einen Sieg davon/tragen (u, a, ä)	*remporter une victoire*
eine Niederlage erleiden (i, i)	*subir une défaite*
die 5 Prozent-Klausel	*la clause des 5 %*
die 5 Prozent-Hürde überspringen (a, u, ist)	*franchir la barre des 5 %*
einer Partei an/gehören	*appartenir à un parti*
einer Partei bei/treten (a, e, i, ist)	*adhérer à un parti*
ein Bündnis schließen (o, o)	*conclure une alliance*

DIE INTERNATIONALEN BEZIEHUNGEN
LES RELATIONS INTERNATIONALES

die Außenpolitik	la politique étrangère / extérieure	die Anerkennung	la reconnaissance
		die Abhängigkeit	la dépendance
		die Unabhängigkeit	l'indépendance
die Beziehung (en)	la relation	das Gipfeltreffen (-)	la rencontre au sommet
an/erkennen (erkannte an, anerkannt)	reconnaître		

die Friedenspolitik	la politique de la paix	die Verhandlung (en)	la négociation
die Abrüstung	le désarmement	die internationale Zusammenarbeit	la coopération internationale
die Macht (¨e)	la puissance	die Völker-	l'entente entre
die Großmacht (¨e)	la grande puissance	verständigung	les peuples
die Botschaft (en)	1. l'ambassade	sich verständigen	
	2. le message	mit + D	s'entendre avec
der Botschafter (-)	l'ambassadeur	der Vertrag (¨e)	le traité
der Diplomat (en, en)	le diplomate	das Bündnis (se)	l'alliance
vertreten (a, e, i)	représenter	der Verbündete (adj.),	
der Vertreter (-)	le représentant	der Bündnispartner (-)	l'allié

EUROPA
L'EUROPE

der Europäer (-)	l'Européen	das Mitglied (er)	le membre
die Europäische Gemeinschaft (die EG)	la Communauté européenne (la CE)	das EU-Mitglied (er)	le membre de l'Union européenne
die Europäische Wirtschafts- gemeinschaft (EWG)	la Communauté économique européenne (la CEE)	der Mitgliedsstaat (en) das Drittland (¨er) bei/treten	l'État-membre le pays tiers
die Europäische Union (die EU)	l'Union européenne	(a, e, i, ist) + D der Beitritt (e) (zu + D)	adhérer l'adhésion
das Europäische Parlament (Straßburg)	le Parlement européen	der freie Verkehr die Freizügigkeit	la libre circulation la libre circulation des personnes
die Europawahl (en)	les élections européennes	die Grenzkontrolle (n)	le contrôle des frontières
die EG-Kommission (Brüssel)	la Commission européenne	der Protektionismus protektionistisch die Grenze (n)	le protectionnisme protectionniste la frontière
der Ministerrat (Brüssel)	Le Conseil des ministres	ab/bauen europaweit	supprimer au niveau de l'Europe
der Europarat (Straßburg)	Le Conseil de l'Europe	weltweit	au niveau mondial
der europäische Binnenmarkt	le marché unique européen	die Vorschrift (en) die Bestimmung (en)	la directive, la règle la disposition
das Europäische Währungssystem	le système monétaire européen	einheitlich vereinheitlichen	uniforme, homogène uniformiser
die europäische Währungsunion	l'Union monétaire européenne		

DIE INTERNATIONALEN INSTITUTIONEN
LES INSTITUTIONS INTERNATIONALES

die Vereinten Nationen	les Nations Unies	der Warschauer Pakt	le Pacte de Varsovie
die UNO	l'ONU	der Ostblock	le bloc de l'Est
die NATO	l'OTAN	der Ostblockstaat (en)	le pays de l'Est
die OECD	l'OCDE		

DIE ENTWICKLUNGSLÄNDER
LES PAYS EN VOIE DE DÉVELOPPEMENT

sich entwickeln	se développer	das Schwellenland ("er)	le pays nouvellement industrialisé (NPI)
das Entwicklungs-land ("er)	le pays en voie de développement		
die Entwicklungs-hilfe (n)	l'aide au développement	sich verschulden	s'endetter
unterentwickelt	sous-développé	die Verschuldung	l'endettement
Das Nord-Süd-Gefälle	Le clivage Nord-Sud	die Überschuldung	le surendettement
die Kluft ("e)	l'abîme, le fossé (fig.)	unterernährt	sous-alimenté
		die Hungersnot ("e)	la famine
die Dritte Welt	le Tiers-Monde	verhungern (ist)	mourir de faim

• *Expressions et phrases*

eine Friedenspolitik führen	*mener une politique de paix*
sich für den Frieden ein/setzen	*s'engager en faveur de la paix*
die Abrüstungsverhandlungen	*les négociations pour le désarmement*
die Völkerverständigung fördern	*favoriser l'entente entre les peuples*
einen Vertrag schließen (o, o)	*conclure un traité*
Dieses Land wurde erst vor kurzem anerkannt.	*Ce pays n'a été reconnu que récemment.*
Der Bundespräsident vertritt die Bundesrepublik im Ausland.	*Le Président Fédéral représente la République Fédérale à l'étranger.*
Österreich ist der EU beigetreten.	*L'Autriche a adhéré à l'Union européenne.*
Grenzen ab/bauen	*supprimer des frontières*
Der Abbau der Grenzen fördert den Handel.	*La suppression des frontières favorise le commerce.*
internationale Vorschriften ein/führen	*instaurer des règles supranationales*
einheitliche Bestimmungen beschließen (o, o)	*décider des dispositions communes*
Die Umweltvorschriften müssen europaweit vereinheitlicht werden.	*Les règles en matière d'environnement doivent être uniformisées à l'échelle européenne.*
Die Währungsunion soll zur einheitlichen Währung führen.	*L'Union monétaire doit mener à la monnaie unique.*
Die Entwicklungsländer sind hoch verschuldet.	*Les pays en voie de développement sont fortement endettés.*
Die Kluft zwischen den armen und den reichen Ländern wird größer.	*Le fossé entre les pays riches et les pays pauvres s'élargit.*

15. LÄNDER UND EINWOHNER   LES PAYS ET LES HABITANTS

Nous avons regroupé les noms de pays en deux catégories en fonction des deux terminaisons de leurs noms d'habitants, du type :

England / der Engländer

Frankreich / der Franzose   →   des / dem / den / die Franzosen
(déclinaison faible pour les noms d'habitants)

Deutschland   l'Allemagne   der Deutsche (se décline comme un adjectif)
                                           ein Deutscher / die Deutschen / viele Deutsche

LISTE 1

Ägypten	l'Égypte	der Ägypter (-)	ägyptisch
Algerien	l'Algérie	der Algerier (-)	algerisch
Argentinien	l'Argentine	der Argentinier (-)	argentinisch
Belgien	la Belgique	der Belgier (-)	belgisch
Bosnien	la Bosnie	der Bosnier (-)	bosnisch
Brasilien	le Brésil	der Brasilianer (-)	brasilianisch
Bulgarien	la Bulgarie	der Bulgarier (-)	bulgarisch
England	l'Angleterre	der Engländer (-)	englisch
Indien	l'Inde	der Inder (-)	indisch
der Irak	l'Irak	der Iraker (-)	irakisch
der Iran	l'Iran	der Iraner (-)	iranisch
Italien	l'Italie	der Italiener (-)	italienisch
Japan	le Japon	der Japaner (-)	japanisch
Kanada	le Canada	der Kanadier (-)	kanadisch
Libyen	la Lybie	der Libyer (-)	libysch
Litauen	la Lituanie	der Litauer (-)	litauisch
Marokko	le Maroc	der Marokkaner (-)	marokkanisch
die Niederlande	les Pays-Bas	der Niederländer (-)	niederländisch
Holland	la Hollande	der Holländer (-)	holländisch
Norwegen	la Norvège	der Norweger (-)	norwegisch
Österreich	l'Autriche	der Österreicher (-)	österreichisch
die Schweiz	la Suisse	der Schweizer (-)	schweizerisch
die Sowjetunion	l'Union soviétique	der Sowjetbürger (-)	sowjetisch
Spanien	l'Espagne	der Spanier (-)	spanisch
die Vereinigten Staaten	les États-Unis	der Amerikaner (-)	amerikanisch
Amerika	l'Amérique	der Amerikaner (-)	amerikanisch
Afrika	l'Afrique	der Afrikaner (-)	afrikanisch
Australien	l'Australie	der Australier (-)	australisch
Europa	l'Europe	der Europäer (-)	europäisch

LISTE 2

Asien	l'Asie	der Asiate (n, n)	asiatisch
China	la Chine	der Chinese (n, n)	chinesisch
Dänemark	le Danemark	der Däne (n, n)	dänisch
Finnland	la Finlande	der Finne (n, n)	finnisch

Frankreich	la France	der Franzose (n, n)	französisch
Griechenland	la Grèce	der Grieche (n, n)	griechisch
Irland	l'Irlande	der Ire (n, n)	irisch
Jugoslawien	la Yougoslavie	der Jugoslawe (n, n)	jugoslawisch
Lettland	la Lettonie	der Lette (n, n)	lettisch
Polen	la Pologne	der Pole (n, n)	polnisch
Portugal	le Portugal	der Portugiese (n, n)	portugiesisch
Rumänien	la Roumanie	der Rumäne (n, n)	rumänisch
Rußland	la Russie	der Russe (n, n)	russisch
Schottland	l'Écosse	der Schotte (n, n)	schottisch
Schweden	la Suède	der Schwede (n, n)	schwedisch
die Tschechoslowakei	la Tchécoslovaquie	der Tscheche (n, n)	tschechisch
die Türkei	la Turquie	der Türke (n, n)	türkisch

NOMS DE PROVINCES

Baden	le Pays de Bade	der Badenser (-)	badisch
Bayern	la Bavière	der Bayer (-)	bayerisch
Burgund	la Bourgogne	der Burgunder (-)	burgundisch
das Elsaß	l'Alsace	der Elsässer (-)	elsässisch
Lothringen	la Lorraine	der Lothringer (-)	lothringisch
Korsika	la Corse	der Korse	korsisch
die Pfalz	le Palatinat	der Pfälzer (-)	pfälzisch
das Rheinland	la Rhénanie	der Rheinländer (-)	rheinländisch
das Saarland	la Sarre	der Saarländer (-)	saarländisch
Schwaben	la Souabe	der Schwabe (n, n)	schwäbisch
Westfalen	la Westphalie	der Westfale (n, n)	westfälisch
Württemberg	le Würtemberg	der Württemberger (-)	württembergisch

Pour les noms des länder, reportez-vous au chapitre sur la vie politique.

NOMS DE VILLES (lorsqu'ils diffèrent des noms français)

Aachen	Aix-la-Chapelle	Basel	Bâle
Bremen	Brême	Dresden	Dresde
Frankfurt	Francfort	Freiburg	Fribourg
Hamburg	Hambourg	Koblenz	Coblence
Mainz	Mayence	München	Munich
Regensburg	Ratisbonne	Trier	Trèves
Brüssel	Bruxelles	Den Haag	La Haye
Danzig	Gdansk	Florenz	Florence
Genf	Genève	Kopenhagen	Copenhague
London	Londres	Lissabon	Lisbonne
Mailand	Milan	Moskau	Moscou
Neapel	Naples	Nizza	Nice
Rom	Rome	Venedig	Venise
Warschau	Varsovie	Wien	Vienne

• *Expressions et phrases*

Sie leben in Deutschland.	*Ils vivent en Allemagne.*
Ich fahre nach Deutschland.	*Je vais en Allemagne.*
Er wohnt in der Bundesrepublik.	*Il habite en République Fédérale.*

Sie ziehen in die Bundesrepublik.	*Ils vont s'installer en R.F.A.*
Wir fliegen in die USA.	*Nous prenons l'avion pour les États-Unis.*
Morgen reisen wir nach Hamburg.	*Demain nous partons en voyage à Hambourg.*
Wir verbringen unsere Ferien auf Korsika.	*Nous passons nos vacances en Corse.*
Olaf ist Schwede.	*Olaf est suédois.*
Brigitte ist Französin.	*Brigitte est française.*

16. DIE GESCHICHTE L'HISTOIRE

Vocabulaire général

die Geschichte	l'histoire	das Datum (Daten)	la date
der Historiker (-)	l'historien	das Ereignis (se)	l'événement
geschichtlich,		sich ereignen	se produire
historisch	historique	geschehen (a, e, ie, ist)	se produire
die Zeit (en)	1. le temps	das Volk (¨er)	le peuple
	2. l'époque	die Nation (en)	la nation
das Zeitalter (-)	l'ère	national	national

VON DER VORGESCHICHTE BIS ZUM MITTELALTER
DE LA PRÉHISTOIRE JUSQU'AU MOYEN-ÂGE

die Vorgeschichte	la préhistoire	das Heilige	Le Saint
der Urmensch (en, en)	l'homme	Römische Reich	Empire Romain
	préhistorique	Deutscher Nation	Germanique
die Steinzeit	l'âge de pierre	der König (e)	le roi
die Antike	l'antiquité	königlich	royal
griechisch	grec	das Königreich	le royaume
römisch	romain	der Hof	la cour
die Sklaverei	l'esclavage	der Thron (e)	le trône
der Sklave (n, n)	l'esclave	der Thronfolger (-)	l'héritier du trône
der Germane (n, n)	le germain	die Krone (n)	la couronne
germanisch	germain	jn. krönen	couronner qn.
der Stamm (¨e)	la tribu	ab/danken	abdiquer
das Mittelalter	le Moyen-Âge	die Abdankung	l'abdication
der Feudalismus	la féodalité	der Adel	la noblesse
der Herrscher (-)	le souverain	adelig	noble
herrschen über + A	régner sur	der Adlige (adj.)	le noble
die Herrschaft	le règne	der Fürst (en, en)	le prince
der Kaiser (-)	l'empereur	fürstlich	princier
kaiserlich	impérial	die Prinzessin (nen)	la princesse
das Kaiserreich	l'empire	das Fürstentum	la principauté

der Herzog (e)	le duc	der Ritter (-)	le chevalier
der Graf (en, en)	le comte	ritterlich	chevaleresque
die Burg (en)	le château fort	der Kreuzzug (¨e)	la croisade

VON DER RENAISSANCE BIS ZUR WEIMARER REPUBLIK
DE LA RENAISSANCE À LA RÉPUBLIQUE DE WEIMAR

die Renaissance	la Renaissance	die Reichsgründung	la fondation du Reich
der Humanismus	l'humanisme		
der Humanist (en, en)	l'humaniste		
humanistisch	humaniste	die Revolution (en)	la révolution
die Reformation	la Réforme	der Revolutionär (e)	le révolutionnaire
der Hugenotte (n, n)	le Huguenot	aus/brechen (a, o, i, ist)	éclater (un conflit)
jn. verfolgen	persécuter qn.	die Umwälzung (en)	le bouleversement
die Verfolgung (en)	la persécution	verändern	transformer
der Absolutismus	l'absolutisme	die Veränderung (en)	la transformation
der Monarch (en, en)	le monarque	der Aufstand (¨e)	le soulèvement
die Monarchie (n)	la monarchie	der Aufständische (adj.)	l'insurgé, le rebelle
		die Rebellion (en)	la rébellion
verfügen über + A	disposer de	sich erheben (o, o)	se soulever
ab/hängen von	dépendre de	sich auf/lehnen	
abhängig von + D	dépendant de	gegen + A	s'insurger contre
die Abhängigkeit	la dépendance	die Auflehnung (en)	la révolte
die Macht (¨e)	1. le pouvoir	der Aufruhr (e)	l'émeute
	2. la puissance	nieder/schlagen (u, a, ä)	réprimer, écraser
mächtig	puissant		
machtlos	impuissant	das Privileg (ien)	le privilège
der Untertan (e)	le sujet	beseitigen	supprimer
jn. unterwerfen (a, o, i)	soumettre qn.	die Beseitigung	la suppression
die Unterwerfung	la soumission	ab/schaffen	abolir
unterdrücken	opprimer	die Abschaffung	l'abolition
die Unterdrückung	l'oppression	das Recht (e)	le droit
der Tyrann (en, en)	le tyran	rechtlos	dépourvu de droits
die Tyrannei	la tyrannie	die Menschenrechte	les droits de l'homme
auf/steigen	monter,		
(ie, ie, ist) zu + D	se développer pour devenir qch.	jm. etw. gewähren	accorder qch. à qn.
		frei	libre
der Aufstieg	l'ascension	die Freiheit (en)	la liberté
unter/gehen (i, a, ist)	décliner, sombrer	gleich	égal
der Untergang	le déclin	die Gleichheit	l'égalité
zusammen/brechen		brüderlich	fraternel
(a, o, i, ist)	s'effondrer	die Brüderlichkeit	la fraternité
der Zusammen-		die Gleichberechtigung	l'égalité des droits
bruch (¨e)	l'effondrement	die Republik (en)	la république
		die Weimarer Republik (1919-1933)	la République de Weimar
das Deutsche Reich	l'Empire allemand (1871-1918)	der Versailler Vertrag	le traité de Versailles
gründen	fonder	die Weltwirtschaftskrise	la crise économique mondiale
die Gründung (en)	la fondation		

DAS NAZI-REGIME
LE RÉGIME NAZI (1933-1945)

die Machtergreifung	la prise de pouvoir (par Hitler)
der Nationalsozialismus	le national-socialisme
der Nazismus, nazistisch	le nazisme, nazi
der Nationalsozialist (en, en)	le national-socialiste
der Nazi (s)	le nazi
die Nazizeit	l'époque nazie
das Dritte Reich	le Troisième Reich
der Reichstag	le Reichstag (le Parlement)
der Reichstagsbrand	l'incendie du Reichstag
der Reichskanzler	le chancelier du Reich
der Anschluß	l'Anschluß (l'annexion de l'Autriche)
die Gestapo (Geheime Staatspolizei)	la Gestapo (police secrète d'État)
die SA (Sturmabteilung)	la SA (section d'assaut)
die SS (Schutzstaffel)	la SS (section de protection)
die NSDAP (Nationalsozialis-tische deutsche Arbeiterpartei)	le NSDAP (le parti nazi)
die Hitlerjugend	la jeunesse hitlérienne
jn. verhaften	arrêter qn.
die Verhaftung (en)	l'arrestation
emigrieren, aus/wandern (ist)	émigrer
die Emigration, die Auswanderung	l'émigration

das Exil	l'exil
die Rasse (n)	la race
die Rassenlehre (n)	la doctrine raciale
der Rassismus	le racisme
der Rassist (en, en)	le raciste
der Antisemitismus	l'antisémitisme
der Antisemit (en, en)	l'antisémite
der Jude (n, n)	le juif
jüdisch	juif
verfolgen	poursuivre, persécuter
die Judenverfolgung	la persécution des juifs
die Endlösung	la solution finale
der Völkermord	le génocide
das Konzentrations-lager (-), das KZ	le camp de concentration
der KZ-Häftling (e)	le déporté
die Gaskammer (n)	la chambre à gaz
vergasen	gazer
vernichten	anéantir, exterminer
die Vernichtung (en)	l'extermination
das Getto (s)	le ghetto
die Zwangsarbeit	les travaux forcés
der Widerstand ("e)	la résistance
der Widerstands-kämpfer (-)	le résistant
die Widerstands-bewegung (en)	le mouvement de résistance
die Hinrichtung (en)	l'exécution
der Zweite Weltkrieg	la seconde guerre mondiale
der Zusammen-bruch ("e)	l'effondrement
die bedingungslose Kapitulation	la capitulation sans conditions

• *Expressions et phrases*

die Sklaverei ab/schaffen	*abolir l'esclavage*
den Thron besteigen (ie, ie)	*monter sur le trône*
Der Monarch verfügt über die absolute Macht.	*Le monarque dispose du pouvoir absolu.*
Der Fürst wurde zum König gekrönt.	*Le prince fut couronné roi.*
Der Herrscher wurde vom Volk gestürzt.	*Le souverain fut renversé par le peuple.*
die Macht aus/üben	*exercer le pouvoir*
die Macht ergreifen (i, i)	*prendre le pouvoir*
Der Tyrann unterdrückt das Volk.	*Le tyran opprime le peuple.*
Er schlägt den Aufstand nieder.	*Il réprime le soulèvement.*
Preußen ist zur Großmacht aufgestiegen.	*La Prusse est devenue une grande puissance.*
Die Feudalherrschaft ist zusammengebrochen.	*Le pouvoir féodal s'est effondré.*
Die Revolution ist ausgebrochen.	*La révolution a éclaté.*
Diese Politik verändert das Leben.	*Cette politique change la vie.*
Sie führt große Veränderungen herbei.	*Elle amène de grands changements.*

Die Privilegien wurden abgeschafft.	*Les privilèges furent abolis.*
Die Republik wurde ausgerufen.	*La république a été proclamée.*
im Exil leben	*vivre en exil*
Die Gegner des Regimes wurden verfolgt, verhaftet und in KZs eingesperrt.	*Les adversaires du régime furent poursuivis, arrêtés et enfermés dans des camps de concentration.*
Die Juden wurden in Konzentrationslagern vernichtet.	*Les juifs furent exterminés dans des camps de concentration.*
Viele Widerstandskämpfer wurden hingerichtet.	*De nombreux résistants furent exécutés.*
Das Dritte Reich endete mit der bedingungslosen Kapitulation.	*Le troisième Reich s'acheva avec la capitulation sans conditions.*

DIE NACHKRIEGSZEIT BIS 1949
L'APRÈS-GUERRE JUSQU'EN 1949

die Alliierten (adj.)	les Alliés	der Nürnberger Prozeß	le procès de Nuremberg
die Siegermacht (¨e)	la puissance victorieuse	das Kriegsverbrechen (-)	le crime de guerre
das Potsdamer Abkommen	les accords de Potsdam	der Kriegsverbrecher (-)	le criminel de guerre
teilen in + A	diviser en	entnazifizieren	dénazifier
die Teilung Deutschlands,		die Entnazifizierung	la dénazification
die Spaltung Deutschlands	la division de l'Allemagne	der Kalte Krieg	la guerre froide
besetzen	occuper	der Ostblock	le bloc de l'Est
die Besatzung	l'occupation	der Ost-West-Konflikt	le conflit Est-Ouest
die Besatzungs- macht (¨e)	la puissance d'occupation	der Eiserne Vorhang	le rideau de fer
		die Berlin-Blockade	le blocus de Berlin
		die Luftbrücke (n)	le pont aérien
die vier Großmächte	les quatre grandes puissances	der Sektor (en)	le secteur
		die vier Sektoren	les quatre secteurs (de Berlin)
die Besatzungszone (n)	la zone d'occupation	die Oder-Neiße-Linie	la ligne Oder-Neisse
vertreiben (ie, ie)	expulser	wiederauf/bauen	reconstruire
die Vertreibung (en)	l'expulsion	der Wiederaufbau	la reconstruction
der Vertriebene (adj.)	l'expulsé	die Währungsreform	la réforme monétaire

DIE BUNDESREPUBLIK UND DIE DDR
LA RÉPUBLIQUE FÉDÉRALE ET LA RDA

die Bundesrepublik Deutschland	la République Fédé- rale d'Allemagne	die Grenzpolizei	la police des frontières
die Deutsche Demokratische Republik	la République Démocratique Allemande	der Flüchtling (e)	1. le fuyard 2. le réfugié
die Verfassung (en)	la constitution	die Flucht	la fuite
das Grundgesetz	la Loi Fondamentale (constitution de la RFA)	der Transitverkehr	le trafic de transit
		die Ostpolitik	la politique à l'égard de l'Est
in Kraft treten (a, e, i, ist)	entrer en vigueur	die Entspannung	la détente
das Inkrafttreten	l'entrée en vigueur	die Entspannungs- politik	la politique de détente
die Berliner Mauer	le Mur de Berlin	aus/reisen (ist)	sortir d'un pays
errichten	construire, ériger	ein/reisen (ist)	entrer dans un pays
		die Ausreise (n)	la sortie

die Einreise (n)	l'entrée
der Antrag (¨e)	la demande
die Genehmigung (en)	l'autorisation
etw. genehmigen	autoriser qch.

der Aussiedler (-)	l'immigré venant des
	pays de l'Est
der Flüchtlingsstrom	
(¨e)	le flot des réfugiés

DIE DEUTSCHE EINHEIT
L'UNITÉ ALLEMANDE

demonstrieren	manifester
die Straßen-	la manifestation
demonstration (en)	de rue
zurück/treten	
(a, e, i, ist)	démissionner
der Rücktritt (e)	la démission
die Verhandlung (en)	la négociation
verhandeln	négocier
der Vertrag (¨e)	le traité
der Einigungs-	le Traité
vertrag	d'Unification
(ab)/schließen (o, o)	conclure
der Abschluß (¨sse)	la conclusion
unterzeichnen	signer
vereinigen	unifier

die (Wieder)	
Vereinigung	la (ré)unification
der Fall der Mauer	la chute du mur
die Währungsunion	l'union monétaire
das vereinte	l'Allemagne
Deutschland	unie
der Tag der Deutschen	la fête de l'unité
Einheit (3. Oktober)	allemande
die ehemalige DDR	l'ancienne RDA
das alte / das neue	l'ancien / le nouveau
Bundesland	land
die Wende	le tournant,
	le changement
um/gestalten	transformer

• Expressions et phrases

Deutschland wurde besetzt und in vier Besatzungszonen geteilt.	L'Allemagne fut occupée et divisée en quatre zones d'occupation.
Die Deutschen wurden aus den früheren Ostgebieten vertrieben.	Les Allemands furent expulsés des anciens territoires de l'Est.
Die Kriegsverbrecher wurden in Nürnberg gerichtet.	Les criminels de guerre furent jugés à Nuremberg.
Der Eiserne Vorhang trennte den Westen vom Osten.	Le rideau de fer a séparé l'Ouest de l'Est.
Allmählich wurde das Land wieder aufgebaut.	Peu à peu le pays fut reconstruit.
Die Bundesrepublik und die DDR wurden 1949 gegründet.	La République Fédérale et la RDA furent fondées en 1949.
Das Grundgesetz ist im Mai 1949 in Kraft getreten.	La Loi Fondamentale est entrée en vigueur en mai 1949.
Die Berliner Mauer wurde 1961 errichtet.	Le Mur de Berlin fut construit en 1961.
die Flucht ergreifen (i, i)	prendre la fuite
Verhandlungen auf/nehmen (a, o, i)	engager des négociations
Die Straßendemonstrationen haben zum Zusammenbruch des SED-Regimes geführt.	Les manifestations de rue ont provoqué l'effondrement du régime communiste.
Erich Honecker mußte zurücktreten.	Eric Honecker a dû démissionner.
Die Einheit wurde gewaltlos vollzogen.	L'unité a été accomplie sans violences.
Die gesamte Wirtschaft wurde umgestaltet.	L'ensemble de l'économie fut transformé.

IV. DIE GESELLSCHAFTLICHEN INSTITUTIONEN

Vocabulaire général

die Schule (n)	l'école
der Schüler (-)	l'écolier, l'élève
die Schülerin (nen)	l'écolière, l'élève
der Lehrer (-),	l'enseignant,
die Lehrerin (nen)	le professeur
(sich) bilden	(se) cultiver,
	s'instruire
gebildet	cultivé, instruit
die Bildung	l'éducation,
	la culture
die Allgemeinbildung	la culture générale
die Ausbildung	la formation
jn. zu etw. aus/bilden	former qn. à qch.
die Weiterbildung,	la formation
die Fortbildung	continue
die Schulpflicht	la scolarité
	obligatoire
erziehen (o, o)	éduquer
die Erziehung	l'éducation
die Prüfung (en),	
das Examen (-)	l'examen

die Aufnahme-	l'examen
prüfung (en)	d'admission / le
	concours
das Abitur	le baccalauréat
der Abiturient (en, en)	le bachelier
schriftlich	écrit
mündlich	oral
die (Schul)Klasse (n)	la classe
das (Schul)Zeugnis (se)	le bulletin (scolaire)
der Unterricht	l'enseignement
die (Unterrichts)	
Stunde (n)	le cours
das (Unterrichts)-	
fach (¨er)	la matière
das Lieblingsfach (¨er)	la matière préférée
der Kurs (e)	le cours,
	la formation
der Stundenplan (¨e)	l'emploi du temps
die Pause (n)	la récréation
die (Schul)Ferien	les vacances
	(scolaires)

• *Expressions et phrases*

die Schule besuchen /   *fréquenter l'école*
zur Schule gehen (i, a, ist)
Die Schule ist aus.   *L'école est finie.*
Schule machen   *faire école*
durch eine strenge Schule gehen (i, a, ist)   *être à rude école*

die berufliche Ausbildung /	*la formation professionnelle*
die Berufsausbildung	
Er wurde zum Bäcker ausgebildet.	*Il a été formé comme boulanger.*
Er ist in der Ausbildung.	*Il est en formation.*
eine schriftliche / eine mündliche Prüfung	*un examen écrit / oral*
eine Prüfung ab/legen	*passer un examen*
eine Prüfung bestehen (a, a)	*réussir un examen*
Er ist durchgefallen.	*Il a raté son examen.*
Er kommt in die vierte Klasse.	*Il passe en CM1.*
Er hat ein gutes Zeugnis bekommen.	*Il a eu un bon bulletin.*
Der Unterricht findet nur am Morgen statt.	*Les cours n'ont lieu que le matin.*
Er besucht einen Deutschkurs.	*Il suit une formation en allemand.*
eine Pause ein/legen / eine Pause machen	*faire une pause*
in die Ferien fahren (u, a, ä, ist)	*partir en vacances*

Vocabulaire spécialisé

DAS SCHULSYSTEM
LE SYSTÈME SCOLAIRE

Die allgemein-bildenden Schulen	Les écoles d'enseignement général	**die Realschule (n)**	la « Realschule » : école secondaire intermédiaire entre la « Hauptschule » et le lycée)
das Bildungswesen	le système éducatif		
der Kindergarten (¨)	le jardin d'enfants, l'école maternelle	**das Gymnasium (ien), die Oberschule (n)**	le lycée
die Grundschule (n)	l'école élémentaire	**die Gesamtschule (n)**	École globale regroupant les 3 niveaux d'écoles secondaires
die Hauptschule (n)	la « Hauptschule » : école secondaire jusqu'à la fin de la scolarité obligatoire : 15 ans	**die Sonderschule (n)**	l'école pour handicapés
Die berufsbildenden Schulen	Les écoles professionnelles	**die Fachoberschule (n)**	le lycée professionnel
das duale System	le système de formation en alternance	**der Lehrling (e)**	l'apprenti
		die Lehrstelle (n)	la place d'apprenti
die Berufsschule (n)	l'école professionnelle en alternance	**der Auszubildende (adj.), der Azubi (s)**	la personne en formation
		der Ausbildungs-vertrag (¨e)	le contrat d'apprentissage
die Berufsfachschule (n)	l'école professionnelle à plein temps	**die Umschulung**	la reconversion
		sich oder jn. um/schulen	se reconvertir ou reconvertir qn.

• *Expressions et phrases*

aufs Gymnasium gehen (i, a, ist)	*aller au lycée*
zum Abitur führen	*conduire au baccalauréat*
in die Lehre gehen (i, a, ist)	*aller en apprentissage*
Das soll dir eine Lehre sein!	*Que cela te serve de leçon !*

eine Lehrstelle suchen	*rechercher une place d'apprentissage*
Er muß sich umschulen.	*Il faut qu'il se reconvertisse.*
Er wird umgeschult.	*Il est en reconversion.*
Er ist sitzengeblieben.	*Il a redoublé.*

DIE SCHULE
L'ÉCOLE

das Schulgebäude (-)	le bâtiment scolaire	das Klassenzimmer (-)	la salle de classe
die Bibliothek (en)	la bibliothèque	die Tafel (n)	le tableau
die Aula (Aulen)	la salle des fêtes	der Lappen (-)	le chiffon
der Musiksaal (säle)	la salle de musique	der Schwamm (¨e)	l'éponge
der Turnsaal (säle)	la salle de gymnastique	die Kreide (n), das Stück Kreide	la craie, le morceau de craie
das Sprachlabor (s)	le laboratoire de langues	der Diaprojektor (en)	le projecteur de diapositives
der Werkraum (¨e)	l'atelier	die Leinwand (¨e)	l'écran
der Schulhof (¨e)	la cour de l'école	das Tonbandgerät (e)	le magnétophone
das Lehrerzimmer (-)	la salle des professeurs	das Videogerät (e)	le magnétoscope
		die Landkarte (n)	la carte géographique
		das Lehrerpult (e)	le bureau du professeur

DIE SCHULSACHEN
LE MATÉRIEL SCOLAIRE

die Schultasche (n), der Schulranzen (-)	le cartable	der Kugelschreiber (-)	le stylo à bille
die Aktenmappe (n)	le porte-documents	der Filzstift (e)	le feutre
das Schulbuch (¨er)	le livre scolaire	der Bleistift (e)	le crayon
das Wörterbuch (¨er)	le dictionnaire	die Büroklammer (n)	le trombone
das Lexikon (Lexika)	le dictionnaire, l'encyclopédie	der Radiergummi (s)	la gomme
der Atlas (Atlanten)	l'atlas	aus/radieren	effacer
das Heft (e)	le cahier	malen	peindre
das Blatt (¨er) (Papier)	la feuille (de papier)	zeichnen	dessiner
der Füller (-)	le stylo à encre	der Farbkasten (¨)	la boîte à couleurs
die Tinte (n)	l'encre	der Pinsel (-)	le pinceau
die Tintenpatrone (n)	la cartouche d'encre	das Lineal (e)	la règle
die Feder (n)	la plume	der Zirkel (-)	le compas
der Tintenkiller (-) (fam.)	l'effaceur d'encre	der Taschenrechner (-)	la calculatrice
		der Ordner (-)	le classeur
		der Klebstoff (e)	la colle
		kleben	coller

DIE FÄCHER
LES MATIÈRES

das Fach (¨er)	la matière	(das) Französisch	le français
das Pflichtfach (¨er)	la matière obligatoire	(das) Latein	le latin
		(das) Griechisch	le grec
das Wahlfach (¨er)	la matière facultative	(die) Geschichte	l'histoire
(das) Deutsch	l'allemand	(die) Erdkunde,	
(das) Englisch	l'anglais	Geographie	la géographie

(die) Mathematik	les mathématiques	(die) Musik	la musique
(die) Wirtschaft	l'économie	(die) Kunst	l'art
(die) Sozialkunde	les sciences sociales	(der) Sport	le sport
(die) Staatsbürgerkunde,		(die) Religion, der	la religion,
Gemeinschaftskunde	l'instruction civique	Religionsunterricht	l'enseignement
(die) Chemie	la chimie		religieux
(die) Physik	la physique	(das) Werken	les travaux manuels
(die) Biologie	la biologie		

DIE LEHRER
LES ENSEIGNANTS

der Lehrkörper (sg.)	le corps enseignant	der Deutschlehrer (-)	le professeur
das Kollegium (sg.)	l'ensemble des		d'allemand
	collègues	der Englischlehrer (-)	le professeur
der Schulleiter (-)	le directeur,		d'anglais
	le proviseur	der Französisch-	le professeur
der Studienrat (¨e)	le professeur de lycée	lehrer (-)	de français
der Klassenlehrer (-)	le professeur	der Mathematik-	le professeur de
	principal	lehrer (-)	mathématiques
die Klassen-	le conseil	streng	sévère
konferenz (en)	de classe	nachsichtig	indulgent
der Sprachlehrer (-)	le professeur	gerecht	juste
	de langues	ungerecht	injuste
		nett	gentil

* *Expressions et phrases*

die Tafel ab/wischen	*essuyer le tableau*
ein Wort löschen / durch/streichen (i, i)	*effacer / barrer un mot*
ein Wort in den Plural setzen	*mettre un mot au pluriel*
Herr Müller unterrichtet Deutsch und Chemie.	*Monsieur Müller enseigne l'allemand et la chimie.*
Unser Mathematiklehrer ist streng, aber gerecht.	*Notre professeur de mathématiques est sévère, mais juste.*
Das Kollegium versammelt sich zur Klassenkonferenz.	*L'ensemble des professeurs se réunit pour le conseil de classe.*
ein Fach ab/wählen / auf/geben (a, e, i)	*abandonner une matière*
In Französisch hat er eine Eins geschrieben.	*Il a eu un vingt en français.*

DER UNTERRICHT
L'ENSEIGNEMENT

der Unterricht (sg.)	1. l'enseignement	der Grundkurs (e)	la matière de base,
	2. le cours		obligatoire
die Unterrichts-	l'heure de cours,	der Leistungskurs (e)	la matière principale
stunde (n)	le cours	das Wissen	le savoir
unterrichten	enseigner	die Kenntnis (se)	la connaissance
jn. etw. lehren	apprendre qch. à qn.	erklären	expliquer
jm. etw. bei/bringen		die Erklärung (en)	l'explication
(brachte, gebracht)	apprendre qch. à qn.	beschreiben (ie, ie)	décrire
lernen	apprendre	die Beschreibung (en)	la description
der Lehrplan (¨e)	le programme	erläutern	expliquer,
			commenter

die Erläuterung (en)	le commentaire	schummeln,	
die Anweisung (en)	l'indication,	mogeln (fam.)	tricher
	la consigne	die Übung (en)	l'exercice
etw. auf/schreiben		die Lektion (en)	la leçon
(ie, ie), etw. notieren	noter qch.	auswendig	par cœur
von jm. ab/schreiben		der Fehler (-)	l'erreur, la faute
(ie, ie)	copier sur qn.	fehlerfrei	sans faute
die Aufgabe (n)	le devoir	fehlerhaft	incorrect
die Hausaufgabe (n)	le devoir à la maison	verbessern	corriger (une faute)
die Klassenarbeit (en)	le devoir surveillé	korrigieren	corriger (des devoirs)
die Aufsicht	la surveillance	die Note (n),	
beaufsichtigen	surveiller	die Zensur (en)	la note
		die Durchschnittsnote	la moyenne

DER SPRACHUNTERRICHT
L'ENSEIGNEMENT DES LANGUES

die Sprache (n)	la langue	das Leseverständnis	la compréhension
der Wortschatz	le vocabulaire		écrite
die Vokabel (n)	le mot	die Hörverständnis-	l'exercice de compré-
die Grammatikregel (n)	la règle	übung (en)	hension auditive
	de grammaire	der mündliche	
verstehen (a, a)	comprendre	Ausdruck (¨e)	l'expression orale
das Verständnis	la compréhension	das ABC	l'alphabet
verständlich	compréhensible	buchstabieren	épeler
unverständlich	incompréhensible	aus/sprechen (a, o, i)	prononcer
sich verständigen	se faire comprendre	die Aussprache	la prononciation
das Hörverständnis	la compréhension	betonen	accentuer
	orale	die Betonung	l'accentuation

• *Expressions et phrases*

Unterricht halten (ie, a, ä), Unterricht erteilen	*enseigner, faire cours*
Dieser Schüler lernt gut.	*Cet élève travaille bien.*
Kenntnisse erwerben (a, o, i)	*acquérir des connaissances*
Wissen vermitteln	*transmettre un savoir*
eine Frage stellen	*poser une question*
eine Frage beantworten	*répondre à une question*
Der Lehrer hat einige Anweisungen gegeben.	*Le professeur a donné quelques consignes.*
jemandem eine Arbeit auf/geben (a, e, i)	*donner un travail à qn.*
Er hat die Lektion auswendig gelernt.	*Il a appris la leçon par cœur.*
Wir schreiben heute eine Klassenarbeit in Deutsch.	*Nous faisons aujourd'hui un devoir surveillé en allemand.*
Er hat eine Fünf geschrieben; seine Leistungen sind wirklich nicht ausreichend.	*Il a eu une note faible ; ses résultats sont vraiment insuffisants.*
Vokabeln lernen	*apprendre du vocabulaire*
einen reichen Wortschatz haben	*avoir un vocabulaire riche*
deutlich sprechen (a, o, i)	*parler distinctement*
fließend sprechen (a, o, i)	*parler couramment*
einen Text ins Deutsche übersetzen	*traduire un texte en allemand*

RECHTSCHREIBUNG UND GRAMMATIK
ORTHOGRAPHE ET GRAMMAIRE

die Grammatik	la grammaire	der Plural,	
die Rechtschreibung	l'orthographe	die Mehrzahl	le pluriel
das Diktat (e)	la dictée	das Verb (en)	le verbe
diktieren	dicter	das Präsens	le présent
die Zeichensetzung,		das Präteritum	le prétérit
die Interpunktion	la ponctuation	das Futur	le futur
das Komma (s)	la virgule	das Perfekt	le passé-composé
der Punkt (e)	le point	das Plusquamperfekt	le plus-que-parfait
der Strichpunkt (e)	le point-virgule	der Indikativ	l'indicatif
das Fragezeichen (-)	le point	der Konjunktiv	le subjonctif
	d'interrogation	der Imperativ	l'impératif
das Ausrufezeichen (-)	le point	die Aktivform	la voix active
	d'exclamation	die Passivform	la voix passive
das Anführungs-		das Eigenschafts-	
zeichen (-)	le guillemet	wort (¨er),	
der Bindestrich (e)	le trait-d'union	das Adjektiv (e)	l'adjectif
der Abschnitt (e),		das Pronomen	
der Absatz (¨e)	le paragraphe	(die Pronomina)	le pronom
das Substantiv (e),	le nom,	der bestimmte	
das Hauptwort (¨er)	le substantif	Artikel (-)	l'article défini
der Singular,		der unbestimmte	
die Einzahl	le singulier	Artikel (-)	l'article indéfini

DIE SCHÜLER
LES ÉLÈVES

die Leistung (en)	le travail,	auf/passen auf + A	faire attention à
	les résultats	aktiv ≠ passiv	actif ≠ passif
mittelmäßig,		mit/machen,	
durchschnittlich	moyen	teil/nehmen (a, o, i)	
überdurchschnittlich	au-dessus	an + D	participer
	de la moyenne	faul, die Faulheit	paresseux, la paresse
der Klassenbeste (adj.)	le premier	zerstreut	distrait
	de la classe	nachdenken	
der Klassensprecher (-)	le délégué de classe	(dachte, gedacht)	
fleißig	appliqué, travailleur	über + A	réfléchir à
der Fleiß	l'application	(sich (D) etw.)	
tüchtig	bon	überlegen	réfléchir à qch.
die Tüchtigkeit	l'efficacité	unüberlegt	irréfléchi
fähig	capable	dumm	bête
die Fähigkeit (en)	la capacité,	die Dummheit	la bêtise
	l'aptitude	sorgfältig	soigneux
begabt	doué	die Sorgfalt	le soin
die Begabung (en)	le don	gehorsam	obéissant
klug / intelligent	intelligent	ungehorsam	désobéissant
die Klugheit,		der Gehorsam	l'obéissance
die Intelligenz	l'intelligence	gewissenhaft	consciencieux
ernsthaft	sérieux	die Gewissenhaftigkeit	le fait d'être
der Ernst	le sérieux		consciencieux
aufmerksam	attentif	die Mühe (n)	l'effort
unaufmerksam	inattentif	die Anstrengung (en)	l'effort
die Aufmerksamkeit	l'attention		

sich bemühen,
  sich an/strengen   s'efforcer,
sich (D) Mühe   faire des efforts
  geben (a, e, i)   faire des efforts
der Fortschritt (e)   le progrès
die Anforderung (en)   l'exigence
jn. überfordern   exiger trop de qn.
schwierig   difficile (travail)
anspruchsvoll   exigeant (professeur)

mit/kommen
  (a, o, ist)   suivre
anwesend   présent
die Anwesenheit   la présence
abwesend   absent
die Abwesenheit   l'absence
die Schule schwänzen   faire l'école
       buissonnière
den Unterricht   manquer
  versäumen   un cours

NOTEN UND PRÜFUNGEN
NOTES ET EXAMENS

die Note (n),
  die Zensur (en)   la note
sehr gut (die Eins)   très bien
gut (die Zwei)   bien
befriedigend (die Drei)   satisfaisant
ausreichend (die Vier)   passable
mangelhaft (die Fünf)   médiocre
ungenügend (die Sechs)   insuffisant
die Leistung (en)   le résultat
belohnen   récompenser
die Belohnung (en)   la récompense
die Strafe (n)   la punition
(be)strafen   punir
sitzen/bleiben
  (ie, ie, ist)   redoubler
versetzt werden   passer dans la classe
       supérieure

der Hauptschul-
  abschluß   l'examen de fin
       d'études de la
       « Hauptschule »
die Mittlere Reife   l'examen de fin
       d'études de la
       « Realschule »
das Abitur,
  die Hochschulreife   le baccalauréat
die Aufnahme-
  prüfung (en)   l'examen d'entrée,
die Auslese   le concours
das Auslese-   la sélection
  verfahren (-)   la procédure
der Erfolg (e)   de sélection
erfolgreich sein   le succès
       avoir du
       succès / réussir
versagen   échouer

• *Expressions et phrases*

Dieser Schüler ist mittelmäßig; er hat nur durchschnittliche Leistungen.
fleißig arbeiten
Du mußt dir das gut überlegen.
Mit Fleiß und Gewissenhaftigkeit macht man Fortschritte.
Damit bin ich überfordert.
Unser Lehrer ist sehr anspruchsvoll.
Das ist eine anspruchsvolle Übersetzung.
Er kommt gut mit.
Er kann leider nicht versetzt werden; er muß wiederholen.
eine Prüfung ab/legen
eine Prüfung bestehen (a, a)
bei der Prüfung durch/fallen (ie, a, ä, ist)
Das Abitur ermöglicht den Zugang zur Universität.

Cet élève est moyen ; il n'a que des résultats moyens.
travailler avec sérieux
Il faut que tu y réfléchisses bien.
On progresse en étant travailleur et consciencieux.
Cela dépasse mes capacités.
Notre professeur est très exigeant.
C'est une traduction difficile.
Il suit bien.
Il ne peut malheureusement pas passer dans la classe supérieure ; il doit redoubler.
passer un examen
réussir un examen
rater l'examen
Le baccalauréat donne accès à l'université.

18• Universität und Studium

L'université et les études

DIE HOCHSCHULEN
LES ÉTABLISSEMENTS D'ENSEIGNEMENT SUPÉRIEUR

das Hochschulwesen	l'enseignement supérieur	der Forscher (-)	le chercheur
die Universität (en)	l'université	forschen	faire de la recherche
die Fakultät (en)	la faculté	die Geistes-wissenschaften	les lettres
die technische Hochschule (n)	l'université technique	die Germanistik	les études germaniques
die Fachhochschule (n)	l'école supérieure technique	die Natur-wissenschaften	les sciences de la nature
die Pädagogische Hochschule (n)	l'école supérieure de pédagogie	die Rechtswissenschaft, Jura	le droit
die Kunsthoch-schule (n)	l'école supérieure des beaux-arts	die Wirtschafts-wissenschaft	les sciences économiques
die Musik-hochschule (n)	le conservatoire de musique	die Politik- und Sozialwissenschaft	les sciences politiques et sociales
lehren	enseigner	die Betriebswirtschaft	l'économie d'entreprise, la gestion
der Lehrstuhl ("e)	la chaire		
die Vorlesung (en)	le cours (magistral)		
das Seminar (e)	le séminaire	die Medizin	la médecine
der Rektor (en)	le président d'université	die Zahnmedizin	les études dentaires
		die Informatik	l'informatique
der Professor (en)	le professeur d'université	die Elektrotechnik	l'électronique
		der Maschinenbau	la construction mécanique
der Dozent (en, en)	le maître de conférence	die Erziehungs-wissenschaften	les sciences de l'éducation
der Assistent (en, en)	l'assistant	die Psychologie	la psychologie

STUDIUM UND PRÜFUNGEN
ÉTUDES ET EXAMENS

der Student (en, en)	l'étudiant	jn. zu/lassen (ie, a, ä)	admettre qn.
die Studentin (nen)	l'étudiante	die Immatrikulation	l'inscription
das Studium (sg.)	les études	sich immatrikulieren	
studieren	faire des études	lassen (ie, a, ä)	se faire inscrire
der Studiengang ("e)	la filière	das Semester (-)	le semestre
der Studienplatz ("e)	la place d'études à l'université	das Wintersemester (-)	le semestre d'hiver
		das Sommersemester (-)	le semestre d'été
der Numerus clausus	le numerus clausus		
das Auswahl-verfahren (-)	la procédure de sélection	das Stipendium (ien)	la bourse d'études
die Zulassung (en)	l'admission	das Studenten-wohnheim (e)	le foyer universitaire

die Mensa (Mensen)	le restaurant universitaire	die Promotion (en)	la thèse
		promovieren	passer son doctorat
		ein Studium	terminer
die Zwischen- prüfung (en)	l'examen intermédiaire (de fin de 1er cycle)	absolvieren	ses études
		der Diplom- ingenieur (e)	l'ingénieur diplômé
die Staatsprüfung (en)	l'examen d'État (de fin d'études supérieures)	der Hochschul- absolvent (en, en) /	le diplômé d'études supérieures
		der Akademiker (-)	le diplômé d'études
die Doktorarbeit (en)	le doctorat		supérieures

• *Expressions et phrases*

Er studiert Medizin.	*Il fait des études de médecine.*
auf die Uni(versität) gehen (i, a, ist)	*aller à l'université*
ein Studium auf/nehmen (o, o, i)	*commencer des études*
Er studiert an der Universität Heidelberg.	*Il fait ses études à l'Université de Heidelberg.*
Er mußte das Studium ab/brechen.	*Il a dû interrompre ses études.*
Sie hat das Studium wieder aufgenommen.	*Elle a repris ses études.*
sich um einen Studienplatz bewerben (a, o, i)	*solliciter une place d'études*
ein Stipendium erhalten (ie, a, ä)	*obtenir une bourse*
Er ist bei der Zwischenprüfung durchgefallen.	*Il a raté son examen de premier cycle.*
Er hat sein Studium glänzend absolviert.	*Il a brillamment achevé ses études.*

19• POLIZEI UND JUSTIZ   LA POLICE ET LA JUSTICE

DIE POLIZEI
LA POLICE

der Polizist (en, en)	le policier	das Alibi (s)	l'alibi
der Polizeibeamte (adj.)	le fonctionnaire de police	gestehen (a, a)	avouer
		das Geständnis (se)	l'aveu
der Kommissar (e)	le commissaire	der Verdacht (die	
die Kriminalpolizei	la police judiciaire	Verdächtigungen)	le soupçon
die Polizeistreife (n)	la patrouille, la ronde de police	jn. verdächtigen + G	soupçonner qn.
		der Verdächtige (adj.)	le suspect
jn. an/zeigen	dénoncer qn.	jn. fest/nehmen (a, o, i),	
die Anzeige (n)	la dénonciation	jn. verhaften	arrêter qn.
gegen jn. ermitteln	enquêter sur qn.	jn. verhören	interroger qn.
die Ermittlung (en)	l'enquête	das Verhör (e),	
nach jm. fahnden	rechercher qn.	die Vernehmung (en)	l'interrogatoire
die Fahndung (en)		die Verhaftung (en)	l'arrestation
nach + D	la recherche	jn. inhaftieren,	
der Beweis (e)	la preuve	jn. ein/sperren	emprisonner qn.
das Beweismaterial (sg.)	les preuves		

DIE KRIMINALITÄT
LA DÉLINQUANCE

die Jugendkriminalität	la délinquance juvénile	ein/brechen (a, o, i, ist) in + A	cambrioler (pénétrer par effraction)
die Gewalt	la violence	der Einbrecher (-)	le cambrioleur
gewalttätig	violent	der Einbruchs-	
die Gewalttat (en)	l'acte de violence	diebstahl ("e)	le cambriolage
die Gewalttätigkeit (en)	la violence	der Straftäter (-)	le délinquant
jn. überfallen (ie, a, ä)	agresser qn.	die Straftat (en)	le délit
der Überfall ("e)	l'agression	mißhandeln	maltraiter
die Notwehr	la légitime défense	vergewaltigen	violer
		die Vergewaltigung (en)	le viol
der Schläger (-)	le casseur	jn. erpressen	faire chanter qn.
die Schlägerei (en),		die Erpressung (en)	le chantage
der Krawall (e)	la bagarre	der Erpresser (-)	le maître-chanteur
Wände beschmieren	faire des graffitis sur les murs	betrügen (o, o)	tromper, escroquer
		der Betrug (sg.)	la duperie, l'escroquerie
der Dieb (e)	le voleur		
der Diebstahl ("e)	le vol	das Verbrechen (-)	le crime
der Ladendiebstahl ("e)	le vol à l'étalage	der Verbrecher (-)	le criminel
stehlen (a, o, ie)	voler	der Brandstifter (-)	l'incendiaire
der Bankraub ("e)	l'attaque contre une banque	der Mord (e)	le meurtre
		der Mörder (-)	le meurtrier
		jn. ermorden	assassiner qn.

• *Expressions et phrases*

eine Strafanzeige erstatten	*porter plainte*
Ermittlungen ein/leiten	*ouvrir une enquête*
ein Geständnis ab/legen	*faire un aveu*
Er hat eine Straftat begangen.	*Il a commis un délit.*
Er wird des Diebstahls verdächtigt.	*Il est soupçonné de vol.*
Sie sind in das Haus eingebrochen.	*Ils ont cambriolé la maison.*
ein Kind mißhandeln	*maltraiter un enfant*
Die Polizei fahndet nach dem Verbrecher.	*La police recherche le criminel.*
Der Verbrecher wurde inhaftiert.	*Le criminel a été écroué.*
ein Haus in Brand stecken	*incendier une maison*
Er wird des Mordes beschuldigt.	*Il est accusé de meurtre.*

DIE JUSTIZ
LA JUSTICE

die Rechtsprechung	le pouvoir judiciaire	das Bürgerliche	
das Gericht (e)	le tribunal	Gesetzbuch	le code civil
der Richter (-)	le juge	das Strafgesetzbuch	le code pénal
das Strafrecht	le droit pénal	das Amtsgericht	le tribunal d'instance
das bürgerliche Recht	le droit civil	das Landesgericht	le tribunal de grande instance
das öffentliche Recht	le droit public		

DAS VERFAHREN
LA PROCÉDURE

der Angeklagte (adj.)	l'accusé	die Berufung	l'appel
die Anklage	l'accusation	die Tat (en)	le fait
jn. an/klagen + G,		der Tatbestand (sg.)	les faits
jn. beschuldigen + G	accuser qn. de qch.	der Täter (-),	
die Verteidigung	la défense	der Straftäter (-)	le délinquant
der Rechtsanwalt (¨e)	l'avocat	leugnen	nier
der Staatsanwalt (¨e)	le Procureur de	bestreiten (i, i)	contester
	la République	der Zeuge (n, n)	le témoin
die Anzeige (n)	la plainte	etw. bezeugen	témoigner de qch.
jn. an/zeigen	porter plainte	aus/sagen	faire une déposition,
	contre qn.		témoigner
		die Aussage (n)	la déposition
der Prozeß (sse)	le procès	der Eid (e)	le serment
die (Gerichts)		schwören (o, o)	jurer
Verhandlung (en)	l'audience		

DAS URTEIL UND DIE STRAFE
LE JUGEMENT ET LA PEINE

das Urteil (e)	le jugement,	jn. ab/schieben (o, o)	expulser qn.
	le verdict	die Abschiebung (en)	l'expulsion
jn. frei/sprechen (a, o, i)	acquitter qn.	die Haft	la détention
der Freispruch (¨e)	l'acquittement	der Häftling (e)	le détenu
gerecht	juste	das Gefängnis (se)	la prison
ungerecht	injuste	der Gefangene (adj.)	le prisonnier
die Gerechtigkeit	la justice	jn. ein/sperren	emprisonner qn.
der Einspruch (¨e)	l'appel	lebenslänglich	à perpétuité
Einspruch		die Gefängniszelle (n)	la cellule
erheben (o, o)	faire opposition à,	der Gefängniswärter (-)	le gardien de prison
gegen + A	faire appel	der Straferlaß (e)	la réduction de peine
die Schuld	la culpabilité	der Fluchtversuch (e)	la tentative d'évasion
die Unschuld	l'innocence	die Flucht	
schuldig	coupable	ergreifen (i, i)	prendre la fuite
unschuldig	innocent	aus dem Gefängnis	
jn. verurteilen zu + D	condamner qn.	aus/brechen	
	à qch.	(a, o, i, ist)	s'évader de prison
die Verurteilung (en)	la condamnation	jn. entlassen (ie, a, ä)	libérer qn.
die Strafe (n)	la peine	der Entlassene (adj.)	le détenu libéré
jn. bestrafen	punir qn.	rückfällig werden	récidiver
die Geldstrafe (n)	l'amende		
die Gefängnisstrafe (n)	la peine d'emprison-	das Todesurteil (e),	
	nement	die Todesstrafe (n)	la peine de mort
eine milde Strafe	une peine légère	ab/schaffen,	supprimer / abolir,
eine schwere Strafe	une peine lourde	die Abschaffung	la suppression,
mildernde Umstände	des circonstances		l'abolition
	atténuantes	jn. zum Tode	condamner qn.
eine Strafe		verurteilen	à mort
mit Bewährung	une peine avec sursis	der Henker (-)	le bourreau
der Schadenersatz	les dommages et	jn. hin/richten	exécuter qn.
	intérêts		

die Hinrichtung (en)	l'exécution	der elektrische	la chaise
das Schaffot (e)	l'échafaud	Stuhl (¨e)	électrique
jn. erhängen	pendre qn.	die Gnade	la grâce
die Guillotine (n),		jn. begnadigen	grâcier qn.
das Fallbeil (e)	la guillotine	die Amnestie	l'amnistie

- *Expressions et phrases*

vor Gericht gehen (i, a, ist)	*aller en justice*
jemanden vor Gericht laden (u, a, ä)	*citer qn. en justice*
ein Gesetz übertreten (a, e, i)	*transgresser une loi*
gegen ein Gesetz verstoßen (ie, o, ö)	*violer une loi*
gegen jemanden Anklage erheben (o, o)	*porter plainte contre qn.*
Berufung ein/legen	*faire appel*
Der Zeuge hat ausgesagt.	*Le témoin a déposé.*
einen Eid leisten	*prêter serment*
jemanden schuldig sprechen (a, o, i)	*déclarer qn. coupable*
sich schuldig bekennen (bekannte bekannt)	*se reconnaître coupable*
ein Urteil fällen / ein Urteil verkünden	*prononcer un jugement*
ein Urteil auf/heben (o, o)	*annuler un jugement*
einen Prozeß gewinnen (a, o)	*gagner un procès*
Der Angeklagte wurde freigesprochen.	*L'accusé a été acquitté.*
zu einer Gefängnisstrafe verurteilt werden	*être condamné à une peine de prison*
eine Gefängnisstrafe ab/sitzen (a, e)	*purger une peine de prison*
die Todesstrafe ab/schaffen	*abolir la peine de mort*

---

20. DIE ARMEE   L'ARMÉE

Vocabulaire général

die Armee (n)	l'armée	der Unteroffizier (e)	le sous-officier
die Streitkräfte (pl.)	les forces armées	der Offizier (e)	l'officier
die Verteidigung	la défense	die Truppe (n)	la troupe
das Militär (sg.)	1. les militaires	der Wehrdienst	le service militaire
	2. l'armée	der Zivildienst	le service civil
der Militär (e)	le militaire	die Wehrpflicht	les obligations
militärisch	militaire		militaires
die Bundeswehr	l'armée fédérale	der Wehrpflichtige	
das Heer (e)	l'armée de terre	(adj.)	l'appelé
die Marine	la marine	der Kriegsdienst-	l'objecteur
die Luftwaffe	l'armée de l'air	verweigerer (-)	de conscience
die Waffe (n)	l'arme	der Pazifist (en, en)	le pacifiste
der Soldat (en, en)	le soldat	pazifistisch	pacifique
der Berufssoldat	le militaire	jm. gehorchen	obéir à qn.
(en, en)	de carrière	der Gehorsam	l'obéissance

gehorsam	obéissant	gegnerisch	adverse
die Disziplin	la discipline	der Feind (e)	l'ennemi
diszipliniert	discipliné	feindlich	ennemi, hostile
der Kampf ("e)	le combat	das Gewehr (e)	le fusil
kämpfen	se battre, lutter	schießen (o, o)	tirer (avec une arme)
der Kämpfer (-)	le combattant	der Schuß ("sse)	le coup de feu
der Gegner (-)	l'adversaire	das Gewehr (e)	le fusil

• *Expressions et phrases*

zum Militär gehen (i, a, ist)	*entrer à l'armée*
seinen Wehrdienst leisten	*faire son service militaire*
den Kriegsdienst verweigern	*refuser le service militaire*
Er hat eine pazifistische Einstellung.	*Il est pacifiste.*
Ein Soldat hat zu gehorchen.	*Un soldat doit obéir.*
blinder Gehorsam	*une obéissance aveugle*

DER WEHRDIENST
LE SERVICE MILITAIRE

dienen	servir, faire son service militaire	heldenhaft	héroïque
die Dienstzeit	la durée du service militaire	feige	lâche
		die Feigheit	la lâcheté
jn. ein/berufen (ie, u)	appeler qn. sous les drapeaux	der Dienstgrad (e)	le grade
entlassen (ie, a, ä)	libérer	der Vorgesetzte (adj.)	le supérieur hiérarchique
die Entlassung	la libération	der Untergebene (adj.)	le subordonné
der Rekrut (en, en)	la recrue	befördern	promouvoir
der Freiwillige (adj.)	l'engagé volontaire	die Beförderung	l'avancement
der Sold (e)	la solde	der Gefreite (adj.)	le caporal
die Kaserne (n)	la caserne	der Feldwebel (-)	l'adjudant
der Befehl (e)	l'ordre	der Leutnant (e)	le sous-lieutenant
befehlen (a, o, ie)	commander, ordonner	der Oberleutnant (e)	le lieutenant
		der Hauptmann (leute)	le capitaine
etw. verweigern	refuser qch.	der Major (e)	le commandant
sich weigern + Inf	refuser de	der Oberst (en, en)	le colonel
der Mut	le courage	der General (e)	le général
mutig	courageux	die Kompanie (n)	la compagnie
tapfer	brave, vaillant	das Bataillon (e)	le bataillon
die Tapferkeit	la bravoure	die Division (en)	la division
der Held (en, en)	le héros		

DIE BEWAFFNUNG
L'ARMEMENT

die Rüstung	l'armement	auf/rüsten	réarmer
die Rüstungsindustrie	l'industrie de l'armement	die Aufrüstung	le réarmement
		das Wettrüsten	la course aux armements
die Rüstungs- kontrolle (n)	le contrôle des armements		
der Waffenhandel	le commerce des armes	ab/rüsten	désarmer
		die Abrüstung	le désarmement
		das Maschinen- gewehr (e)	la mitrailleuse
bewaffnet sein	être armé		

die Kugel (n)	la balle	die Mittelstrecken-	la fusée à moyenne
die Pistole (n)	le pistolet	rakete (n)	portée
die Maschinen-		die Reichweite (n)	la portée
pistole (n)	le pistolet-mitrailleur		
die Kanone (n)	le canon	die Luftstreitkräfte (pl.)	les forces aériennes
das Geschütz (e)	la pièce d'artillerie	das Kampfflugzeug (e)	l'avion de combat
die Munition (en)	les munitions	das Jagdflugzeug (e)	le chasseur
das Geschoß (e)	le projectile	der Düsenjäger (-)	le chasseur à réaction
die Granate (n)	la grenade	der Jagdbomber (-)	le bombardier
die Mine (n)	la mine	der Hubschrauber (-)	l'hélicoptère
explodieren (ist)	exploser	der Pilot (en, en)	le pilote
die Explosion (en)	l'explosion	der Schleudersitz (e)	le siège éjectable
sprengen	faire sauter	der Fallschirm (e)	le parachute
der Sprengstoff (e)	l'explosif	der Fallschirmjäger (-)	le parachutiste
der Panzer (-)	le char d'assaut		
die Bombe (n)	la bombe	die Seestreitkräfte (pl.)	les forces navales
die Atombombe (n)	la bombe atomique	der Matrose (n, n)	le matelot
der Atombomben-		die Mannschaft (en),	
versuch (e)	l'essai nucléaire	die Besatzung (en)	l'équipage
die Kernwaffe (n)	l'arme nucléaire	das Kriegsschiff (e)	le navire de guerre
die Abschreckung	la dissuasion	die Flotte (n)	la flotte
die Abschreckungs-		der Flugzeugträger (-)	le porte-avions
waffe	l'arme de dissuasion	das U-Boot (e)	le sous-marin
die Wasserstoff-		das Atom-U-Boot (e)	le sous-marin
bombe (n)	la bombe H		nucléaire
die Rakete (n)	la fusée	das Torpedoboot (e)	le torpilleur
der Flugkörper (-)	le missile	der Zerstörer (-)	le destroyer
der Sprengkopf (¨e)	l'ogive	ein Schiff versenken	couler un navire
		unter/gehen (i, a, ist)	couler

• *Expressions et phrases*

jemandem einen Befehl geben (a, e, i) / erteilen	*donner un ordre à qn.*
einen Befehl aus/führen	*exécuter un ordre*
den Gehorsam verweigern	*refuser d'obéir*
Er weigert sich zu gehorchen.	*Il refuse d'obéir.*
Der Oberst wurde zum General befördert.	*Le colonel a été promu général.*
die Abrüstungsverhandlungen	*les négociations pour le désarmement*
Waffen ein/setzen	*employer les armes*
die konventionellen Waffen	*les armes conventionnelles*
die atomare Bewaffnung	*l'armement nucléaire*
die chemischen Waffen, die C-Waffen	*les armes chimiques*
eine Bombe ab/werfen (a, o, i)	*lancer une bombe*
das Ziel treffen (a, o, i)	*toucher l'objectif*
mit dem Fallschirm ab/springen (a, u, ist)	*sauter en parachute*
Das Schiff wurde versenkt.	*Le navire a été coulé.*
Das Schiff ist untergegangen.	*Le navire a coulé.*

DER KRIEG
LA GUERRE

der Konflikt (e)	le conflit	kriegerisch	guerrier
der Bürgerkrieg (e)	la guerre civile	aus/brechen (a, o, i, ist)	éclater
die Kriegserklärung (en)	la déclaration de guerre	der Kriegsausbruch	le déclenchement de la guerre

an/greifen (i, i) — attaquer
der Angriff (e) auf + A — l'attaque contre
die Schlacht (en) — la bataille
das Schlachtfeld (er) — le champ de bataille
der Kampf (die Kampf-
handlungen) — le combat
der Feldzug (¨e) — la campagne militaire
der Rückzug (¨e) — la retraite
die Front (en) — le front
der Schützengraben (¨) — la tranchée
ein/fallen (ie, a, ä, ist) in + A — envahir
jm. überlegen sein — être supérieur à qn.
die Überlegenheit — la supériorité
siegen (intr.) — vaincre (intr.)
jn. besiegen — vaincre qn.
der Sieger (-) — le vainqueur
der Besiegte (adj.) — le vaincu
die Niederlage (n) — la défaite
sich ergeben (a, e, i) — se rendre
kapitulieren — capituler
die Kapitulation (en) — la capitulation
besetzen — occuper

die Besatzungstruppen — les troupes d'occupation
der Waffenstillstand — l'armistice
die Gefangenschaft — la captivité
der Gefangene (adj.) — le prisonnier
der Kriegsgefangene (adj.) — le prisonnier de guerre
jn. gefangen/nehmen (a, o, i) — faire qn. prisonnier
das Gefangenenlager (-) — le camp de prisonniers
der Fluchtversuch (e) — la tentative d'évasion
das Kriegsopfer (-) — la victime de guerre
der Verwundete (adj.) — le blessé
der Frieden — la paix
die Friedensverhandlungen — les négociations de paix
die Friedenskonferenz (en) — la conférence de paix
die Kriegsreparationen — les réparations de guerre

• *Expressions et phrases*

den Krieg erklären — *déclarer la guerre*
Der Krieg bricht aus. — *La guerre éclate.*
gegen jemanden Krieg führen — *faire la guerre contre qn.*
in den Krieg ziehen (o, o, ist) — *partir à la guerre*
eine Schlacht liefern (a, o) — *livrer une bataille*
den Krieg gewinnen (o, o) — *gagner la guerre*
den Krieg verlieren — *perdre la guerre*
den Sieg davon/tragen (u, a, ä) — *remporter la victoire*
eine Niederlage erleiden (itt, itten) — *subir une défaite*
die bedingungslose Kapitulation — *la capitulation sans conditions*
Friedensverhandlungen führen — *mener des négociations pour la paix*
Frieden schließen (o, o) — *conclure la paix*
den Frieden sichern — *garantir la paix*

21 • RELIGION UND KIRCHEN   LA RELIGION ET LES ÉGLISES

Vocabulaire général

die Religion (en)	la religion
religiös	religieux
die Religions- zugehörigkeit	l'appartenance religieuse
die Religions- gemeinschaft (en)	la communauté religieuse
der Glaube (ns, n, sg.) an + A	la croyance, la foi
an jn. oder an etw. (A) glauben	croire en qn. / à qch.
der Gläubige (adj.)	le croyant
der Aberglaube (ns, n, sg.)	la superstition
die Kirche (n)	1. l'église (l'édifice) 2. l'Église (l'institution)
der Dom (e), das Münster (-)	la cathédrale
(der) Gott (¨er)	(le) Dieu
die Göttin (nen)	la déesse
göttlich	divin
der Christ (en, en)	le chrétien
christlich	chrétien
das Christentum	le christianisme, la chrétienté
der Katholik (en, en)	le catholique
katholisch	catholique
der Katholizismus	le catholicisme
die evangelische Kirche	l'Église protestante
der Protestantismus	le protestantisme
der Protestant (en, en)	le protestant
protestantisch	protestant
die Reformation	la Réforme
der Tempel (-)	le temple
die anglikanische Kirche	l'Église anglicane

der Anglikaner (-)	l'anglican
der Islam	l'islam
islamisch	islamique
der Moslem (s)	le musulman
der Koran	le Coran
die Moschee (n)	la mosquée
das Judentum	le judaïsme
der Jude (n, n)	le juif
jüdisch	juif
die Synagoge (n)	la synagogue
der Buddhismus	le bouddhisme
der Buddhist (en, en)	le bouddhiste
buddhistisch	bouddhiste
der Hindu (s)	l'hindou
der Hinduismus	l'hindouisme
die Sekte (n)	la secte
die Zeugen Jehovas	les Témoins de Jehovah
der Atheismus	l'athéisme
der Atheist (en, en)	l'athée
der Heide (n, n)	le païen
sich oder jn. bekehren	se convertir ou convertir qn.
der Abgott (¨er), der Götze (n, n)	l'idole
opfern	sacrifier
das Opfer (-)	1. le sacrifice 2. l'offrande 3. la victime

• *Expressions et phrases*

an Gott glauben	*croire en Dieu*
jemandem Glauben schenken	*croire qn.*
Ich glaube dir aufs Wort.	*Je te crois sur parole.*
Das ist reiner Aberglaube.	*C'est de la pure superstition.*
zur Kirche / in die Kirche gehen (i, a, ist)	*aller à l'église*

einer Kirche bei/treten (a, e, i, ist)	*adhérer à une Église*
aus der Kirche aus/treten (a, e, i, ist)	*quitter l'Église*
der Kölner Dom	*la cathédrale de Cologne*
das Straßburger Münster	*la cathédrale de Strasbourg*
Gott sei Dank!	*Dieu merci !*
um Gottes willen!	*pour l'amour de Dieu !*
Sie leben wie Gott in Frankreich. (fig.)	*Ils vivent comme des coqs en pâte.*
Das wissen die Götter!	*Dieu seul le sait !*
die zehn Gebote	*les dix commandements*
Opfer bringen (brachte, gebracht)	*faire des sacrifices*

DER CHRISTLICHE GLAUBE
LA FOI CHRÉTIENNE

Christus, Christi (gén.)	le Christ	**sterblich**	mortel
die Bibel	la Bible	**unsterblich**	immortel
das Gebot (e)	le commandement	**die Unsterblichkeit**	l'immortalité
das Alte Testament	l'Ancien Testament		
das Neue Testament	le Nouveau Testament	**ewig**	éternel
		die Ewigkeit	l'éternité
das Evangelium	l'Évangile	**die Seele (n)**	l'âme
das Dogma		**das Jenseits**	l'au-delà
die Dogmen)	le dogme		
das Paradies	le paradis	**beten**	prier
das Fegefeuer	le purgatoire	**das Gebet (e)**	la prière
die Hölle	l'enfer	**das Vaterunser**	le Notre-Père
der Teufel (-)	le diable	**fromm**	pieux
die Versuchung (en)	la tentation	**die Frömmigkeit**	la piété
die Sünde	le péché	**verehren**	vénérer
sündigen	commettre un péché	**beichten**	se confesser
der Sündiger (-)	le pécheur	**die Beichte**	la confession
vergeben (a, e, i)	pardonner	**das Gewissen**	la conscience
der Engel (-)	l'ange	**die Reue**	le repentir
der Schöpfer (-)	le créateur	**etw. bereuen**	regretter qch.
die Schöpfung	la création	**die Buße**	la pénitence
schaffen (u, a)	créer	**die Gnade**	la grâce
der Prophet (en, en)	le prophète	**gnädig**	clément
die Jungfrau Maria	la Vierge Marie	**barmherzig**	miséricordieux
der Messias	le Messie	**die Barmherzigkeit**	la miséricorde
der Erlöser	le Rédempteur	**das Sakrament (e)**	le sacrement
erlösen	sauver	**die Kommunion**	la Communion
das Leiden Christi	la Passion du Christ	**taufen**	baptiser
das Kreuz (e)	la croix	**die Taufe**	le baptême
die Kreuzigung	la Crucifixion	**die kirchliche Trauung**	le mariage religieux
das Wunder (-)	le miracle	**jn. segnen**	bénir qn.
auf/erstehen (a, a, ist		**der Segen**	la bénédiction
auferstanden))	ressusciter	**der Gottesdienst (e)**	le service religieux
die Auferstehung	la résurrection	**die Messe (n)**	la Messe
der Jünger (-)	le disciple	**der Altar (e)**	l'autel
der Apostel (-)	l'apôtre	**das Kruzifix (e)**	le crucifix
der Märtyrer (-)	le martyre	**predigen**	prêcher
der Heilige (adj.)	le saint	**die Predigt (en)**	le sermon
der Schutzheilige (adj.)	le saint patron	**der Prediger (-)**	le prédicateur
der Schutzengel	l'ange gardien	**das Kirchenlied (er)**	le cantique
der Heilige Geist	le Saint Esprit	**der Kirchenchor (¨e)**	la chorale
das Jüngste Gericht	le Jugement Dernier		

der Feiertag (e)	le jour férié	Allerheiligen	la Toussaint
Ostern	Pâques	Weihnachten	Noël
Pfingsten	la Pentecôte		

DER KLERUS
LE CLERGÉ

der Priester (-)	le prêtre	der Vatikan	le Vatican
der Geistliche (adj.)	l'ecclésiastique	der Orden (-)	l'ordre religieux
geistlich	religieux	das Kloster (¨)	le couvent
geistig	intellectuel	der Mönch (e)	le moine
der Pfarrer (-)	le curé	die Nonne (n)	la religieuse
der Pastor (en)	le pasteur	die Zelle (n)	la cellule
das Pfarrhaus (¨er)	le presbytère	der Missionar (e)	le missionnaire
die Gemeinde (n)	la paroisse	das Gelübde (-)	le vœu
der Bischof (¨e)	l'évêque	der Kreuzzug (¨e)	la croisade
der Erzbischof (¨e)	l'archevêque	der Pilger (-)	le pèlerin
das Bistum (¨er)	l'évêché	pilgern	aller en pèlerinage
der Kardinal (¨e)	le cardinal	die Pilgerfahrt (en),	
der Papst (¨e)	le pape	die Wallfahrt (en)	le pèlerinage

• *Expressions et phrases*

nach Christi Geburt	*après la naissance du Christ*
Christus ist auferstanden.	*Le Christ est ressuscité.*
eine Sünde begehen (i, a)	*commettre un péché*
in den Himmel kommen (a, o, ist)	*aller au ciel*
Himmel und Hölle in Bewegung setzen	*remuer ciel et terre*
ums Himmels willen	*pour l'amour de Dieu*
im siebenten Himmel sein	*être au septième ciel*
jemanden in den Himmel heben (o, o) (fig.)	*porter qn. aux nues*
jemandem das Leben zur Hölle machen	*rendre la vie impossible à qn.*
Zum Teufel!	*Diable !*
jemanden zum Teufel jagen	*envoyer qn. au diable*
den Teufel an die Wand malen (fig.)	*tenter le diable*
Hol' dich der Teufel!	*Que le diable t'emporte !*
Scher dich zum Teufel!	*Va au diable !*
Er bildet sich wunder was ein.	*Il s'imagine Dieu sait quoi.*
Du wirst dein blaues Wunder erleben!	*Tu n'en croiras pas tes yeux.*
Er glaubt an Wunder.	*Il croit aux miracles.*
Er ist mit Leib und Seele dabei.	*Il se donne corps et âme.*
Er lebt in ewiger Angst.	*Il vit dans une angoisse perpétuelle.*
Es ist schon eine Ewigkeit her, daß ich ihn gesehen habe.	*Cela fait une éternité que je ne l'ai pas vu.*
zu Gott beten	*prier Dieu*
ein gutes ≠ schlechtes Gewissen haben	*avoir bonne ≠ mauvaise conscience*
Buße tun (a, a)	*faire pénitence*
Zu Ostern und Weihnachten haben wir Ferien.	*À Pâques et à Noël nous avons des vacances.*
einen Gottesdienst ab/halten (ie, a, ä)	*célébrer un office religieux*
eine Predigt halten (ie, a, ä)	*faire un sermon*
tauben Ohren predigen	*prêcher dans le désert*
Du hast meinen Segen.	*Tu as ma bénédiction.*
Er hat mir seinen Segen gegeben.	*Il m'a donné sa bénédiction.*
eine Wallfahrt nach Lourdes machen	*faire un pèlerinage à Lourdes*

V. DIE KOMMUNIKATION

---

22. MEDIEN UND KOMMUNIKATIONSMITTEL

LES MÉDIAS ET LES MOYENS DE COMMUNICATION

Vocabulaire général

das Medium	
(die Medien)	le média
die Massenmedien	les mass media
die Kommunikation	la communication
die Kommunikations-	les moyens de
mittel (pl.)	communication
die Zeitung (en)	le journal
die Presse	la presse
die Tagespresse	la presse quotidienne
die Information (en)	l'information
jn. informieren	
über + A	informer qn. de qch.
die Informations-	la source
quelle (n)	d'information
die Nachricht (en)	la nouvelle
die Nachrichten-	la transmission
vermittlung	des nouvelles
die Meldung (en)	l'annonce,
	la nouvelle
melden	annoncer
der Journalist (en, en)	le journaliste
der Journalismus	le journalisme
journalistisch	journalistique
der Bericht (e)	le reportage,
	le rapport
berichten über + A	faire un reportage
	sur

die Tatsache (n)	le fait
die Fakten (pl.)	les faits
die Meinung (en)	l'opinion
die öffentliche	
Meinung	l'opinion publique
die Meinungsfreiheit	la liberté d'opinion
die Pressefreiheit	la liberté de la presse
unabhängig	indépendant
die Unabhängigkeit	l'indépendance
der Einfluß (¨sse)	l'influence
jn. beeinflussen	influencer qn.
die Beeinflussung (en)	l'influence
	exercée sur
jn. manipulieren	manipuler qn.
die Manipulation	la manipulation
übertreiben (ie, ie)	exagérer
die Zensur (en)	la censure
sachlich	concret, objectif
nüchtern	sobre
unparteiisch	impartial
wahrheitsgetreu	véridique, conforme
	à la réalité
übertrieben	exagéré

• *Expressions et phrases*

die nackten Tatsachen	*les faits bruts*
Nachrichten verbreiten	*diffuser des nouvelles*
die freie Meinungsbildung	*la libre formation d'opinion*
die freie Meinungsäußerung	*la liberté d'expression*
seine Meinung äußern	*exprimer son opinion*
sich (D) eine Meinung bilden	*se faire une opinion*
Ich bin derselben Meinung.	*Je suis du même avis.*
Ich bin anderer Meinung.	*Je suis d'un avis différent.*
Ich teile Ihre Meinung nicht.	*Je ne partage pas votre opinion.*
einen Einfluß aus/üben auf + A	*exercer une influence*
die Meinungsvielfalt	*la diversité des opinions*
die Meinungsverschiedenheit (en)	*la divergence d'opinion*
Bericht erstatten über + A	*faire un rapport / un compterendu sur*
der Zensur unterworfen sein	*être soumis à la censure*

Vocabulaire spécialisé

DIE PRESSE
LA PRESSE

die Tageszeitung (en)	le quotidien	der Artikel (-)	l'article
das Wochenblatt (¨er)	l'hebdomadaire	der Leitartikel (-)	l'éditorial
die Zeitschrift (en)	la revue	die Schlagzeile (n)	le gros titre, la manchette
das Magazin (e)	le magazine		
das Nachrichten-magazin (e)	le magazine d'informations	die Titelseite (n)	la couverture (d'un magazine)
die Illustrierte (n)	le magazine illustré	der Wirtschaftsteil (e)	la page économique
das Sensationsblatt (¨er)	le magazine à sensation	die Lokalnachrichten	les informations locales
die Fach(zeit)s-chrift (en)	la revue spécialisée	der Wetterbericht (e)	le bulletin météo
heraus/geben (a, e, i)	publier	das Abonnement (s)	l'abonnement
der Herausgeber (-)	l'éditeur	der Abonnent (en, en)	l'abonné
die Presseagentur (en)	l'agence de presse		
DPA: die deutsche Presseagentur	l'agence de presse allemande	die Anzeige (n)	l'annonce
		der Anzeigenteil	la rubrique des petites annonces
		die Werbeanzeige (n)	l'annonce publicitaire
die Redaktion (en)	la rédaction		
der Redakteur (e)	le rédacteur	die Beilage (n)	le supplément
der Reporter (-), der Berichterstatter (-)	le reporter	die Presseschau	la revue de presse
		die Sportseite (n)	la page sportive
die Reportage (n), die Berichterstattung	le reportage	das Feuilleton (s)	la page culturelle
der Chefredakteur (e)	le rédacteur en chef	Verschiedenes	faits divers
der Auslandskorres-pondent (en, en)	le correspondant à l'étranger	die Tatsache (n)	le fait
der Titel (-)	le titre	die Zeichnung (en)	le dessin
die Titelseite (n)	la page de couverture	der Zeichner (-)	le dessinateur
		die Karikatur (en)	la caricature
		karikieren	caricaturer

DER BUCHDRUCK
L'IMPRIMERIE

drucken	imprimer
der Drucker (-)	l'imprimeur
die Druckerei (en)	l'imprimerie
	(l'atelier)
die Schrift (en)	l'écriture
der Druckfehler (-)	la faute d'impression
die Drucksache (en)	l'imprimé
der Buchstabe (n, n)	la lettre
	(de l'alphabet)
klein oder groß	écrit en minuscules
geschrieben	ou en majuscules
der Band ("e)	le volume
das Manuskript (e)	le manuscrit

das Inhaltsverzeichnis	
(se)	la table des matières
der Verlag (e)	la maison d'édition
der Verleger (-)	l'éditeur
verlegen	éditer
veröffentlichen	publier
die Veröffentlichung	
(en)	la publication
erscheinen (ie, ie, ist)	paraître
die Ausgabe (n)	l'édition
die Auflage (n)	le tirage
die Neuauflage (n)	la réédition

• *Expressions et phrases*

ein Thema an/schneiden (itt, itten)	*aborder un sujet*
ein umstrittenes Thema	*un sujet controversé*
Kritik üben (an + D)	*critiquer qch.*
die Pressefreiheit gewährleisten	*garantir la liberté de la presse*
eine Zeitung abonnieren	*s'abonner à un journal*
Diese Nachricht hat Schlagzeilen gemacht.	*Cette nouvelle a fait la une des journaux.*
Das ist aus der Luft gegriffen. (fig.)	*C'est inventé de toutes pièces.*
einen Skandal auf/decken	*révéler un scandale*
Sie hat unheimliches Aufsehen erregt.	*Elle a fait un énorme scandale.*
Die Pressekonzentration gefährdet die Meinungsvielfalt.	*La concentration de la presse menace la diversité des opinions.*
Die Presse wird oft als vierte Macht bezeichnet.	*La presse est souvent qualifiée de quatrième pouvoir.*
ein Buch veröffentlichen	*publier un livre*

DAS FERNSEHEN
LA TÉLÉVISION

der Fernsehapparat (e), das Fernsehgerät (e)	l'appareil de télévision
der Fernseher (-)	l'appareil de télévision
die Glotze (n) (péj.)	la télé
die Mattscheibe (n)	l'écran
der Bildschirm (e)	1. l'écran
	2. la télévision
fern/sehen (a, e, ie)	regarder la télévision
das Kabelfernsehen	la télévision par câble
verkabeln + A	cabler
das Satellitenfernsehen	la télévision par satellite
der Fernsehsender (-)	la chaîne de télévision
das Fernseh- programm (e)	le programme de télévision

der Fernsehansager (-)	le présentateur
die Fernseh- ansagerin (nen)	la présentatrice
der Fernseh- zuschauer (-)	le téléspectateur
der Moderator (en)	l'animateur
der Fernsehfilm (e)	le téléfilm
die Fernsehserie (n)	la série, le feuilleton télévisé
das Quiz (sg.)	le jeu télévisé
senden	diffuser, émettre
die Sendung (en)	l'émission
die Live-Sendung (en)	l'émission en direct
übertragen (u, a, ä)	retransmettre
die Übertragung (en)	la retransmission
die Direktübertragung (en)	la retransmission en direct
empfangen (i, a, ä)	capter, recevoir

der Empfang	la réception	das Bild (er)	l'image
		die Lautstärke (n)	le volume
die Fernsehnachrichten	les informations	die Farbe (n)	la couleur
(pl.)	télévisées	das Farbfernsehen	la télévision couleur
die Tageschau (sg.)	le journal télévisé	die Bildschärfe (n)	la netteté
der Nachrichten-		die Fernbedienung (en)	la télécommande
sprecher (-)	le speaker	zappen	zapper
der Sportredakteur (e)	le rédacteur sportif		
die Sportreportage (n)	le reportage sportif	der Videorecorder (-),	
der Dokumentarfilm (e)	le film documentaire	das Videogerät (e)	le magnétoscope
die Unterhaltungs-	l'émission	der Videofilm (e)	le film vidéo
sendung (en)	de variétés	auf/nehmen (a, o, i),	
der Wetterbericht (e)	la météo	auf/zeichnen	enregistrer
die Debatte (n)	le débat	die (Video)	l'enregistrement
das Interview (s)	l'interview	Aufnahme (n)	(vidéo)
jn. interviewen	interviewer qn.	die Aufzeichnung (en)	l'enregistrement
um/schalten	changer de chaîne		(vidéo)
die Einschaltquote (n)	le taux d'écoute	die Videokassette (n)	la cassette vidéo
die Fernsehgebühr (en)	la redevance		
	de télévision		

• *Expressions et phrases*

den Fernseher an/schalten	*allumer le téléviseur*
den Fernseher aus/schalten	*éteindre le téléviseur*
Die Kinder sitzen vor der Glotze.	*Les enfants sont assis devant la télé.*
Ich sehe mir jeden Abend die Tagesschau an.	*Je regarde tous les soirs le journal télévisé.*
Diese Nachricht hat sich blitzschnell	*Cette nouvelle s'est répandue*
verbreitet.	*très vite.*
Was läuft heute abend	*Quel est le programme de ce soir sur la*
im dritten?	*troisième chaîne ?*
Viele Wohnungen sind heute	*De nombreux logements sont aujourd'hui*
verkabelt.	*câblés.*
über Satellit empfangen (i, a, ä)	*capter par satellite*
ein störungsfreier Empfang	*une réception sans parasites*
Diese Sendung will ich mir ansehen.	*J'ai envie de regarder cette émission.*
Das Fußballspiel wird live	*Le match de football est retransmis en*
übertragen.	*direct.*
Dieses Konzert mußt du aufnehmen.	*Il faut que tu enregistres ce concert.*
Die Bildschärfe muß besser eingestellt	*Il faut que la netteté de l'image soit mieux*
werden.	*réglée.*
Dank der Fernbedienung wird immer mehr	*Grâce à la télécommande, on zappe de plus*
gezappt / herumgeschaltet.	*en plus.*

DER RUNDFUNK
LA RADIO

der Rundfunk,		der Sender (-)	l'émetteur,
das Radio	la radio		la station radio
das Rundfunk-		die Sendung (en)	l'émission
gerät (e), der Rund-		die Rundfunk-	
funkapparat (e)	l'appareil radio	anstalt (en)	la station radio
der Kopfhörer (-)	l'écouteur / le casque	senden	émettre
der Hörer (-)	1. l'auditeur	aus/strahlen	diffuser
	2. l'écouteur	empfangen (i, a, ä)	capter, recevoir
		der Empfang	la réception

die Nachrichten- sendung (en)	l'émission d'informations	die Ultrakurz- welle (n) (UKW)	la modulation de fréquence
die Unterhaltungs- sendung (en)	l'émission de variétés	die Meinungs- forschung	Le sondage d'opinion
das Hörspiel (e)	la pièce radiophonique	der Meinungs- forscher (-)	l'enquêteur
der Sprecher (-)	l'émission	die Erhebung (en)	l'enquête
die Sprecherin (nen)	la speakerine	die (Meinungs	
die Ansage (n)	l'annonce	Umfrage (n)	le sondage d'opinion
die Welle (n)	l'onde	die Prognose (n)	la prévision, le pronostic
die Wellenlänge (n)	la longueur d'onde	die Vorhersage (n)	la prévision

- ## *Expressions et phrases*

das Radio an/schalten	*allumer la radio*
das Radio aus/schalten	*éteindre la radio*
Abends sendet der Südwestfunk Musik.	*Le soir, le Sudwestfunk diffuse de la musique.*
die öffentlich-rechtlichen Rundfunkanstalten	*les stations de radio de droit public*
Der Reporter schildert die nackten Tatsachen.	*Le reporter relate uniquement les faits.*
eine Meinungsumfrage durch/führen	*faire un sondage d'opinion*
Erhebungen an/stellen	*mener des enquêtes*
Es geht daraus hervor, daß ...	*Il en résulte que ...*

KOMMUNIKATIONSTECHNIKEN
TECHNIQUES DE COMMUNICATION

die Kommunikation (en)	la communication	die Nachricht (en)	la nouvelle, l'information
das Kommunikations- mittel (-)	le moyen de communication	die Nachrichten- übermittlung	la transmission des nouvelles
die Kommunikations- technik (en)	la technique de communication	übermitteln	transmettre
technisch	technique	übertragen (u, a, ä)	transmettre, retransmettre
die Technologie (n)	la technologie	vermitteln	transmettre
die Spitzen- technologie (n), die High-Tech (sg.)	la technologie de pointe	die Elektronik elektronisch	l'électronique électronique
das Fern- meldewesen (sg.)	le système de télé- communications	die Mikroelektronik die Unterhaltungs- elektronik	la microélectronique l'électronique de loisirs
die Tele- kommunikation (sg.)	la télécommuni- cation		

Die Informatik
L'informatique

die (elektronische) Datenverarbeitung	le traitement (électronique) des données	der Informatiker (-) der Programmierer (-) die Daten (pl.)	l'informaticien le programmeur les données
die EDV	l'informatique	die Datenbank (en)	la banque de données
der Computer (-)	l'ordinateur		
der Mikrocomputer (-)	le microordinateur	die Datei (en)	le fichier

der Datenschutz (sg.)	la protection	drucken	imprimer
	des données	der Mikroprozessor (en)	le microprocesseur
Daten ein/geben (a, e, i)	introduire	der Chip (s)	la puce
	des données	das Elektronen-	le cerveau
(Daten) erfassen	saisir (des données)	gehirn (e)	électronique
(Daten) aus/werten	analyser, exploiter	die künstliche	l'intelligence
	(des données)	Intelligenz	artificielle
Daten verarbeiten	traiter des données	der Bildschirmtext (e)	le minitel,
die Text-	le traitement		le vidéotexte
verarbeitung (en)	de texte	das Btx-System (e),	le service
		der Btx-Dienst	télématique,
die Software (sg.)	le logiciel		le minitel
die Hardware (sg.)	le matériel	die Datenbank (en)	la banque
das Programm (e)	le programme		de données
die Diskette (n)	la disquette	das Datennetz (e)	le réseau de données
der Bildschirm (e)	l'écran, le moniteur	das Internet	le réseau Internet
der Datenspeicher (-)	la mémoire	die Datenautobahn (sg.)	les autoroutes de
Daten speichern	stocker des données		l'information
der Drucker (-)	l'imprimante		

- *Expressions et phrases*

der computergestützte Unterricht	*l'enseignement assisté par ordinateur*
Dieser Computer hat eine hohe Speicherkapazität.	*Cet ordinateur a une mémoire importante.*
Der Benutzer gibt die Daten ein und wertet sie aus; der Computer speichert sie.	*L'utilisateur introduit des données et les exploite ; l'ordinateur les stocke.*
Die Daten müssen vor unerlaubtem Zugang geschützt werden.	*Les données doivent être protégées contre un accès non autorisé.*
die Computerkriminalität	*la délinquance informatique*
Mikrolektronik und Informatik gehören zu den Spitzentechnologien.	*La microélectronique et l'informatique font partie des technologies de pointe.*
Über den Computer werden die Nachrichten elektronisch verarbeitet.	*Les informations sont traitées électroniquement par l'ordinateur.*
Die neuen Technologien wie die Glasfasern und die Satelliten erleichtern die Nachrichtenübermittlung.	*Les nouvelles technologies telles que les fibres optiques et les satellites facilitent la transmission des nouvelles.*

POST UND FERNMELDEWESEN
POSTE ET TÉLÉCOMMUNICATIONS

die Post (sg.)	la poste, le courrier	der (Brief)	
das Postamt ("er)	le bureau de poste	Umschlag ("e)	l'enveloppe
der Postbeamte (adj.)	l'employé des postes	die Anschrift (en),	
der Briefträger (-)	le facteur	die Adresse (n)	l'adresse
der Schalter (-)	le guichet	der Absender (-)	l'expéditeur
der Brief (-e)	la lettre	der Empfänger (-)	le destinataire
der Briefkasten (")	la boîte aux lettres	die Postleitzahl (en)	le code postal
der Einschreibebrief (e)	la lettre	das Porto (sg.)	le port
	recommandée	die Postgebühr (en)	la taxe postale
die Postkarte (n)	la carte postale	die Briefmarke (n)	le timbre
die Drucksache (n)	l'imprimé	der Stempel (-)	le cachet

- *Expressions et phrases*

zur Post gehen (i, a, ist)	*aller à la poste*
einen Brief frankieren	*affranchir une lettre*
Post bekommen (a, o)	*recevoir du courrier*
einen Brief erhalten (ie, a, ä)	*recevoir une lettre*
ein Telegramm auf/geben (a, e, i)	*expédier un télégramme*
ein Paket senden (sandte, gesandt), schicken	*envoyer / poster un paquet*
einen Brief per Einschreiben verschicken	*envoyer une lettre en recommandé*
Er sammelt seit Jahren Briefmarken.	*Il collectionne des timbres depuis des années.*
Ich lasse mir die Post nach/senden.	*Je me fais réexpédier le courrier.*

Die Anrede
L'appellation

Lieber Freund,	Cher ami,	**Sehr geehrte Damen und Herren**	Mesdames, Messieurs
Sehr geehrter Herr Müller	Monsieur,	**Sehr geehrter Herr Professor**	Monsieur le Professeur,
Sehr geehrte Herren	Messieurs,		

Die Abschlußformel
La formule de conclusion

Hochachtungsvoll	Veuillez agréer, Monsieur / Madame, l'expression de ma haute considération.	**Mit freundlichen / besten Grüßen**	Veuillez agréer, Madame / Monsieur, l'expression de mes meilleures salutations
		Beste Grüße und Küsse	Avec toutes mes amitiés et bons baisers

Das Telefon
Le téléphone

das Telefon (e)	le téléphone	**der Anschluß (¨sse)**	le branchement
der Hörer (-)	l'écouteur	**die Vorwahl (en)**	l'indicatif
mit jm. telefonieren	téléphoner à qn.	**das Telefonbuch (¨er)**	l'annuaire
jn. an/rufen (ie, u)	téléphoner à qn.	**der Anruf-**	le répondeur
die Telefonzelle (n)	la cabine téléphonique	**beantworter (-)**	téléphonique
		das Mobiltelefon (e)	le téléphone portatif
die Telefonnummer (n)	le n° de téléphone	**das Telegramm (e)**	le télégramme
wählen	composer un numéro	**das Fernschreiben (-)**	le télex
		der Fernkopierer (-),	
die Telefonleitung (en)	la ligne téléphonique	**das Faxgerät (e)**	le télécopieur
die Telefonver-	la liaison	**die Datenfern-**	
bindung (en)	téléphonique	**verarbeitung**	la télématique

- *Expressions et phrases*

Das Telefon läutet / klingelt.	*Le téléphone sonne.*
ein Telefongespräch führen	*avoir une conversation téléphonique*
den Hörer ab/nehmen (a, o, i)	*décrocher le téléphone*
(den Hörer) wieder auf/legen	*raccrocher (le combiné)*
Er hat mich gestern angerufen.	*Il m'a téléphoné hier.*

Ich habe lange mit ihm telefoniert.

Ich muß seine Nummer im Telefonbuch nachschlagen.

Können Sie eine Verbindung herstellen?
Die Verbindung ist abgebrochen.
Ich komme leider nicht durch.

Kein Anschluß unter dieser Nummer.

Sie sind falsch verbunden.

Nous avons eu une longue conversation au téléphone.
Il faut que je cherche son numéro dans l'annuaire.

Pouvez-vous établir la communication ?
La communication a été interrompue.
Malheureusement, je n'arrive pas à obtenir la ligne.
Le numéro que vous avez demandé n'est pas en service actuellement.
Vous vous êtes trompé de numéro.

BILD UND TON
L'IMAGE ET LE SON

der Plattenspieler (-)	le tourne-disques	die Compact disc (s), die CD-Platte (n)	le disque compact
der Kassetten-recorder (-)	le magnétophone à cassettes	die Kassette (n)	la cassette
das Tonbandgerät (e)	le magnétophone	die Videokassette (n)	la cassette vidéo
der Walkman (-men)	le baladeur, le walkman	die Videokamera (s)	le caméscope
die Stereo-Anlage (n),	la chaîne stéréo	das Bild (er)	l'image
die Hi-Fi-Anlage (n)	la chaîne haute-fidélité	das Foto (s)	la photo
		fotographieren	prendre une photo
der Lautsprecher (-)	le haut-parleur	die Kamera (s)	l'appareil photographique
die Lautstärke (n)	le volume		
das Mikrofon (e)	le micro	die Filmkamera (s)	la caméra
das Tonband (¨er)	la bande magnétique	der Film (e)	le film, la pellicule
die Schallplatte (n)	le disque	der Farbfilm (e)	la pellicule couleur
		das Dia (s)	la diapositive

• *Expressions et phrases*

ins Mikrofon sprechen (a, o, i)
die Lautstärke ein/stellen
sich (D) eine Schallplatte an/hören
eine Platte auf/legen
einen Film ein/legen
Ich habe den Film zum Entwickeln gegeben.
Dieses Foto lasse ich vergrößern.
Er ist auf dem Foto gut getroffen.

parler dans le micro
régler la puissance
écouter un disque
mettre un disque
introduire une pellicule dans l'appareil
J'ai donné le film à développer.
Je vais faire agrandir cette photo.
Il est bien (réussi) sur la photo.

23. VERKEHR UND VERKEHRSMITTEL
LA CIRCULATION ET LES MOYENS DE TRANSPORT

Der Straßenverkehr
La circulation routière

die Straße (n)	la route, la rue
die Hauptstraße (n)	la rue principale
die Nebenstraße (n)	la rue latérale
die Einbahnstraße (n)	la rue à sens unique
der Zebrastreifen (-)	le passage piétonnier
der Bürgersteig (e),	
das Trottoir (s)	le trottoir
die Gasse (n)	la ruelle
die Sackgasse (n)	l'impasse
die Kreuzung (en)	le croisement, le carrefour
der Kreisverkehr	le rond-point, le sens giratoire
die Kurve (n)	le virage
kurvenreich	sinueux
schmal	étroit
breit	large
die Umleitung (en)	la déviation
die Umgehungsstraße (n)	la route de contournement
die Bundesstraße (n)	la nationale, la route fédérale
die Landstraße (n)	la route départementale
die Autobahn (en)	l'autoroute
das Autobahnkreuz (e)	l'échangeur
die Einfahrt (en)	l'entrée
die Ausfahrt (en)	la sortie
der Zubringer (-)	la bretelle d'accès
die Fahrspur (en)	la voie de circulation
vierspurig	à quatre voies
der Randstreifen (-)	le bas-côté
die Leitplanke (n)	la glissière de sécurité
die Autobahngebühr (en)	le péage
gebührenpflichtig	à péage

die Maut (sg.)	le péage (en Autriche)
die Raststätte (n)	le restauroute
der Verkehr	la circulation
der Automobilverkehr	la circulation automobile
der Stadtverkehr	le trafic urbain
der Straßenverkehr	le trafic routier
das Verkehrsmittel (-)	le moyen de transport
die öffentlichen Verkehrsmittel	les transports en commun
das Verkehrsschild (er)	le panneau de circulation
der Wegweiser (-)	le panneau indicateur de direction
fahren (u, a, ä, ist)	rouler
verkehren	circuler
überholen	dépasser
befördern	transporter
die Beförderung, der Transport (e)	le transport
der Gütertransport	le transport de marchandises
die Geschwindigkeit	la vitesse
begrenzen	limiter
das Tempolimit (s)	la limitation de vitesse
die Geschwindigkeitsbegrenzung (en)	la limitation de vitesse
der Stau (s)	le bouchon
die Verkehrsstockung (en)	l'embouteillage, le bouchon
fließend, flüssig	fluide
dicht	dense

• *Expressions et phrases*

eine Straße überqueren	*traverser une rue*
über eine Straße gehen (i, a, ist)	*se retrouver dans une impasse*
in eine Sackgasse geraten (ie, a, ä, ist)	*une route à virages*
eine kurvenreiche Straße	*une autoroute à péage*
eine gebührenpflichtige Autobahn	*percevoir un péage*
Gebühren erheben (o, o)	*une autoroute à quatre voies*
eine vierspurige Autobahn	*changer de voie*
die Spur wechseln	*dépasser une voiture*
einen Wagen überholen	*respecter la limitation de vitesse*
das Tempolimit beachten	*entrer dans un bouchon*
in einen Stau geraten (ie, a, ä, ist)	*se trouver dans un bouchon*
im Stau stecken	

DAS AUTO
LA VOITURE

das Auto (s),	
der Wagen (-)	la voiture
der PKW (s) (der	la voiture
Personenkraftwagen)	individuelle
der LKW (s)	
(der Lastkraftwagen)	le poids-lourd
der Laster (-)	le camion
der Anhänger (-)	la remorque
der Sattelschlepper (-)	le semi-remorque
der Lieferwagen (-)	la camionnette
	de livraison
der Autofahrer (-)	l'automobiliste
der LKW-Fahrer (-)	le conducteur
	de poids-lourd

der Führerschein (e)	le permis
	de conduire
die Fahrprüfung (en)	l'examen du permis
	de conduire
der Kraftfahr-	
zeugschein (e)	la carte grise
der Wagentyp (en),	
das Modell (e)	le modèle
der Mercedes,	la Mercedes,
der VW,	la Volkswagen,
der Renault, etc.	la Renault, etc.
der Dieselwagen (-)	la voiture diesel
der Gebrauchtwagen (-)	la voiture d'occasion
der Kombi (s)	le break

Der Motor (en)
Le moteur

der Hubraum	la cylindrée	die Karosserie	la carrosserie
der Kühler (-)	le radiateur	der Kofferraum (¨e)	le coffre
die Kerze (n)	la bougie	die Motorhaube (n)	le capot
der Auspuff (e)	le pot	die Scheibe (n)	la vitre
	d'échappement	die Windschutz-	
der Katalysator (en)	le pot catalytique	scheibe (n)	le pare-brise
die Abgase (pl.)	les gaz	der Scheibenwischer (-)	l'essuie-glaces
	d'échappement	der Kotflügel (-)	l'aile
die Pferdestärke	la puissance	die Stoßstange (n)	le pare-chocs
	en chevaux	das Rad (¨er)	la roue
der Kraftstoff (sg.)	le carburant	das Vorderrad (¨er)	la roue avant
das Benzin	l'essence	das Hinterrad (¨er)	la roue arrière
das Normalbenzin	l'essence normale	der Reifen (-)	le pneu
bleifrei	sans plomb	die Bremse (n)	le frein
tanken	prendre de l'essence	bremsen	freiner
der Benzintank (s)	le réservoir	das Nummern-	la plaque d'imma-
die Tankstelle (n)	la station-service	schild (er)	triculation

Der Innenraum ("e)
L'habitacle

das Steuer (-)	le volant	sich an/schnallen	s'attacher,
die Innen-	l'équipement		mettre la ceinture
ausstattung (en)	intérieur	die Hupe (n); hupen	le klaxon ; klaxonner
das Armaturenbrett (er)	le tableau de bord	das Gaspedal (e)	la pédale
der Tachometer (-)	le compteur		d'accélération
der Rückspiegel (-)	le rétroviseur	die Kupplung (en)	l'embrayage
der Sitz (e)	le siège	das Getriebe (-)	la boîte de vitesses
der Sicherheitsgurt (e)	la ceinture	der Gang ("e)	la vitesse
	de sécurité	um/schalten	changer de vitesse

Die Beleuchtung (en)
L'éclairage

der Scheinwerfer (-)	le phare	die Heizung	le chauffage
ab/blenden	mettre en code	die Klimaanlage (n)	la climatisation
auf/blenden	mettre les phares	die Wartung	l'entretien
blinken	clignoter	ein Auto warten	entretenir une
der Blinker (-)	le clignotant		voiture
das Warnlicht (er)	le feu de détresse	die Reparatur-	l'atelier
das Rücklicht (er)	le feu arrière	werkstatt ("en)	de réparation

Das Motorrad ("er)
La moto

die Lenkstange (n)	le guidon	das Moped (s)	le cyclomoteur
der Sturzhelm (e)	le casque	der Motorroller (-)	le scooter

• *Expressions et phrases*

Er fährt einen alten Mercedes.	*Il conduit une vieille Mercedes.*
den Führerschein machen	*passer le permis*
voll/tanken	*faire le plein*
bleifrei tanken	*prendre de l'essence sans plomb*
Der Motor springt nicht an.	*Le moteur ne démarre pas.*
eine Reifenpanne haben	*crever*
den Reifendruck prüfen	*contrôler la pression des pneus*
scharf bremsen	*freiner brutalement*
am Steuer sitzen (a, e)	*être au volant*
Die Anschnallpflicht muß beachtet	*L'obligation de s'attacher doit être*
werden.	*respectée.*
Gas geben (a, e, i)	*accélérer*
Vollgas geben (a, e, i)	*accélérer à fond*
auf die Kupplung treten (a, e, i)	*débrayer*
einen Gang ein/schalten	*mettre une vitesse*
den Rückwärtsgang ein/schalten	*mettre la marcher arrière*
den Ölstand prüfen	*vérifier le niveau d'huile*
das Öl wechseln	*faire la vidange*

DER VERKEHRSUNFALL
L'ACCIDENT DE CIRCULATION

der Unfall ("e)	l'accident	die Ursache (n)	la cause
verursachen	causer	der Verkehrssünder (-)	le chauffard

der Zusammen- stoß ("e)	la collision, le choc	ab/schleppen verhüten	remorquer empêcher, prévenir
zusammen/stoßen (ie, o, ö, ist)	heurter	die Promillegrenze (n)	le taux limite d'alcoolémie
jn. überfahren (u, a, ä)	renverser qn.	versichern	assurer
der Verletzte (adj.),		die Versicherung (en)	l'assurance
der Verwundete (adj.)	le blessé	die Haftpflicht- versicherung	l'assurance en responsabilité
das (Verkehrs)Opfer (-)	la victime (de la circulation)		civile
verunglücken (ist)	être victime d'un accident	die Vollkasko- versicherung	l'assurance tous risques
verletzt werden	être blessé		
der Krankenwagen (-)	l'ambulance	die Straßenverkehrs- ordnung	le code de la route
der Rettungswagen (-)	l'ambulance	die Verkehrssicherheit	la sécurité routière
die Rettung	le sauvetage	der Verstoß ("e)	l'infraction
		die Geldstrafe (n)	l'amende
der Sachschaden (")	le dommage matériel		

- *Expressions et phrases*

gegen die Verkehrsregeln verstoßen (ie, o, ö)	*enfreindre les règles du code de la route*
einen Unfall verursachen	*causer un accident*
einen Unfall haben	*avoir un accident*
mit einem Auto zusammen/stoßen (ie, o, ö, ist)	*entrer en collision avec une voiture*
Der Wagen ist abgeschleppt worden.	*La voiture a été remorquée.*
Die Verwundeten wurden ins Krankenhaus gefahren.	*Les blessés furent conduits à l'hôpital.*
Er ist mit heiler Haut davongekommen.	*Il s'en est tiré sain et sauf.*
Der Fahrer ist ums Leben gekommen.	*Le conducteur est mort. (accidentellement)*
einen Unfall verhüten	*prévenir un accident*
Todesopfer fordern	*faire des victimes*
gut versichert sein	*être bien assuré*
zu einer Geldstrafe verurteilt werden	*être condamné à une amende*

Die öffentlichen Verkehrsmittel
Les transports en commun

IM STADTVERKEHR
EN CIRCULATION URBAINE

---

der Bus (se)	le bus	die Linie (n)	la ligne
die Straßenbahn (en)	le tramway	die S-Bahn (en)	
die Haltestelle (n)	l'arrêt, la station	(die Schnellbahn)	le train de banlieue
die U-Bahn (en)		die Fahrkarte (n),	
(Untergrundbahn)	le métro	der Fahrschein (e)	le billet
das U-Bahnnetz (e)	le réseau de métro	das Taxi (s),	
die U-Bahnstation (en)	la station de métro	die Taxe (n)	le taxi

• *Expressions et phrases*

den Bus nehmen (a, o, i)	*prendre le bus*
den Bus verpassen	*rater le bus*
ein Taxi bestellen	*appeler un taxi*
eine Fahrkarte lösen	*prendre un billet*

DIE EISENBAHN
LE CHEMIN DE FER

die Eisenbahn (en)	le chemin de fer	der Eisenbahnverkehr	le trafic ferroviaire
die Bundesbahn	les chemins de fer	der Schienenverkehr	le trafic ferroviaire
(die DB)	fédéraux	der Personenverkehr	le trafic voyageurs
der Zug (¨e)	le train	der Güterverkehr	le trafic de
der Personenzug (¨e)	le train de voyageurs		marchandises
der Güterzug (¨e)	le train de	der Fernverkehr	le trafic grandes
	marchandises		lignes
der Schnellzug (¨e) /		der Nahverkehr	le trafic de banlieue
der D-Zug (¨e)	le rapide	das Eisenbahn-	
der Hochgeschwindig-	le train à grande	unglück (e)	l'accident ferroviaire
keitszug (der ICE)(¨e)	vitesse (le TGV)	entgleisen (ist)	dérailler
die Lokomotive (n)	la locomotive	der Fahrplan (¨e)	l'horaire
der Lokführer (-)	le conducteur,	das Kursbuch (¨e)	l'indicateur
	le mécanicien		de chemin de fer
der Triebwagen (-)	l'autorail	pünktlich	ponctuel
der Schaffner (-)	le contrôleur	die Verspätung	le retard
		der Reisende (adj.)	le voyageur
der Wagen (-)	la voiture, le wagon	sich erkundigen	
der Schlafwagen (-)	le wagon-lit	nach + D	se renseigner
der Liegewagen (-)	le wagon-couchettes	ein/steigen (ie, ie, ist)	monter
der Speisewagen (-)	le wagon-restaurant		(dans le train)
das Abteil (e)	le compartiment	aus/steigen (ie, ie, ist)	descendre du train
das Nichtraucher-	le compartiment	um/steigen (ie, ie, ist)	changer de train
abteil (e)	non-fumeurs	der Anschluß (¨sse),	
der Sitzplatz (¨e)	la place assise	die Verbindung (en)	la correspondance
das Gepäcknetz (e)	le filet à bagages		

Der Bahnhof (¨e)
La gare

der Hauptbahnhof (¨e)	la gare centrale	die Rückfahrt (en)	le retour
der Bahnsteig (e)	le quai	die Ermäßigung (en)	la réduction
das Gleis (e)	la voie	der Zuschlag (¨e)	le supplément
die Schiene (n)	le rail	die Abfahrt (en)	le départ (du train)
der Schalter (-)	le guichet	die Abreise (n)	le départ
die Fahrkarte (n),			(des voyageurs)
der Fahrschein (e)	le billet	der Wartesaal (säle)	la salle d'attente
die Rückfahrkarte (n)	l'aller-retour	das Gepäck (sg.)	les bagages
der Fahrkarten-	le distributeur	der Koffer (-)	la valise
automat (en, en)	de billets	das Schließfach (¨er)	le casier de consigne
die Hinfahrt (en)	l'aller		automatique

• *Expressions et phrases*

mit dem Zug fahren (u, a, ä, ist)	*voyager en train*
den Zug nehmen (a, o, i)	*prendre le train*
den Zug verpassen	*rater le train*
jemandem Auskunft geben (a, e, i)	*renseigner qn.*
einen Platz reservieren	*réserver une place*
Der Platz ist besetzt.	*La place est occupée.*
sich nach den Fahrzeiten erkundigen	*se renseigner sur les horaires*
den Anschluß verpassen	*rater la correspondance*
Wir sind in Stuttgart umgestiegen.	*Nous avons changé de train à Stuttgart.*
Verspätung haben	*avoir du retard*
Dieser Zug ist zuschlagpflichtig.	*Ce train est à supplément.*
das Gepäck auf/geben (a, e, i)	*faire enregistrer les bagages*

DAS FLUGZEUG UND DER LUFTVERKEHR
L'AVION ET LE TRAFIC AÉRIEN

Allgemeines
Vocabulaire général

fliegen (o, o, ist)	voler	**die Zwischen-**	
überfliegen (o, o) + A	survoler	**landung (en)**	l'escale
der Flug (¨e)	le vol	**der Luftverkehr**	le trafic aérien
der Flügel (-)	l'aile	**das Luftverkehrsnetz (e)**	le réseau aérien
die Luftfahrt	l'aéronautique	**die Besatzung (en)**	l'équipage
das Flugzeug (e)	l'avion	**der Pilot (en, en)**	le pilote
starten (ist)	décoller	**der Kopilot (en, en)**	le copilote
startbereit	prêt à décoller	**der Bordmechaniker (-)**	le mécanicien
der Start (s)	le décollage		de bord
landen	atterrir	**der Steward (s)**	le steward
die Landung (en)	l'atterrissage	**die Stewardeß (ssen)**	l'hôtesse de l'air
		betreuen + A	s'occuper de

Die Flugzeuge
Les avions

die Maschine (n)	l'appareil	**das Überschall-**	l'avion
das Linienflugzeug (e)	l'avion de ligne	**flugzeug (e)**	supersonique
das Langstrecken-		**das Triebwerk (e)**	le réacteur
flugzeug (e)	le long courrier	**der Propeller (-)**	l'hélice
das Charterflugzeug (e)	le charter	**der Rumpf (¨e)**	le fuselage
der Jumbo-Jet (s)	l'avion gros porteur	**das Cockpit (s)**	le cockpit
das Düsenflugzeug (e)	l'avion à réaction	**die Steuerung**	le pilotage
		der Hubschrauber (-)	l'hélicoptère

Der Flughafen (¨)
L'aéroport

der Flugplatz (¨e)	l'aérodrome	**die Fluggesellschaft (en)**	la compagnie
die Startbahn (en)	la piste de décollage		aérienne
die Landebahn (en)	la piste d'atterrissage	**der Fluggast (¨e),**	
der Kontrollturm (¨e)	la tour de contrôle	**der Passagier (e)**	le passager
der Fluglotse (n, n)	l'aiguilleur du ciel	**der Schalter (-)**	le guichet
der Flugplan (¨e)	l'horaire des vols	**das Flugticket (s)**	
		die Flugkarte (n)	le billet d'avion

ab/fertigen	accomplir les	die Abflughalle (n)	la salle
ein/checken	formalités		d'embarquement
	d'enregistrement	das Gepäck (sg.)	les bagages
die Abfertigung	l'enregistrement	die Paßkontrolle (n)	le contrôle
die Reservierung (en)	la réservation		des passeports
die Wartehalle (n)	la salle d'attente		

Das Flugzeugunglück (e)
L'accident d'avion

der Defekt (e)	le défaut,	der Absturz (¨e)	le crash
	la panne	explodieren (ist)	exploser
der Notruf (e)	l'appel de détresse	entführen	détourner
not/landen (ist)	faire un atterrissage	die Flugzeug-	le détournement
	forcé	entführung (en)	d'avion
die Notlandung (en)	l'atterrissage forcé	der Flugzeug-	
ab/stürzen (ist)	s'écraser	entführer (-)	le pirate de l'air

• *Expressions et phrases*

nach Amerika fliegen (o, o, ist)	*aller en avion en Amérique*
Das Flugzeug überfliegt den Ozean.	*L'avion survole l'océan.*
Das Luftverkehrsnetz wird immer dichter.	*Le réseau aérien est de plus en plus dense.*
eine Zwischenlandung machen	*faire une escale*
die automatische Steuerung	*le pilotage automatique*
die Überschallgeschwindigkeit	*la vitesse supersonique*
rechtzeitig am Flughafen ein/treffen	*arriver à temps à l'aéroport*
(a, o, i, ist)	
einen Flug buchen	*réserver un vol*
jemanden zum Flughafen bringen	*amener qn. à l'aéroport*
(brachte, gebracht)	
das Gepäck einchecken	*faire enregistrer les bagages*
Die Passagiere gehen an Bord.	*Les passagers montent à bord.*
Die Stewardeß betreut die Passagiere.	*L'hôtesse de l'air s'occupe des passagers.*
Wir setzen zur Landung an.	*Nous nous apprêtons à atterrir.*
einen technischen Defekt auf/weisen (ie, ie)	*avoir une défaillance technique*
ein Flugzeug entführen	*détourner un avion*
einen Notruf aus/senden	*lancer un appel de détresse*
Das Flugzeug ist abgestürzt.	*L'avion s'est écrasé.*

DAS SCHIFF UND DER SCHIFFSVERKEHR
LE BATEAU ET LA NAVIGATION

Die Schiffe
Les bateaux

das Schiff (e)	le bateau, le navire	das Segelboot (e)	le voilier
das Boot (e)	le bateau, la barque	das Ruderboot (e)	la barque (à rames)
der Dampfer (-)	le bateau à vapeur	die Fähre (n)	
der Passagier-		die Autofähre (n)	le ferry
dampfer (-)	le paquebot	das Kriegsschiff (e)	le navire de guerre
der Übersee-		das U-Boot (e)	
dampfer (-)	le transatlantique	(Unterseeboot)	le sous-marin
der Schleppkahn (¨e)	la péniche		
der Frachter (-)		das Steuer (-)	le gouvernail,
das Frachtschiff (e)	le cargo		la barre
der Tanker (-)	le pétrolier	steuern	piloter (un navire)

das Ruder (-)	la rame	die Kajüte (n),	
der Rumpf (¨e)	la coque	die Kabine (n)	la cabine
das Deck (s)	le pont	das Bullauge (n)	le hublot
der Bug (e)	la proue	der Anker (-)	l'ancre
das Heck (e)	la poupe		
der Kiel (e)	la quille	die Mannschaft (en)	l'équipage
der Laderaum (¨e)	la cale	der Kapitän (e)	le capitaine
die Flagge (n)	le pavillon	der Seemann (leute)	le marin
der Maschinen-		der Matrose (n, n)	le matelot
raum (¨e)	la salle des machines	der Schiffsjunge (n, n)	le mousse
		der Schiffer (-)	le batelier

Die Seeschiffahrt
La navigation maritime

das Meer (e) /		der Schiffbruch (¨e)	le naufrage
die See (n)	la mer	der Schiffbrüchige (adj.)	le naufragé
die Seeschiffahrt	la navigation	die Seenot	la détresse
	maritime	der Sturm (¨e)	la tempête
die Binnenschiffahrt	la navigation fluviale	stürmisch	démonté
das Handelsschiff (e)	le bateau	schwanken	tanguer
	de commerce	kentern (ist)	chavirer
die Seefahrt (en)	le voyage en mer	sinken (a, u, ist)	
die Kreuzfahrt (en)	la croisière	unter/gehen (i, a, ist)	sombrer
die Überfahrt (en)	la traversée	der Untergang	le naufrage
der Kurs	le cours	eines Schiffes	d'un bateau
auf hoher See	en pleine mer	stranden (ist)	échouer
der Passagier (e)	le passager	das Wrack (s)	l'épave
der Knoten (-)	le nœud	retten	sauver
an/legen	accoster	die Rettung	le sauvetage
		das Rettungsboot (e)	le canot de sauvetage
		die Schwimmweste (n)	le gilet de sauvetage

Der Hafen (¨)
Le port

das Hafenbecken (-)	le bassin	der Güterhafen (¨)	le port
der Kai (s)	le quai		de marchandises
der Leuchtturm (¨e)	le phare		
die Anlegestelle (n)	l'embarcadère	der Schiffbau (sg.)	la construction
das Dock (s)	le dock		navale
der Dockarbeiter (-)	le docker	die Werft (en)	le chantier naval
die Ladung (en)	la cargaison	der Reeder (-)	l'armateur
laden (u, a, ä)	charger	die Reederei (en)	la maison
entladen (u, a, ä)	décharger		d'armement
der Kran (¨e)	la grue	der Stapel (-)	la cale
die Reede (n)	la rade		de construction

• *Expressions et phrases*

das Ruder fest in der Hand haben	*tenir fermement le gouvernail*
auf Deck	*sur le pont*
an Bord gehen (i, a, ist)	*monter à bord*
ein blinder Passagier	*un passager clandestin*
seekrank sein	*avoir le mal de mer*
den Anker aus/werfen (a, o, i)	*jeter l'ancre*
vor Anker liegen (a, e)	*être à l'ancre*

den Anker lichten	*lever l'ancre*
in den Hafen ein/laufen (ie, au, äu, ist)	*entrer dans le port*
aus/laufen (ie, au, äu, ist)	*quitter le port*
vom Kurs ab/weichen (i, i, ist)	*dévier du cours*
Güter verladen (u, a, ä)	*charger des marchandises*
vom Stapel laufen (ie, au, äu, ist)	*être mis à l'eau, être lancé*
Schiffbruch erleiden (itt, itten)	*faire naufrage*
in Seenot geraten (ie, a, ä, ist)	*être en détresse*
eine stürmische See	*une mer démontée*

---

24. TOURISMUS UND REISEN   TOURISME ET VOYAGES

Vocabulaire général

die Ferien	les vacances	**reisen (ist), die Reise (n)**	voyager, le voyage
der Urlaub (sg.)	les congés,	**verreisen (ist)**	partir en voyage
	les vacances	**die Urlaubsreise (n)**	le voyage
der Urlauber (-)	le vacancier		de vacances
der Tourist (en, en)	le touriste	**die Pauschalreise (n)**	le voyage organisé
der Tourismus			(tout compris)
der Fremdenverkehr	le tourisme	**der Reisende (adj.)**	le voyageur
der Urlaubsort (e)	le lieu de vacances	**die Flugreise (n)**	le voyage en avion
das Urlaubsziel (e)	la destination	**die Studienreise (n)**	le voyage d'études
	de voyage	**die Kreuzfahrt (en)**	la croisière
die Saison	la saison,	**die Weltreise (n)**	le voyage autour
die Hochsaison	la haute saison		du monde
das Meer (e) /		**das Reisebüro (s)**	l'agence de voyages
die See (n)	la mer	**der Reiseveranstalter (-)**	l'organisateur
am Meer,			de voyages
an der See (sein)	(être) à la mer	**die Gesellschafts-**	
baden	se baigner	**reise (n)**	le voyage organisé
der Badeort (e)	la station balnéaire	**das Reiseprospekt (e)**	le prospectus
der Strand ("e)	la plage		touristique
der Sand	le sable	**das Verkehrsamt ("er)**	le syndicat
sich bräunen	bronzer		d'initiative
das Land	la campagne	**die Abreise (n)**	le départ (en voyage)
auf dem Land (sein)	(être) à la campagne	**das Gepäck (sg.)**	les bagages
		das Handgepäck	les bagages à main
übernachten	passer la nuit	**der Koffer (-)**	la valise
die Unterkunft ("e)	l'hébergement	**die Reisetasche (n)**	le sac de voyage
die Ferienwohnung (en)	l'appartement	**trampen,**	
	de vacances	**per Anhalter fahren**	
die Jugendherberge (n)	l'auberge de jeunesse	**(u, a, ä, ist)**	faire de l'auto-stop

- *Expressions et phrases*

in die Ferien fahren (u, a, ä, ist) /	*partir en vacances*
in Urlaub fahren	*partir en vacances*
in Ferien / in Urlaub sein	*être en vacances*
Sie waren in / auf Urlaub auf Korsika.	*Ils étaient en vacances en Corse.*
Ferien im Gebirge verbringen	*passer des vacances en montagne*
(verbrachte, verbracht)	
ins Gebirge / in die Berge fahren	*aller en montagne*
aufs Land fahren (u, a, ä, ist)	*partir à la campagne*
ans Meer fahren (u, a, ä, ist)	*partir au bord de la mer*
am Strand liegen (a, e)	*être allongé sur la plage*
Er ist verreist.	*Il est parti en voyage.*
eine Reise ins Ausland unternehmen (a, o, i)	*entreprendre un voyage à l'étranger*
eine Reise buchen	*réserver un voyage*
den Koffer packen	*faire sa valise*
Alle Charterflüge sind ausgebucht.	*Tous les vols charter sont complets.*
Er ist durch die ganze Welt gereist.	*Il a voyagé dans le monde entier.*

Vocabulaire spécialisé

DER ZOLL
LA DOUANE

der Zoll ("e)	la douane	**schmuggeln**	passer en fraude
das Zollamt ("er)	le bureau de douane	**der Schmuggler** (-)	le contrebandier
der Zollbeamte (adj.)	le douanier	**das Schmuggeln**	la contrebande
etw. verzollen	dédouaner qch.	**(Geld) wechseln**	changer de l'argent
zollfrei	libre de droits	**die Wechselstube** (n)	le bureau de change
	de douane		
zollpflichtig	soumis aux droits	**der Paß** ("sse)	le passeport
	de douane	**die Paßkontrolle** (n)	le contrôle
die Zollschranke (n)	la barrière douanière		des passeports
die Grenze (n)	la frontière	**der Personalausweis** (e)	la carte d'identité
die Grenzkontrolle (n)	le contrôle douanier	**das Visum** (die Visa)	le visa

- *Expressions et phrases*

die Zollschranken ab/bauen	*supprimer les barrières douanières*
ein gültiger Paß	*un passeport valable*
seinen Ausweis vor/zeigen	*présenter sa carte d'identité*
ein Visum beantragen	*demander un visa*
Er wollte Drogen ein/schmuggeln.	*Il a voulu faire passer de la drogue en*
	contrebande.

HOTELS UND GASTSTÄTTEN
HOTELS ET RESTAURANTS

Das Hotel (s)
L'hôtel

übernachten	passer la nuit	**das Luxushotel** (s)	l'hôtel de luxe
die Übernachtung	la nuit passée	**das 2 Sterne-Hotel** (s)	l'hôtel 2 étoiles
	(à l'hôtel)	**das Hotelzimmer** (-)	la chambre d'hôtel

das Einzelzimmer (-)	la chambre simple	ein Zimmer reservieren,	réserver
das Doppelzimmer (-)	la chambre double	ein Zimmer buchen	une chambre
das Zimmermädchen (-)	la femme	die Reservierung (en)	
	de chambre	die Buchung (en)	la réservation
der Empfang,		der Gast (¨e)	le client
die Rezeption	la réception	belegt	occupé
das Hotelpersonal	le personnel	die Vollpension	la pension complète
	de l'hôtel	die Halbpension	la demi-pension
der Geschäftsführer (-)	le gérant	die Ausstattung (en)	l'équipement
der Hotelleiter (-), der	le directeur	aus/statten	équiper
Hoteldirektor (en)	de l'hôtel	die Zimmer-	l'aménagement
empfangen (i, a, ä)	accueillir	einrichtung (en)	de la chambre
die Rechnung (en)	l'addition	der Fernsehraum (¨e)	la salle de télévision
begleichen (i, i)	régler		

Zelten / Campen
Camper

das Camping	le camping	der Gaskocher (-)	le réchaud à gaz
der Campingplatz (¨e)	le terrain de	die Thermosflasche (n)	la bouteille thermos
	camping	der Wohnwagen (-)	la caravane
das Zelt (e)	la tente	das Vordach (¨er)	l'auvent
die Zeltausrüstung (en)	le matériel	das Wohnmobil (e)	le camping-car
	de camping	das Ferienlager (-)	le camp de vacances
der Schlafsack (¨e)	le sac de couchage		

• *Expressions et phrases*

in einem Hotel ab/steigen (ie, ie, ist)	*descendre dans un hôtel*
im Hotel übernachten	*coucher à l'hôtel*
Übernachtung mit Frühstück	*chambre et petit-déjeuner*
ein Zimmer mit Dusche oder Bad	*une chambre avec douche ou salle de bains*
die Formalitäten erledigen	*régler les formalités*
seine Personalien an/geben (a, e, i)	*décliner son identité*
den Gast empfangen (i, a, ä)	*accueillir un client*
Unser Hotel ist belegt.	*Notre hôtel est complet.*
das Frühstück aufs Zimmer bringen	*porter le petit-déjeuner dans la chambre*
(brachte, gebracht)	
Bedienung inbegriffen	*service compris*
die Rechnung begleichen (i, i)	*régler l'addition*
Die Rechnung beläuft sich auf 100 Mark.	*La facture s'élève à 100 marks.*
ein gut ausgestattetes Hotel	*un hôtel bien équipé*
ein Zelt auf/schlagen (u, a, ä)	*monter une tente*

Das Restaurant (s)
Le restaurant

das Gasthaus (¨er)		die Bierstube (n)	la brasserie
die Gaststätte (n)	le restaurant	der Biergarten (¨)	la terrasse
der Gasthof (¨e)	l'hôtel-restaurant	das Café (s)	le café
das Wirtshaus (¨er)		die Bar (s)	le bar
die Wirtschaft (en)	l'auberge, le bistrot	das Nachtlokal (e)	la boîte de nuit
der Wirt (e)	l'aubergiste	die Raststätte (n)	le restauroute
die Kneipe (n)	le bistrot	das Selbstbedienungs-	
der Stammgast (¨e)	l'habitué	restaurant (s)	le self-service
der Stammtisch (e)	la table d'habitués	die Imbißstube (n)	le snack-bar
die Weinstube (n)	la taverne		

der Kellner (-),		die Vorspeise (n)	l'entrée
der Ober (-)	le garçon	das Hauptgericht (e)	le plat principal
die Kellnerin (nen)	la serveuse	der Nachtisch (sg.)	le dessert
der Oberkellner (-)	le maître d'hôtel	das Getränk (e)	la boisson
jn. bedienen	servir qn.	die Weinprobe (n)	la dégustation de vin
die Bedienung	le service	reichlich	copieux
die Speisekarte (n)	le menu, la carte	köstlich	délicieux
bestellen	commander	gewürzt	épicé
die Bestellung (en)	la commande	bezahlen, zahlen	payer
die Auswahl	le choix	das Trinkgeld (er)	le pourboire
das Gericht (e)	le plat		

- *Expressions et phrases*

Sie trinken ein Bier in einer Kneipe.	*Ils boivent une bière dans un bistrot.*
Herr Ober, ein Bier bitte!	*Garçon, une bière s'il vous plaît !*
In diesem Restaurant wird man gut bedient.	*Dans ce restaurant, on est bien servi.*
das Menü bestellen	*commander le menu*
ein Gericht zu/bereiten	*préparer un plat*
Das Essen war köstlich.	*Le repas était délicieux.*
Es hat mir prima geschmeckt.	*C'était très bon.*
Zahlen, bitte!	*L'addition, s'il vous plaît !*
ein vornehmes Restaurant	*un restaurant chic*
Herr Ober, bringen Sie uns bitte die Speisekarte!	*Garçon, veuillez nous apporter la carte, s'il vous plaît !*
Servieren Sie noch so spät?	*Est-ce que vous servez encore à cette heure ?*
ein Gericht auf/tragen (u, a, ä)	*servir un plat*

AUSFLÜGE UND BESICHTIGUNGEN
EXCURSIONS ET VISITES

der Ausflug ("e)	l'excursion	vorwärts/kommen	
wandern (ist)	marcher, faire une randonnée	(a, o, ist)	avancer
		rasten	faire une halte de repos
der Wanderer (-)	le marcheur		
die Wanderung (en)	la randonnée	anstrengend / mühsam	fatigant / éprouvant
die Bergwanderung (en)	la randonnée en montagne	besichtigen	visiter
das Wandern	la marche	die Besichtigung (en)	la visite
die Strecke (n)	le parcours	sich (D) etw. an/sehen	
der Weg (e)	le chemin	(a, e, ie)	regarder, visiter qch.
der Wanderweg (e)	le chemin de randonnée	der Stadtbummel (-)	la promenade en ville
der Fernwanderweg (e)	le G.R	bummeln (ist)	se promener, se balader
der Pfad (e)	le sentier		
der Rückweg	le chemin du retour	die Rundfahrt (en)	le circuit touristique
der Umweg (e)	le détour	die Stadtrundfahrt (en)	le tour de la ville
der Spaziergang ("e)	la promenade	die Führung (en)	la visite guidée
der Spaziergänger (-)	le promeneur	der Reiseführer (-)	le guide (personne et livre)
die Aussicht auf + A	la vue sur		
der Rucksack ("e)	le sac à dos	das Museum (Museen)	le musée
beladen (u, a, ä)	charger	der Museumsbesuch (e)	la visite au musée
auf/brechen (a, o, i, ist)	se mettre en route, partir		

die Sehens-würdigkeit (en)	la curiosité (monument méritant d'être vu)
sehenswürdig, sehenswert	qui mérite d'être vu
die Altstadt (sg.)	la vieille ville
das Denkmal (¨er)	le monument

das Schloß (¨sser)	le château
die Burg (en)	le château fort
der Dom (e), das Münster (-)	la cathédrale
der Turm (¨e)	la tour
die Kirche (n)	l'église
der Altar (e)	l'autel

• *Expressions et phrases*

einen Ausflug veranstalten	*organiser une excursion*
sich auf den Weg machen	*se mettre en route*
einen Weg ein/schlagen (u, a, ä)	*s'engager dans un chemin*
eine Strecke zurück/legen	*parcourir une distance*
den Rucksack ab/legen	*déposer le sac à dos*
Wir waren schwer beladen.	*Nous étions lourdement chargés.*
Wir sind früh zum Gipfel aufgebrochen.	*Nous sommes partis de bonne heure à l'ascension du sommet.*
Wir haben uns die wichtigsten Sehenswürdigkeiten angesehen.	*Nous avons visité les principales curiosités.*
Wir sind durch die Altstadt gebummelt.	*Nous nous sommes promenés à travers la vieille ville.*
Diese gotischen Säulen sind sehenswert.	*Ces colonnes gothiques méritent d'être vues.*
Diese Stadt ist eine Reise wert.	*Cette ville vaut le voyage.*

VI. DAS WIRTSCHAFTSLEBEN

25. WIRTSCHAFT UND UNTERNEHMEN
ÉCONOMIE ET ENTREPRISE

DAS WIRTSCHAFTSSYSTEM
LE SYSTÈME ÉCONOMIQUE

die Wirtschaft (en)	l'économie	die soziale	l'économie sociale
wirtschaftlich,		Marktwirtschaft	de marché
ökonomisch	économique		(le système
der Wirtschaftler (-)	l'économiste		économique
das Wirtschaftssystem	le système		de la R.F.A.)
	économique	die Betriebswirtschaft	la gestion
die Volkswirtschaft (en)	l'économie		d'entreprise, la
	nationale, la		microéconomie
	macroéconomie	die Mitbestimmung	la cogestion
die Marktwirtschaft	l'économie	das Kapital (ien)	
	de marché	plur. rare	le capital
die freie	l'économie libre	der Kapitalismus	le capitalisme
Marktwirtschaft	de marché	der Kommunismus	le communisme
die Planwirtschaft	l'économie planifiée	kommunistisch	communiste

DIE KONJUNKTUR
LA CONJONCTURE

konjunkturell	conjoncturel	stagnieren	stagner
die Inflation	l'inflation	die Expansion (en)	l'expansion
die Inflationsrate (n)	le taux d'inflation	expandieren	être en expansion
inflationistisch,		wachsen (u, a, ä, ist)	croître, augmenter
inflationär	inflationniste	das Wachstum	la croissance
die Rezession (en)	la récession	die Wachstumsrate (n)	le taux de croissance
der Rückgang (¨e)	le recul,	das Nullwachstum	la croissance zéro
(plur. rare)	la récession	der Aufschwung (¨e)	l'essor économique,
die Wirtschafts-	le marasme		le boom
flaute (n)	économique	der Boom (s)	le boom
die Stagnation	la stagnation		

DIE WIRTSCHAFTSLEISTUNGEN
LES PERFORMANCES DE L'ÉCONOMIE

das Bruttosozial-	le produit	die Produktivität	la productivité
produkt (e), das BSP	national brut	leistungsfähig	performant,
der Handel	le commerce		productif
die Handelsbilanz	la balance	die Leistungsfähigkeit	la productivité
	commerciale	die Neuerung (en)	l'innovation
die Zahlungsbilanz	la balance	der Gewinn (e),	
	des paiements	der Profit (e)	le bénéfice
der Ertrag (¨e)	le rendement	der Verlust (e)	la perte
die Rentabilität	la rentabilité		

- *Expressions et phrases*

Das Wirtschaftssystem der Bundesrepublik ist die soziale Marktwirtschaft.	*Le système économique de la République Fédérale est l'économie sociale de marché.*
eine hohe / niedrige Inflationsrate	*un taux d'inflation élevé / bas*
Die Wirtschaft steckt in einer Krise.	*L'économie est en crise.*
Die Wirtschaft ist in der Talsohle.	*L'économie est au creux de la vague.*
Die Wirtschaft verzeichnet ein Wachstum von 2 Prozent.	*L'économie enregistre une croissance de 2 %.*
Das Bruttosozialprodukt ist um 1,5 Prozent gestiegen (gewachsen).	*Le PNB s'est accru / a augmenté de 1,5 %.*
Handel treiben (ie, ie)	*faire du commerce*
Die Handelsbilanz ist negativ / defizitär.	*La balance commerciale est négative / déficitaire.*
Die Zahlungsbilanz ist positiv / überschüssig.	*La balance des paiements est positive / excédentaire.*
eine schleichende Inflation	*une inflation rampante*
eine galoppierende Inflation	*une inflation galopante*
Die gesamte Wirtschaft wartet auf den Aufschwung.	*L'ensemble de l'économie attend la reprise.*
Das Bruttosozialprodukt und die Zahlungsbilanz sind gute Anzeichen für die Gesundheit der Wirtschaft.	*Le produit national brut et la balance des paiements sont de bons indices de la santé de l'économie.*

DIE MARKTORDNUNG
L'ORGANISATION DU MARCHÉ

das Monopol (e)	le monopole	die Globalisierung	la mondialisation
die Industrie-	la concentration	der Weltwirtschaft	de l'économie
konzentration (en)	industrielle	die Markt-	le marketing,
der Zusammen-		forschung (en)	la prospection
schluß (¨sse),	la fusion		des marchés
die Verschmelzung (en)	la fusion	der Wettbewerb	
der Konzern (e)	le konzern, le groupe	die Konkurrenz	la concurrence
	(industriel)	die Wettbewerbs-	l'économie
das Kartell (e)	le cartel	wirtschaft	concurrentielle
der Markt (¨e)	le marché	die Einschränkung (en)	la restriction
der Binnenmarkt (¨e)	le marché intérieur	der Mißbrauch (¨e)	l'abus
der Auslandsmarkt (¨e)	le marché extérieur		

• *Expressions et phrases*

Das Kartellamt soll die Bildung von Kartellen und Monopolen verhindern.	*L'office des cartels doit empêcher la formation de cartels et de monopoles.*
Die Marktforscher suchen ständig nach neuen Marktlücken.	*Les spécialistes en marketing cherchent sans arrêt de nouveaux créneaux sur le marché.*
mit jemandem in Wettbewerb treten (a, e, i, ist)	*entrer en concurrence avec qn.*
Sie bemühen sich, die Auslandsmärkte zu erobern.	*Ils s'efforcent de conquérir les marchés extérieurs.*
Das Kartellamt verhindert Einschränkungen der Wettbewerbsfreiheit.	*L'office des cartels empêche les restrictions à la liberté de concurrence.*

DER VERBRAUCH
LA CONSOMMATION

der Verbrauch (sg.)		die Nachfrage (n)	
der Konsum (sg.)	la consommation	(nach + D)	la demande
der Verbraucher (-),		das Bedürfnis (se)	le besoin (individuel)
der Konsument (en, en)	le consommateur	der Bedarf (sg.)	le(s) besoin(s) économique(s)
verbrauchen, konsumieren	consommer	der Wettbewerb (sg.),	
die Konsumge- sellschaft	la société de consommation	die Konkurrenz (sg.)	la concurrence
die Konsumgüter (pl.)	les biens de consommation	der Wettbewerber, der Konkurrent (en, en)	le concurrent
der Verbraucher- verband (¨e)	l'association de consommateurs	wettbewerbsfähig, konkurrenzfähig	compétitif
das Angebot (e)		die Wettbewerbs- fähigkeit	la compétitivité
(an + D)	l'offre	die Konkurrenz- fähigkeit	la compétitivité
an/bieten (o, o)	offrir		

• *Expressions et phrases*

Die Wirtschaft weckt / schafft Bedürfnisse.	*L'économie suscite / crée des besoins.*
Es besteht ein großer Bedarf an Energie.	*Il existe de grands besoins en énergie.*
Es besteht eine starke Nachfrage nach Konsumgütern.	*Il existe une forte demande en biens de consommation.*
Es besteht ein reichliches Angebot an Gütern.	*Il y a une offre abondante en marchandises.*
das Gesetz von Angebot und Nachfrage	*la loi de l'offre et de la demande*
ein Produkt auf den Markt bringen (brachte, gebracht)	*lancer un produit sur le marché*
die Bedürfnisse der Konsumenten befriedigen	*satisfaire les besoins des consommateurs*
den Energiebedarf decken	*couvrir les besoins en énergie*
Der Verbrauch steigt ständig.	*La consommation augmente sans cesse.*
der Pro-Kopf-Verbrauch	*la consommation par habitant*
der freie Wettbewerb	*la libre concurrence*

DIE WIRTSCHAFTSORDNUNG
L'ORGANISATION ÉCONOMIQUE

der Wirtschafts- bereich (e), der -sektor (en)	le secteur économique	obdachlos, der Obdachlose (adj.)	sans abri, le sans-abri, le S.D.F.
der öffentliche Sektor	le secteur public	das Eigentum (¨er)	la propriété
der private Sektor	le secteur privé	der Eigentümer (-)	le propriétaire
die Industriegesellschaft	la société industrielle	der Besitz (e)	la possession
der Wohlstand (sg.)	la richesse, la prospérité	der Besitzer (-)	le propriétaire
die Wohlstands- gesellschaft	la société de prospérité	verstaatlichen die Verstaatlichung	nationaliser la nationalisation
das Vermögen	la fortune	privatisieren	privatiser
der Reichtum (¨er)	la richesse	die Privatisierung	la privatisation
die Armut	la pauvreté	arbeitslos	au chômage
die Verarmung	l'appauvrissement	die Arbeitslosigkeit	le chômage
das Elend	la misère	der Arbeitslose (adj.)	le chômeur
die Not (¨e)	le besoin	der Kurzarbeiter (-)	le salarié à temps
betteln	mendier		partiel (en
der Bettler (-)	le mendiant		chômage technique)

MARKT UND WERBUNG
LE MARCHÉ ET LA PUBLICITÉ

der Markt (¨e)	le marché	der Werbeträger (-)	le support publicitaire
der Marktforscher (-)	le spécialiste en marketing	das Werbemittel (-)	le moyen publicitaire
die Marktanalyse (n)	l'étude de marché	die Werbeanzeige (n)	l'annonce
die Marktlücke (n)	le créneau		publicitaire
die Werbung	la publicité	das Werbeplakat (e)	l'affiche publicitaire
werben für + A	faire de la publicité	der Werbeprospekt (e)	le prospectus
die Fernsehwerbung	la publicité à la télévision	die Werbekampagne (n)	la campagne publicitaire
die Werbeagentur (en)	l'agence de publicité	der Werbeslogan (s)	le slogan publicitaire

• *Expressions et phrases*

in Armut und Not geraten (ie, a, ä, ist)	*tomber dans la misère et la pauvreté*
Immer mehr Arbeitslose leben von der Sozialhilfe.	*De plus en plus de chômeurs vivent de l'aide sociale.*
Der Markt ist gesättigt.	*Le marché est saturé.*
eine Marktlücke finden (a, u)	*trouver un créneau*
eine Marktanalyse anfertigen lassen (ie, a, ä)	*faire réaliser une étude de marché*
eine Werbekampagne starten	*lancer une campagne publicitaire*
eine gezielte Werbung treiben (ie, ie)	*faire une publicité ciblée*
unlautere Werbung betreiben (ie, ie)	*faire une publicité mensongère*
Sie setzt erhebliche Werbemittel ein.	*Elle met en œuvre d'importants moyens publicitaires.*
Sie bewegt den Konsumenten zum Kaufen.	*Elle pousse le consommateur à acheter.*
Werbung ist aus unserer Gesellschaft nicht mehr wegzudenken.	*On ne peut imaginer notre société sans publicité.*

WELT DER ARBEIT
LE MONDE DU TRAVAIL

Arbeit und Beschäftigung
Le travail et l'emploi

arbeiten	travailler	der Bewerber (-)	le candidat
die Arbeit (en)	le travail	jn. ein/stellen	embaucher qn.
der Arbeitsmarkt	le marché	die Arbeit ein/stellen	cesser le travail
	de l'emploi	die Einstellung (en)	l'embauche
das Personal (sg.),		die Entlassung (en)	le licenciement
die Belegschaft (en)	le personnel	jn. entlassen (ie, a, ä)	licencier qn.
der Arbeitgeber (-)	le patron,	jm. kündigen	licencier,
	l'employeur		congédier qn.,
die Arbeit-			donner congé
geberschaft (sg.)	le patronat		à qn.
der Arbeitnehmer (-)	le salarié	kündigen (intr.)	démissionner
der Werktätige (adj.)	le travailleur	die Kündigung (en)	le licenciement,
die Arbeitskräfte (pl.)	la main-d'œuvre		la dénonciation
die Arbeitskraft	désigne un		d'un contrat
(au singulier)	travailleur,		
	une personne	arbeitslos sein,	
	travaillant dans	erwerbslos sein	être au chômage
	l'entreprise	der Arbeitslose,	
	("l'unité de	der Erwerbslose (adj.)	le chômeur
	main-d'œuvre")	die Arbeitslosigkeit, die	
		Erwerbslosigkeit	le chômage
		die Arbeits-	
der Beruf (e)	le métier,	losenquote (n)	le taux de chômage
	la profession	die Arbeitslosenhilfe	l'allocation-chômage
berufstätig sein,		die Arbeitslosen-	
erwerbstätig sein	être actif	unterstützung	l'allocation-chômage
der Berufstätige (adj.),	l'actif (celui qui		
der Erwerbstätige	exerce une	die Vollbeschäftigung	le plein-emploi
(adj.)	activité	die Unterbeschäftigung	le sous-emploi
	professionnelle)	der Vollbeschäftigte	le travailleur
die Berufstätigkeit, die	l'activité	(adj.)	à plein temps
Erwerbstätigkeit (en)	professionnelle	die Teilzeit-	l'emploi à temps
die Beschäftigung (en)	l'occupation,	beschäftigung (en)	partiel
	l'emploi	die Teilzeitarbeit (en)	le travail à temps
der Beschäftigte (adj.)	l'employé (au sens		partiel
	de « faisant partie	die Halbtagsarbeit	le travail à mi-temps
	du personnel »)	die Zeitarbeit,	le travail temporaire,
der Angestellte (adj.)	l'employé (au sens	die Zeitbeschäftigung	l'emploi
	catégoriel)		intérimaire
der Beamte (adj.)	le fonctionnaire	der Zeitarbeiter (-), der	
		Zeitbeschäftigte (adj.)	l'intérimaire
der Arbeitsplatz ("e)	l'emploi	der Arbeitsvertrag ("e)	le contrat de travail
die (Arbeits)Stelle (n)	la place, l'emploi		
der Posten (-)	le poste de travail	der Arbeiter (-)	l'ouvrier
das Stellenangebot (e)	l'offre d'emploi	der Facharbeiter (-)	l'ouvrier qualifié
das Stellengesuch (e)	la demande d'emploi	der angelernte Arbeiter	l'ouvrier spécialisé
der Arbeitssuchende	le demandeur	der ungelernte Arbeiter	l'ouvrier non qualifié
(adj.)	d'emploi	der Meister (-)	le contremaître
die Bewerbung (en)	la candidature	der Techniker (-)	le technicien
sich um eine Stelle	être candidat	der Ingenieur (e)	l'ingénieur
bewerben (a, o, i)	à un emploi	der Buchhalter (-)	le comptable

die Buchhaltung,		die Sekretärin (nen)	la secrétaire
die Buchführung	la comptabilité	die Stenotypistin (nen)	la sténodactylo
das Konto (die Konten)	le compte	der Handelsreisende,	
das Kassenbuch (¨er)	le livre de caisse	der Reisende (adj.)	le représentant
der Kassierer (-)	le caissier		

• *Expressions et phrases*

Die Arbeitgeber und die Arbeitnehmer bilden die Tarifpartner.	*Les patrons et les salariés constituent les partenaires dans les négociations tarifaires.*
Die Klein- und Mittelbetriebe bilden die Grundlage der deutschen Wirtschaft.	*Les petites et moyennes entreprises forment la base de l'économie allemande.*
Jedes Unternehmen braucht gut ausgebildete Arbeitskräfte.	*Toute entreprise a besoin d'une main-d'œuvre bien formée.*
Er hat sich um eine neue Stelle beworben.	*Il a postulé à un nouvel emploi.*
Es muß neues Personal eingestellt werden.	*Du nouveau personnel doit être embauché.*
Der Arbeiter wurde entlassen.	*L'ouvrier a été licencié.*
Man hat ihm gekündigt.	*On l'a licencié.*
Da er mit seiner Arbeit unzufrieden war, kündigte er.	*Étant mécontent de son travail, il démissionna.*
Bei Jugendlichen ist die Arbeitslosenquote besonders hoch.	*Chez les jeunes, le taux de chômage est particulièrement élevé.*
Ohne Qualifikation sind die Berufsaussichten schlecht.	*Sans qualification, les perspectives d'emploi sont mauvaises.*
Die Halbtagsarbeit ist eine Form der Teilzeitarbeit.	*Le travail à mi-temps est une forme de travail à temps partiel.*

Das Unternehmen
L'entreprise

das Unternehmen (-)	l'entreprise	der Zulieferbetrieb (e)	l'entreprise sous-traitante
das Privatunternehmen	l'entreprise privée		
das Familien- unternehmen	l'entreprise familiale	die Fabrik (en), das Werk (e)	l'usine
die Firma (en)	la firme, l'entreprise		
die Gesellschaft (en)	la société	der Betriebsleiter (-)	le chef d'entreprise, le directeur
die Muttergesellschaft	la société-mère		
die Tochtergesellschaft	la filiale	der Vorstand (¨e)	le directoire, le comité de direction
die Gesellschaft mit beschränkter Haftung	la société à responsabilité limitée		
die GmbH	la S.a.r.l.	der Vorstands- vorsitzende (adj.)	le PDG, le président du directoire
die Aktiengesellschaft, die AG (s)	la société par actions, la SA	der Aufsichtsrat (¨e)	le conseil d'administration
der Zweigbetrieb (e)	la succursale	der Betriebsrat (¨e)	le comité d'entreprise
der Zulieferer (-)	le sous-traitant		

Produktion und Vermarktung
La production et la commercialisation

produzieren / erzeugen	produire	die Werkstatt (¨en)	l'atelier
Die Produktion,		der Handwerker (-)	l'artisan
die Erzeugung	la production	das Handwerk (sg.)	le métier manuel, l'artisanat
her/stellen / fertigen	fabriquer		
die Herstellung,		das Produkt (e),	
die Fertigung	la fabrication	das Erzeugnis (se)	le produit
das Werk (e),		das Fertigprodukt (e)	le produit fini
die Fabrik (en)	l'usine	vermarkten,	commercialiser

die Vermarktung	la commercialisation	Waren ab/setzen	vendre,
vertreiben (ie, ie)	distribuer		écouler des
der Vertrieb (sg.)	la distribution		marchandises
verkaufen	vendre	etw. liefern	livrer
der Verkauf ("e)	la vente	die Lieferung (en)	la livraison
der Absatz ("e)	la vente,	die Lieferfrist (en)	le délai de livraison
	l'écoulement des	jn. mit etw. beliefern	livrer qch. à qn.
	marchandises		

• *Expressions et phrases*

eine Firma gründen	*fonder une société*
in der Industrie tätig sein	*travailler dans l'industrie*
Er ist ein tüchtiger Unternehmer.	*Il est un bon chef d'entreprise.*
Sie haben ein neues Produkt auf den Markt gebracht.	*Ils ont lancé un nouveau produit sur le marché.*
Der Absatz wurde um 10 Prozent erhöht.	*Les ventes ont été augmentées de 10 %.*
Wir müssen neue Absatzmärkte erschließen.	*Il nous faut découvrir (créer) de nouveaux marchés.*
Es muß schnellstens ein gutes Vertriebsnetz geschaffen werden.	*Il faut créer au plus vite un bon réseau de distribution.*
Die Lieferung der Waren sollte in zwei Wochen erfolgen.	*La livraison des marchandises devait se faire dans deux semaines.*
Wir können leider nicht rechtzeitig liefern.	*Nous ne pouvons malheureusement pas livrer à temps.*
Wir können die Lieferfrist nicht einhalten.	*Nous ne pouvons pas respecter le délai de livraison.*
Ich lasse mich nicht für dumm verkaufen.	*Je ne me laisse pas raconter d'histoires, je ne me laisse pas mener en bateau. (fam.)*

DIE GEWERKSCHAFT
LE SYNDICAT

die Gewerkschaft (en)	le syndicat	die Tarifrunde (n)	la négociation salariale
der Gewerkschaftler (-)	le syndicaliste		
das Gewerkschafts- mitglied (er)	le membre d'un syndicat	der Tarifvertrag ("e)	l'accord salarial, la convention collective
gewerkschaftlich	syndical		
der gewerkschaftlich Organisierte (adj.)	le syndiqué	die Forderung (en)	l'exigence, la revendication
der DGB: der Deutsche Gewerkschaftsbund	la Confédération syndicale allemande	etw. fordern, etw. verlangen	exiger, revendiquer qch.
der Arbeit- geberverband ("e)	l'organisation patronale		
der Betriebsrat ("e)	1. le comité d'entreprise	der Lohn ("e)	le salaire
		das Gehalt ("er)	le traitement
	2. le membre du CE	das Einkommen (-)	le revenu
		der Stundenlohn ("e)	le salaire horaire
		der Stücklohn (sg.)	le salaire au rendement
die Mitbestimmung	la cogestion		
mit/bestimmen	cogérer, participer aux décisions	der Brutto-, der Nettolohn ("e)	le salaire brut, net
		der Mindestlohn	le salaire minimum
der Tarifpartner (-), der Sozialpartner (-)	le partenaire social	die Lohnerhöhung (en)	l'augmentation de salaire
die Tarif- verhandlung (en)	la négociation salariale		

die Lohn- und			Anspruch erheben (o, o)	revendiquer qch.,
Gehaltsempfänger	les salariés		auf +A	faire valoir ses
die Arbeitszeit-	la réduction de la			droits à qch.
verkürzung	durée du travail		etw. gewähren	accorder qch.
die Überstunde (n)	l'heure		etw. verweigern,	
	supplémentaire		etw. ab/lehnen	refuser qch.
Anspruch haben auf +A	avoir droit à			

- ## *Expressions et phrases*

Er ist der Gewerkschaft beigetreten.	*Il a adhéré au syndicat.*
Die Tarifpartner haben neue Tarifverträge abgeschlossen.	*Les partenaires sociaux ont conclu de nouveaux accords salariaux.*
Die Gewerkschaft hat hohe Forderungen gestellt.	*Le syndicat a présenté de fortes revendications.*
Die Wochenarbeitszeit wurde um eine Stunde verkürzt.	*Le temps de travail hebdomadaire a été réduit d'une heure.*
Dank der letzten Lohnerhöhung hat sich sein Gesamteinkommen um 3 Prozent erhöht.	*Grâce à la dernière augmentation de salaires, son revenu global a augmenté de 3 %.*
Die Arbeitnehmer fordern die Einführung der 35-Stunden-Woche.	*Les salariés réclament l'introduction de la semaine de 35 heures.*
Alle Arbeitslosen haben Anspruch auf eine Arbeitslosenunterstützung.	*Tous les chômeurs ont droit à une allocation-chômage.*
Der Arbeitgeber hat seinem Personal eine Lohnerhöhung gewährt.	*Le patron a accordé une augmentation de salaire à son personnel.*
Die Arbeitszeitverkürzung wurde verweigert.	*La réduction du temps de travail a été refusée.*

DER STREIK
LA GRÈVE

der Streik (s)	la grève	die Demonstration (en)	la manifestation
streiken,		der Demonstrant	
die Arbeit		(en, en)	le manifestant
nieder/legen	faire grève	demonstrieren	manifester
der Streikende (adj.)	le gréviste	die Aussperrung (en)	le lock-out
der Streikposten (-)	le piquet de grève	jn. aus/sperren	lock-outer qn.
der Streikbrecher (-)	le briseur de grève	einen Konflikt	
das Streikrecht (e)	le droit de grève	schlichten	arbitrer un conflit
der wilde Streik	la grève sauvage	der Schlichter (-),	
der Bummelstreik	la grève du zèle	der Vermittler (-)	le médiateur
der Hungerstreik	la grève de la faim	der Konsens	le consensus

- ## *Expressions et phrases*

Aus Protest legten die Arbeiter sofort die Arbeit nieder und ein wilder Streik brach aus.	*Pour protester, les ouvriers ont immédiatement cessé le travail et une grève sauvage éclata.*
Nachdem die Verhandlungen gescheitert waren, hat die Gewerkschaft die Arbeiter zum Streik aufgerufen.	*Après que les négociations eurent échoué, le syndicat appela les ouvriers à la grève.*
Der Betriebsleiter drohte dem Personal mit Aussperrung.	*Le directeur a menacé le personnel de lock-out.*
Sie streiken für höhere Löhne.	*Ils font grève pour des salaires plus élevés.*

Das Streikrecht erstreckt sich auf alle
Arbeitnehmer außer den Beamten.
Nach mehrtägigem Streik wurde die Arbeit
wieder aufgenommen.

Le droit de grève s'étend à tous les salariés
en-dehors des fonctionnaires.
Après une grève de plusieurs jours,
le travail a repris.

---

26. DIE BERUFE   LES MÉTIERS

DIE HANDWERKER
LES ARTISANS

der Handwerker (-)	l'artisan	der Schneider (-)	le couturier
das Handwerk	l'artisanat	die Näherin (nen)	la couturière
der Lehrling (e)	l'apprenti	der Koch (¨e)	le cuisinier
der Geselle (n, n)	le compagnon	der Bäcker (-)	le boulanger
der Meister (-)	le maître (titulaire	die Bäckerei (en)	la boulangerie
	d'un brevet	der Konditor (en)	le pâtissier
	de maîtrise)	die Konditorei (en)	la pâtisserie
		der Metzger (-),	
der Maurer (-)	le maçon	der Fleischer (-)	le boucher
der Elektriker (-)	l'électricien		
der Dachdecker (-)	le couvreur	die Werkstatt (¨en)	l'atelier
der Zimmer-		das Werkzeug (e)	l'outil
mann (leute)	le charpentier	der Hammer (-)	le marteau
der Fliesenleger,		der Schraubenzieher (-)	le tournevis
Fliesensetzer (-)	le carreleur	die Zange (n)	la pince
der Anstreicher (-)	le peintre	die Schere (n)	les ciseaux
	(en bâtiment)	der Pinsel (-)	le pinceau
der Schreiner (-),			
der Tischler (-)	le menuisier	mauern	maçonner
der Schlosser (-)	le serrurier	an/streichen (i, i)	peindre
der Schmied (e)	le forgeron	nähen	coudre
der Goldschmied (e)	le joaillier, l'orfèvre	her/stellen / fertigen	fabriquer
der Uhrmacher (-)	l'horloger	kochen	cuisiner
der Schuhmacher (-),		backen (u, a, ä) ou	
der Schuster (-)	le cordonnier	(te, en, ä)	cuire au four

DIE ARBEIT IM UNTERNEHMEN
LE TRAVAIL EN ENTREPRISE

das Personal (sg.),		der ungelernte Arbeiter,	
die Belegschaft (en)	le personnel	der Hilfsarbeiter (-)	le manœuvre
der Facharbeiter (-)	l'ouvrier qualifié	der Arbeitgeber (-)	le patron
der angelernte		der Arbeitnehmer (-)	le salarié
Arbeiter (-)	l'ouvrier spécialisé	der Fabrikant (en, en)	le fabricant
		der Industrielle (adj.)	l'industriel

der Unternehmer (-)	l'entrepreneur, le chef d'entreprise	der Techniker (-)	le technicien
		der Ingenieur (e)	l'ingénieur
der Manager (-)	le dirigeant	der Diplom-	l'ingénieur
der Betriebsleiter (-)	le chef d'entreprise	ingenieur (e)	diplômé de
der Personalleiter (-)	le chef du personnel		l'université
der Direktor (en)	le directeur	der Informatiker (-)	l'informaticien
die Führungskraft (¨e)	le cadre supérieur	der Physiker (-)	le physicien
der leitende		der Chemiker (-)	le chimiste
Angestellte (adj.)	le cadre	der Biologe (n, n)	le biologiste

DIE FREIEN BERUFE
LES PROFESSIONS LIBÉRALES

der Freiberufler (-)	le membre d'une profession libérale	der Rechtsanwalt (¨e)	l'avocat
		der Architekt (en, en)	l'architecte
der Selbständige (adj.)	l'indépendant (non salarié)	der Notar (e)	le notaire
		der Dolmetscher (-)	l'interprète
der Arzt (¨e)	le médecin		

• *Expressions et phrases*

Er ist als Maurer tätig.	*Il travaille comme maçon.*
Er macht seine Lehre bei einem Bäckermeister.	*Il fait son apprentissage chez un maître-boulanger.*
Die Belegschaft dieses Betriebs beläuft sich auf 100 Beschäftigte.	*Le personnel de cette entreprise s'élève à 100 employés.*
Er ist im öffentlichen Dienst als Beamter tätig.	*Il travaille dans la fonction publique en tant que fonctionnaire.*
Dieser Angestellte wurde auf Zeit eingestellt.	*Cet employé a été embauché pour un contrat à durée déterminée.*
Mehrere Angestellte mußten entlassen werden.	*Plusieurs employés ont dû être licenciés.*
einen Versicherungsvertrag ab/schließen (o, o)	*conclure un contrat d'assurance*
Er will sich selbständig machen und sein eigenes Geschäft gründen.	*Il veut se mettre à son compte et créer sa propre affaire.*
Er ist selbständig; er arbeitet als freier Architekt.	*Il est à son compte ; il travaille comme architecte libéral.*

27. DER HANDEL   LE COMMERCE

Vocabulaire général

---

die Dienstleistung (en)	le service rendu
der Dienstleistungs bereich (e),	le secteur tertiaire
der Händler (-), der Kaufmann (leute)	le commerçant
die Handelskette (n)	la chaîne de magasins
der Einzelhandel	le commerce de détail
der Einzelhändler (-)	le détaillant
der Großhandel	le commerce de gros
der Großhändler (-), der Grossist (en, en)	le grossiste
der Kleinhändler (-)	le petit commerçant
der Geschäftsmann (leute)	l'homme d'affaires
jn. oder etw. versichern	assurer qn. ou qch.
die Versicherung (en)	l'assurance
die Versicherungs- gesellschaft (en)	la compagnie d'assurances
die Lebens- versicherung (en)	l'assurance-vie
die Vollkasko- versicherung (en)	l'assurance tous risques

der Versicherungs- vertrag (¨e)	le contrat d'assurance
der Markt (¨e)	le marché
der Binnenhandel	le commerce intérieur
der Außenhandel	le commerce extérieur
die Handels- beziehungen	les relations commerciales
der Handelsvertreter (-)	le représentant
der Handels- reisende (adj.)	le représentant
der Geschäftsmann (-männer, -leute)	le commerçant, l'homme d'affaires
der Kaufmann (-leute)	le commerçant
der Geschäftspartner (-)	le partenaire commercial
der Geschäftsführer (-)	le gérant
der Auftrag (¨e)	la commande
der Vertrag (¨e)	le contrat
vertraglich	contractuel
vertragswidrig	non conforme au contrat

• *Expressions et phrases*

der europäische Binnenmarkt (sg.)	*le marché unique européen*
der Schwarzmarkt (sg.)	*le marché noir*
Waren auf den Markt bringen (brachte, gebracht)	*lancer des produits sur le marché*
einen Auftrag erhalten (ie, a, ä)	*recevoir une commande*
einen Auftrag erfüllen	*satisfaire une commande*
einen Vertrag (ab)/schließen (o, o)	*conclure un contrat*
einen Vertrag unterzeichnen	*signer un contrat*
Handelsbeziehungen auf/nehmen (a, o, i)	*nouer des relations commerciales*

Vocabulaire spécialisé

DIE GESCHÄFTE
LES MAGASINS

der Laden (¨)	le magasin	die Selbstbedienung	le libre-service
das Geschäft (e)	le magasin, l'affaire	der Selbstbedienungs-	le magasin
geschäftlich	commercial, relatif	laden (¨)	libre-service
	aux affaires	das Kaufhaus (¨er),	
das Fachgeschäft (e)	le magasin spécialisé	das Warenhaus (¨er)	le grand magasin
die Boutique (n)	la boutique de mode	die Ladenkette (n)	la chaîne
			de magasins
der Supermarkt (¨e)	le supermarché	der Versandhandel (sg.)	la vente par
das Einkaufs-			correspondance
zentrum (tren)	le centre commercial	die Öffnungszeiten	les heures
der Verbraucher-			d'ouverture
markt (¨e)	l'hypermarché		

DIE LEBENSMITTEL
L'ALIMENTATION

die Lebensmittel (pl.)	les denrées	die Fleischerei (en)	la boucherie
	alimentaires	das Fischgeschäft (e)	la poissonnerie
das Lebensmittel-	le magasin	der Bioladen (¨)	le magasin de
geschäft (e)	d'alimentation,		produits naturels
	l'épicerie	die Wurst (¨e),	la saucisse
der Bäcker (-)	le boulanger	die Wurst (sg.)	la charcuterie
die Bäckerei (en)	la boulangerie	die Wurstabteilung (en)	le rayon charcuterie
der Konditor (en)	le pâtissier	das Obst (sg.)	les fruits
die Konditorei (en)	la pâtisserie	das Gemüse (sg.)	les légumes
der Metzger (-),		die Obst- und Gemüse-	le rayon fruits
der Fleischer (-)	le boucher	abteilung (en)	et légumes
die Metzgerei (en)	la boucherie		

ANDERE GESCHÄFTE
AUTRES MAGASINS

das Bekleidungshaus	le magasin	die Buchhandlung (en)	la librairie
(¨er)	de confection	der Buchhändler (-)	le libraire
die Modeboutique (n)	la boutique de mode	das Schreibwaren-	
das Kleidungsstück (e)	le vêtement	geschäft (e)	la papeterie
an/probieren	essayer	das Sportgeschäft (e)	le magasin de sports
	(un vêtement)	das Spielwaren-	
die Reinigung	le pressing	geschäft (e)	le magasin de jouets
etwas reinigen		das Möbelgeschäft (e)	le magasin
lassen (ie, a, ä)	faire nettoyer qch.		de meubles
das Schuhgeschäft (e)	le magasin	die Drogerie (n)	la droguerie
	de chaussures	die Eisenwaren-	
das Schmuck-		handlung (en)	la quincaillerie
geschäft (e)	la bijouterie	der Heimwerker-	le magasin
der Juwelier (e)	le bijoutier,	laden (¨)	de bricolage
	le joaillier	der Flohmarkt (¨e)	le marché aux puces

DIE EINKÄUFE
LES ACHATS

kaufen	acheter	die Bestellung (en)	la commande
ein/kaufen (gehen)	faire ses courses	die Gebrauchs-	
der Käufer (-)	l'acheteur	anweisung (en)	le mode d'emploi
verkaufen	vendre	die Güter (pl.)	les biens,
der Verkäufer (-)	le vendeur		les marchandises
etw. erwerben (a, o, i)	acquérir qch.	der Bestellschein (e)	le bon de commande
sich (D) etw.	faire l'acquisition	Waren liefern	livrer
an/schaffen	de qch.		des marchandises
die Anschaffung (en)	l'acquisition	die Lieferung (en)	la livraison
die Ware (n)	la marchandise	der Lieferant (en, en)	le livreur
der Artikel (-)	l'article	der Kunde (en, en)	le client
das Produkt (e)	le produit	die Kundin (nen)	la cliente
die Gebrauchtware (n)	l'article d'occasion	die Kundschaft (sg.)	la clientèle
das Sonderangebot (e)	la promotion	das Schaufenster (-)	la vitrine
der (Winter)-		die Auslage (n)	l'étalage
schlußverkauf (sg.)	les soldes (d'hiver)	aus/stellen	exposer
bestellen	commander	die Ausstellung (en)	l'exposition

• *Expressions et phrases*

ein Geschäft führen / leiten	*diriger un magasin*
ein Geschäft eröffnen	*ouvrir un magasin*
Das Geschäft ist durchgehend geöffnet.	*Le magasin est ouvert sans interruption.*
Das Geschäft schließt um 19 Uhr.	*Le magasin ferme à 19 heures.*
das Ladenschlußgesetz	*la loi sur la fermeture des magasins*
Das Ladenschlußgesetz muß eingehalten werden.	*La loi sur la fermeture des magasins doit être respectée.*
Im Supermarkt wie im Verbraucher-markt ist die Selbstbedienung die Regel.	*Dans le supermarché comme dans l'hypermarché le libre-service est de règle.*
Der Supermarkt bietet eine große Auswahl an Obst und Gemüse an.	*Le supermarché offre un grand choix en fruits et légumes.*
Brot, Fleisch und Käse sind Güter des täglichen Bedarfs.	*Le pain, la viande et le fromage sont des biens de consommation courante.*
Wir müssen diese Jacke zur Reinigung bringen.	*Il faut que nous portions cette veste au nettoyage.*
Im Warenhaus werden alle möglichen Waren zum Verkauf angeboten.	*Dans le grand magasin toutes les marchan-dises possibles sont offertes à la vente.*
Die schönsten Sachen werden in den Schau-fenstern ausgestellt.	*Les plus beaux objets sont exposés dans les vitrines.*
Sie sollen die Kunden zum Kaufen verlocken.	*Ils doivent inciter les clients à l'achat.*
Die Kosmetikabteilung macht günstige Sonderangebote.	*Le rayon cosmétiques fait des promotions avantageuses.*
Diese Jacke habe ich im Schlußverkauf gekauft.	*J'ai acheté cette veste en solde.*
Auf dem Flohmarkt kann man oft günstige Gebrauchtwaren finden.	*Au marché aux puces, on peut souvent trouver des articles d'occasion intéressants.*
Im Versandhandel werden die Waren über einen Katalog bestellt.	*Dans la vente par correspondance, on commande les marchandises sur catalogue.*
Die Lieferung erfolgt dann innerhalb einiger Tage.	*La livraison se fait alors en l'espace de quelques jours.*

PREIS UND BEZAHLUNG
PRIX ET PAIEMENT

der Preis (e)	le prix	der Kassenzettel (-)	le ticket de caisse
das Preisschild (er),		etw. bezahlen	payer qch.
das Etikett (en)	l'étiquette	zahlen (intr.)	payer
kosten	coûter	an/zahlen	verser un acompte
teuer	cher	die Anzahlung (en)	l'acompte
kostspielig	coûteux	bar zahlen	payer comptant
billig	bon marché	in Raten (ab)zahlen	payer par
preiswert, preisgünstig	d'un prix avantageux		mensualités
ein hoher Preis	un prix élevé	das Kleingeld (sg.)	la monnaie
ein niedriger Preis	un prix bas	die Rechnung (en)	la facture
der Rabatt (e),		die Quittung (en),	
der Nachlaß (¨sse)	le rabais	der Beleg (e)	le reçu
die Preis-			
ermäßigung (en)	la réduction de prix	das Paket (e)	le paquet
den Preis senken	baisser le prix	die (Plastik)Tüte (n)	le sachet (plastique)
den Preis erhöhen	augmenter le prix	die Schachtel (n)	la boîte
den Kunden bedienen	servir le client	der Karton (s)	le carton
der Kundendienst (e)	le service après-vente	etw. ein/packen	emballer
die Kasse (n)	la caisse	die Verpackung (en)	l'emballage

• *Expressions et phrases*

an der Kasse Schlange stehen (stand, gestanden)	*faire la queue à la caisse*
ein erschwinglicher Preis	*un prix abordable*
Dieses Spielzeug ist ein Kassenschlager.	*Ce jouet a beaucoup de succès.*
Dieser Fernseher hat gekostet mich 800 Mark.	*Ce téléviseur m'a coûté 800 marks.*
Zu diesem Preis halte ich ihn für sehr preiswert.	*À ce prix-là, je le considère comme très avantageux.*
Sein Preis wurde nämlich vor kurzem gesenkt.	*Son prix a en effet été baissé récemment.*
Dazu wurde mir noch ein Rabatt gewährt.	*En outre, on m'a accordé un rabais.*
Ich brauchte ihn nicht bar zu bezahlen.	*Je n'ai pas dû le payer comptant.*
Nach einer Anzahlung kann ich ihn in Raten abzahlen.	*Après versement d'un acompte, je peux le payer par traites.*
Die Lebensmittel werden in Plastiktüten eingepackt.	*Les aliments sont emballés dans des sachets en plastique.*
Schmucksachen werden in hübschen Schachteln verpackt.	*Les bijoux sont emballés dans de jolies boîtes.*

28. GELD UND BANKWESEN   L'ARGENT ET LA BANQUE

DIE WÄHRUNG
LA MONNAIE

das Geld (sg.)	l'argent	der Schweizer	
das Bargeld (sg.)	l'argent liquide	Franken (-)	le franc suisse
die Gelder (pl.)	les capitaux	der Dollar (-)	le dollar
das Kapital (ien)	le capital	das Pfund (-)	la livre
der Geldschein (e),	le billet	der Yen (-)	le yen
die Banknote (n)	de banque	der Gulden (-)	le florin
das Geldstück (e),	la pièce	die Lire (-)	la lire
die Münze (n)	de monnaie	die Peseta (s)	la peseta
das Kleingeld	la monnaie	die Krone (n)	la couronne
	(les pièces)	auf/werten	réévaluer,
die Währung (en)	la monnaie	die Aufwertung (en)	la réévaluation
	(la devise)	ab/werten	dévaluer
die (Deutsche) Mark (-),		die Abwertung (en)	la dévaluation
die D-Mark (-)	le mark	entwerten	déprécier
der Pfennig (-)	le pfennig	die Entwertung (en)	la dépréciation,
der Euro (s)	l'euro		la dévalorisation
der Franc (s)	le franc		

• *Expressions et phrases*

Haben Sie Kleingeld?	*Avez-vous de la monnaie ?*
eine harte Währung	*une monnaie forte*
eine schwache Währung	*une monnaie faible*
in ausländischer Währung zahlen	*payer en monnaie étrangère*
Ich muß meine Francs in D-Mark	*Il faut que je change mes francs*
um/tauschen.	*en marks.*
Die D-Mark wurde neulich um 3 %	*Le mark a été récemment réévalué*
aufgewertet.	*de 3 %.*
Dieses Projekt erfordert viel Kapital.	*Ce projet nécessite beaucoup de capitaux.*

DIE BANK
LA BANQUE

die Bank (en)	la banque	das Sparkonto	le compte-
der Bankier (s)	le banquier	(-konten)	épargne
das Kreditinstitut (e)	l'institut de crédit	der Scheck (s)	le chèque
der Bankangestellte	l'employé	der Reisescheck (s)	le chèque de voyage
(adj.)	de banque	das Scheckbuch (¨er)	le carnet de chèques
der Schalter (-)	le guichet	das Scheckheft (e)	le chéquier
die Sparkasse (n)	la caisse d'épargne	der Kredit (e)	le crédit
das Bankkonto	le compte	die Kreditkarte (n)	la carte de crédit
(-konten)	bancaire	der Geldautomat	le distributeur
das Girokonto	le compte	(en, en)	de billets
(-konten)	courant		

der Konsumkredit (e)	le crédit à la consommation	der Zinssatz (¨e)	le taux d'intérêt
das Darlehen (-)	le prêt	Geld verdienen	gagner de l'argent
jm. Geld leihen (ie, ie)	prêter de l'argent à qn.	der Verdienst (e)	le gain
		Geld aus/geben (a, e, i)	dépenser de l'argent
bei jm. Geld leihen (ie, ie)	emprunter de l'argent à qn.	die Ausgabe (n)	la dépense
zahlungsfähig sein	être solvable	Geld an/legen, investieren (in + A)	placer de l'argent, investir
zahlungsunfähig sein	être insolvable	die Geldanlage (n)	le placement
sparen	économiser	die Investition (en)	l'investissement
die Ersparnisse (pl.)	les économies	der Anleger (-) der Investor (en)	l'investisseur
die Zinsen (pl.)	les intérêts		

DIE BÖRSE
LA BOURSE

die Börse (n)	la bourse	der Aktienbesitzer (-), der Aktionär (e)	l'actionnaire
die Aktie (n)	l'action		
das Wertpapier (e)	la valeur, le titre	gewinnen (a, o)	gagner (en bourse)
der Börsenkurs (e)	le cours de la bourse	verlieren (o, o)	perdre

• *Expressions et phrases*

Geld wechseln	*changer de l'argent*
Geld bei sich (D) haben	*avoir de l'argent sur soi*
sein Geld verschwenden	*gaspiller son argent*
Geld zum Fenster hinaus/werfen (a, o, i)	*jeter l'argent par la fenêtre*
Er hat Geld wie Heu.	*Il a de l'argent à ne savoir qu'en faire.*
Geld auf die Bank bringen (brachte, gebracht)	*porter de l'argent à la banque*
Geld auf ein Konto ein/zahlen	*verser de l'argent sur un compte*
Geld von seinem Konto abheben (o, o)	*prélever de l'argent de son compte*
Geld auf ein Konto überweisen (ie, ie)	*virer de l'argent sur un compte*
ein Konto eröffnen	*ouvrir un compte*
per Scheck zahlen	*payer par chèque*
einen Scheck aus/stellen	*établir un chèque*
einen ungedeckten Scheck aus/stellen	*faire un chèque sans provision*
einen Scheck ein/lösen	*encaisser un chèque*
einen Kredit beantragen	*solliciter un crédit*
einen Kredit auf/nehmen (a, o, i)	*prendre un crédit*
einen Kredit gewähren	*accorder un crédit*
einen Kredit zurück/zahlen	*rembourser un crédit*
Schulden haben	*avoir des dettes*
hoch verschuldet sein	*être fortement endetté*
überschuldet sein	*être surendetté*
Er ist bis über beide Ohren verschuldet.	*Il croule sous les dettes.*
in Konkurs geraten (ie, a, ä, ist)	*faire faillite*
Sein Kapital bringt ihm hohe Zinsen ein.	*Son capital lui rapporte des intérêts élevés.*
Er hat sein Geld in Immobilien (A) angelegt.	*Il a investi son argent dans l'immobilier.*
Seine Aktien stehen gut.	*Ses actions sont bien cotées.*
Die Kurse steigen. (ie, ie, sind)	*Les cours montent.*
Die Kurse fallen. (ie, a, ä, sind)	*Les cours baissent.*
Die Dividenden werden jährlich ausgezahlt.	*Les dividendes sont versés annuellement.*
einen Gewinn erzielen	*réaliser un bénéfice*
hohe Verluste erleiden (itt, itten)	*subir de grosses pertes*

29. Die Industrie   L'Industrie

Vocabulaire général

die Industrie	l'industrie	der Erzeuger (-), der	
der Betrieb (e)	l'entreprise	Produzent (en, en)	le producteur
der Industriebetrieb (e)	l'entreprise	der Rohstoff (e)	la matière première
	industrielle	das Produkt (e)	le produit
das Werk (e),		die Ware (n)	la marchandise
die Fabrik (en)	l'usine	das Gut (¨er)	le bien,
die Betriebs-	la gestion		la marchandise
führung (en)	d'entreprise	die Güter (pl.)	les biens
her/stellen	fabriquer,	die Konsumgüter	les biens de
der Hersteller (-)	le fabricant		consommation
fertigen	fabriquer	die Investitionsgüter	les biens
die Fertigung	la fabrication		d'équipement
erzeugen / produzieren	produire	das Fertigprodukt (e)	le produit fini

DIE INDUSTRIEBEREICHE
LES SECTEURS INDUSTRIELS

der Industriezweig (e),		die chemische	l'industrie
der Industrie-	la branche	Industrie	chimique
bereich (e)	industrielle	die Nahrungs-	l'industrie
die Rohstoffindustrie	l'industrie	mittelindustrie	agro-alimentaire
	des matières	die Bekleidungs-	l'industrie
	premières	industrie	du vêtement
die verarbeitende	l'industrie de	die elektrotechnische	l'industrie
Industrie	transformation	Industrie	électrotechnique
die Konsumgüter-	l'industrie des biens	das Baugewerbe	l'industrie
industrie	de consommation		du bâtiment
die einheimische		das Gaststätten-	
Industrie	l'industrie nationale	und Hotelgewerbe	l'industrie hôtelière
die Schwerindustrie	l'industrie lourde		
die Montanindustrie	l'industrie du	das Industriegebiet (e)	la région, la zone
	charbon et		industrielle
	de l'acier	das Industriegelände (-)	le terrain industriel
die Eisen- und	l'industrie	das (industrielle)	la zone à forte
Stahlindustrie	sidérurgique	Ballungszentrum (en)	concentration
der Maschinenbau	la construction		(industrielle)
	mécanique	der Standort (e)	le site industriel,
die Automobilindustrie	l'industrie		le lieu d'implan-
	automobile		tation
die Flugzeugindustrie	l'industrie	verlagern	transférer /
	aéronautique		délocaliser
der Schiffbau	la construction	die Verlagerung (en)	le transfert,
	navale		la délocalisation

• *Expressions et phrases*

In der verarbeitenden Industrie werden die Rohstoffe zu Fertigprodukten verarbeitet.	*Dans l'industrie de transformation, les matières premières sont transformées en produits finis.*
Dieses Unternehmen will seinen Standort nach Leipzig verlagern.	*Cette entreprise veut transférer son lieu de production à Leipzig.*
Es sucht dort nach einem geeigneten Industriegelände.	*Elle recherche là-bas un terrain industriel approprié.*
Das Baugewerbe und das Gaststättengewerbe haben derzeit Hochkonjunktur.	*L'industrie du bâtiment et de la restauration sont actuellement en période de haute conjoncture.*

DIE PRODUKTIONSMITTEL
LES MOYENS DE PRODUCTION

die Werkhalle (n), die Werkstatt (¨en)	l'atelier d'usine	die Massenherstellung	la fabrication en masse
die Maschine (n)	la machine	die Serienherstellung	la fabrication en série
die Werkzeug- maschine (n)	la machine-outil	bearbeiten	œuvrer, façonner, usiner, traiter
das Fließband (¨er)	la chaîne de montage	verarbeiten zu + D	transformer en
die Fließbandarbeit	le travail à la chaîne	sich nieder/lassen	s'implanter,
die Automation	l'automation	(ie, a, ä)	s'installer
die Industrieanlage (n)	l'équipement industriel	sich um/stellen	se convertir
		sich an/passen + D	s'adapter à

• *Expressions et phrases*

Die Automation ersetzt allmählich die Fließbandarbeit.	*L'automation remplace peu à peu le travail à la chaîne.*
Mehrere Firmen haben sich in unserer Stadt niedergelassen.	*Plusieurs firmes se sont implantées dans notre ville.*
Unsere Firma hat sich umgestellt und hat sich den neuen Produktionsmethoden angepaßt.	*Notre entreprise s'est convertie et s'est adaptée aux nouvelles méthodes de production.*
Hier wird Stahl zu Automobilblech verarbeitet.	*Ici, on transforme de l'acier en tôle pour voitures.*

30. ENERGIE UND ROHSTOFFE

ÉNERGIE ET MATIÈRES PREMIÈRES

Vocabulaire général

die Energie (n)	l'énergie	**der Treibstoff (e)**	le carburant
der Energieträger (-)	la source, le support énergétique	**der Kraftstoff (e)**	le carburant
		der Heizstoff (e)	le combustible
der Energiebedarf (sg.)	les besoins énergétiques	**das Uran**	l'uranium
die Energie-	l'approvisionnement	**das Uranvorkommen (-)**	le gisement
versorgung	en énergie		d'uranium
der Strom	le courant électrique	**angereichertes Uran**	l'uranium enrichi
die Stromerzeugung	la production d'électricité	**der Stein (e)**	la pierre
		der Steinbruch (¨e)	la carrière
das Stromnetz (e)	le réseau d'électricité	**der Bulldozer (-)**	le bulldozer
der Rohstoff (e)	la matière première	**der Bagger (-)**	l'excavateur
die Bodenschätze (pl.)	les richesses naturelles	**der Sand (sg.)**	le sable
		die Sandgrube (n)	la sablière
der Bergbau (sg.)	l'industrie minière, l'exploitation minière	**der Sandstein**	le grès
		der Kies (sg.)	le gravier
die Montanindustrie	l'industrie minière et sidérurgique	**die Kiesgrube (n)**	la gravière
		das Erz (e)	le minerai
das Bergwerk (e),		**das Eisen**	le fer
die Zeche (n),	la mine	**das Eisenerz**	le minerai de fer
der Bergmann (-leute)	le mineur	**eisern**	de fer / en fer
fördern /		**das Metall (e)**	le métal
gewinnen (a, o)	extraire	**das Kupfer**	le cuivre
die Förderung	l'extraction	**kupfern**	de cuivre
		das Blei	le plomb
das Erdgas	le gaz naturel	**bleiern**	de plomb
das Erdgas-	le gisement	**das Silber**	l'argent
vorkommen (-)	de gaz naturel	**silbern**	d'argent
das Erdöl	le pétrole	**das Gold**	l'or
		golden	d'or

- *Expressions et phrases*

den Energiebedarf decken	*couvrir les besoins énergétiques*
Strom erzeugen	*produire de l'électricité*
Die Energieversorgung muß gesichert werden.	*L'approvisionnement énergétique doit être assuré.*
einen Energieplan aus/arbeiten	*élaborer un plan énergétique*
Energie sparen	*économiser l'énergie*
reich / arm an Rohstoffen	*riche / pauvre en matières premières*
ein rohstoffarmes Land	*un pays pauvre en matières premières*
die Abhängigkeit Deutschlands vom Erdöl	*la dépendance de l'Allemagne vis-à-vis du pétrole*

Bohrungen vor/nehmen (a, o, i)
die Ölförderländer

entreprendre des forages
les pays producteurs de pétrole

Die Luftverpestung greift den Sandstein an.
Das Uran wird angereichert, bevor es in den
Kernkraftwerken benutzt wird.
der eiserne Vorhang
eine goldene Uhr

La pollution atmosphérique attaque le grès.
L'uranium est enrichi, avant d'être utilisé
dans les centrales nucléaires.
le rideau de fer
une montre en or

DIE KOHLE
LE CHARBON

die Kohle (n)	le charbon	**der Schacht ("e)**	le puits
das Kohlenlager (-)	le gisement	**der Förderturm ("e)**	le chevalement
	de houille	**das Förderband ("er)**	le tapis roulant
das Kohlenrevier (e)	le bassin houiller	**das Grubenunglück (e)**	la catastrophe
die Steinkohle	la houille		minière
die Braunkohle	le lignite	**das Schlagwetter (-)**	le coup de grisou
die Grube (n)	la mine,	**jn. retten, bergen**	sauver qn.
	la fosse	**die Bergung (en)**	le sauvetage

DAS ERDÖL
LE PÉTROLE

das Rohöl	le pétrole brut	**die Bohrinsel (n)**	la plate-forme
das Erdöl-	le gisement		de forage
vorkommen (-)	de pétrole	**die Ölverarbeitung**	la transformation
die Erdölleitung (en)	l'oléoduc		du pétrole
der Öltanker (-)	le pétrolier	**das Benzin**	l'essence
bohren	forer	**das Heizöl**	le fuel domestique
die Bohrung (en)	le forage	**das Dieselöl**	le diesel
der Bohrturm ("e)	le derrick		

- *Expressions et phrases*

Braunkohle wird im Tagebau gefördert.
Das Grubenunglück hat fünf Todesopfer
gefordert.
Mehrere Bergleute konnten geborgen und
gerettet werden.
nach Erdöl bohren
die Nachfrage nach Erdöl
das Angebot an Erdöl
den Ölverbrauch verringern
Über Ölleitungen oder mit Öltankern wird
das Rohöl bis nach Europa befördert.

Le lignite est extrait à ciel ouvert.
La catastrophe minière a fait cinq
morts.
Plusieurs mineurs purent être dégagés et
sauvés.
forer pour rechercher du pétrole
la demande de pétrole
l'offre en pétrole
réduire la consommation de pétrole
Le pétrole brut est acheminé jusqu'en
Europe par des oléoducs et des pétroliers.

BERGBAU UND ENERGIE
LA MINE ET L'ÉNERGIE

der Bergbau	l'industrie minière	**das Bergwerk (e),**	
der Kohlenbergbau	l'industrie	**die Grube (n)**	la mine
	du charbon	**der Bergmann (leute)**	le mineur

der Schacht (¨e)	le puits de mine	die Wasserkraft	l'énergie hydraulique
(Kohle) fördern	extraire (du charbon)	das Wasserkraftwerk (e)	la centrale hydraulique
die Kohlenvorräte	les réserves en charbon	der Staudamm (¨e)	le barrage
		das Wärmekraftwerk (e)	la centrale thermique
die Energiequelle (n)	la source d'énergie	das Kohlekraftwerk (e)	la centrale au charbon
der Energieträger (-)	la source, le support énergétique	die alternativen Energieträger	les énergies alternatives
der Energiebedarf (sg.)	les besoins énergétiques	die Sonnenenergie	l'énergie solaire
die Energie- versorgung	l'approvisionne- ment en énergie	die Solarzelle (n)	la cellule photo-électrique
das Kraftwerk (e)	la centrale électrique		

DIE KERNENERGIE
L'ÉNERGIE NUCLÉAIRE

das Atom (e)	l'atome	die Lagerung (en)	le stockage
die Atomkraft	l'énergie atomique	die Endlagerung	le stockage définitif
die Kernenergie	l'énergie nucléaire	der Strahlenschutz	la protection contre les radiations
der Kern (e)	le noyau		
die Kernforschung (en)	la recherche nucléaire	der Störfall (¨e)	la panne
die Kernspaltung	la fission nucléaire	der Sicherheits- mangel (¨)	le défaut de sécurité
der Kernbrennstoff (e)	le combustible nucléaire	zuverlässig	fiable
das Plutonium	le plutonium	der GAU (größter anzunehmender	la catastrophe
der Brennstab (¨e)	la barre de combustion	Unfall)	nucléaire
wiederaufbereiten	retraiter	der Atomgegner (-)	l'adversaire de l'énergie nucléaire
die Wiederaufbereitung	le retraitement	der Befürworter (-)	le partisan
der schnelle Brüter (-)	le surgénérateur	das Atomkraftwerk (e), das Kernkraftwerk (e)	la centrale nucléaire
die Radioaktivität	la radioactivité	der Atommeiler (-),	
die radioaktive Strahlung (en)	la radiation nucléaire	der Reaktor (en)	le réacteur
die radioaktive Verseuchung	la contamination radioactive	der Kernbrenn- stoff (e)	le combustible nucléaire
lagern	stocker	der «Schnelle Brüter »(-)	le surgénérateur

DIE UMWELTFREUNDLICHEN ENERGIEN
LES ÉNERGIES ÉCOLOGIQUES

die alternativen Energieträger	les énergies alternatives	der Staudamm (¨e)	le barrage
die Wasserkraft	l'énergie hydraulique	die Sonnenenergie	l'énergie solaire
das Wasserkraftwerk (e)	la centrale hydraulique	die Solarzelle (n)	la cellule solaire
		die Windkraft	l'énergie éolienne
das Gezeiten- kraftwerk (e)	l'usine marée-motrice	die Windkraftanlage (n)	la centrale éolienne
		die Erdwärme	l'énergie géothermique

• *Expressions et phrases*

ein Kernkraftwerk betreiben (ie, ie)	*exploiter une centrale nucléaire*
die Rohstoffvorräte schonen	*préserver les ressources naturelles*
die Anhänger und die Gegner der Atomenergie	*les partisans et les adversaires de l'énergie atomique*
ein Kernkraftwerk in Betrieb nehmen (a, o, i)	*mettre en sevice une centrale nucléaire*
aus der Kernenergie aus/steigen (ie, ie, ist)	*abandonner le nucléaire*
Die Grünen fordern den Ausstieg aus der Kernenergie.	*Les Verts réclament l'abandon du nucléaire.*
die friedliche Nutzung der Atomenergie	*l'utilisation pacifique de l'énergie nucléaire*
Kernkraftwerke müssen absolut zuverlässig sein.	*Les centrales nucléaires doivent être absolument fiables.*
Manche alte Kernkraftwerke weisen Sicherheitsmängel auf.	*Certaines vieilles centrales présentent des défauts de sécurité.*
Bei Störfällen im Reaktor kommt es zu einer Strahlengefährdung.	*En cas de panne du réacteur il y a danger d'irradiation.*
Das Problem der Endlagerung ist noch ungelöst.	*Le problème du stockage définitif n'est pas encore résolu.*
Sonnenenergie und Erdwärme gelten als umweltfreundliche Energieträger.	*L'énergie solaire et géothermique sont considérées comme des énergies écologiques.*
die Wärme speichern	*stocker la chaleur*

31• LANDWIRTSCHAFT UND VIEHZUCHT

AGRICULTURE ET ÉLEVAGE

Vocabulaire général

die Landwirtschaft	l'agriculture	**die Genossenschaft (en)**	la coopérative
der Landwirt (e)	l'agriculteur	**die Agrarpolitik**	la politique agricole
landwirtschaftlich	agricole	**der Agraringenieur (e)**	l'ingénieur agronome
der Bauer (n, n)	le paysan		
die Bäuerin (nen)	l'agricultrice	**der Bauernverband (¨e)**	le syndicat agricole
der Bauernhof (¨e)	la ferme	**die Subvention (en),**	
der Landarbeiter (-)	l'ouvrier agricole	**der Zuschuß (¨sse)**	la subvention
der Hirt (en, en)		**der Überschuß (¨sse)**	l'excédent
der Schäfer (-)	le berger	**die Überproduktion**	la surproduction
das Gut (¨er)	le domaine, la propriété agricole	**die Flurbereinigung**	le remembrement
		die Landflucht	l'exode rural
der (Guts)verwalter (-)	le régisseur		

Vocabulaire spécialisé

DIE LANDWIRTSCHAFTLICHEN GEBÄUDE
LES BÂTIMENTS AGRICOLES

das Nebengebäude (-)	la dépendance	der Heuboden (¨)	le grenier à foin
der (Kuh)Stall (¨e)	l'étable	der Geräteschuppen (-)	la remise à outils
der Pferdestall (¨e)	l'écurie		
der Schweinestall (¨e)	la porcherie	der Brunnen (-)	le puits
der Hühnerstall (¨e)	le poulailler	die Futterkrippe (n)	la mangeoire
der Hühnerhof (¨e)	la basse-cour	der Futtertrog (¨e)	l'auge
der Kaninchenstall (¨e)	le clapier	die Tränke (n)	l'abreuvoir
die Scheune (n)	la grange		

DER ACKERBAU
LA CULTURE

der Acker (¨)	le champ cultivé	an/bauen	cultiver
das Ackerland	la terre cultivable	die Kartoffel (n)	la pomme de terre
das Feld (er)	le champ	das Getreide (sg.)	les céréales
der Boden (¨)	le sol	der Weizen	le blé
der Pflug (¨e)	la charrue	der Roggen	le seigle
pflügen	labourer	die Gerste	l'orge
die Egge (n)	la herse	der Hafer	l'avoine
eggen	herser	der Reis	le riz
die Feldarbeit (en)	le travail des champs	der Mais	le maïs
säen	semer	die Sonnenblume (n)	le tournesol
die Saat (en)	la semence	der Tabak	le tabac
das Saatgut (sg.)	la graine de semence	der Hopfen	le houblon
die Sämaschine (n)	la semeuse	die Zuckerrübe (n)	la betterave sucrière
der Anbau (sg.)	la culture	der Raps	le colza

DIE ERNTE
LA RÉCOLTE

ernten	récolter	das Futter	le fourrage
die Getreideernte (n)	la moisson	die Futterpflanzen	les plantes fourragères
die Mißernte (n)	la mauvaise récolte		
der Ertrag (¨e)	le rendement	der Klee	le trèfle
ertragreich	productif	die Rübe (n)	la betterave
fruchtbar	fertile	die Zuckerrübe (n)	la betterave sucrière
unfruchtbar	infertile		
mähen	faucher	die Mechanisierung	la mécanisation
die Sense (n)	la faux	die Landmaschine (n)	la machine agricole
dreschen (o, o, i)	battre le blé	der Traktor (en)	le tracteur
die Garbe (n)	la gerbe	der Mähdrescher (-)	la moissonneuse batteuse
binden (a, u)	lier		
das Stroh	la paille	die Jauche	le purin
die Ähre (n)	l'épi	der Mist	le fumier
das Heu	le foin	der Dünger (sg.),	
die Heuernte (n)	la fenaison	das Düngemittel (-)	l'engrais
das Heubündel (-)	la botte de foin		

düngen	mettre de l'engrais, fertiliser	das Nitrat (e)	le nitrate
die Düngung	la fertilisation	das Pflanzen-schutzmittel (-),	
das Phosphat (e)	le phosphate	das Pestizid (e)	le pesticide

DER WEINBAU
LA VITICULTURE

der Weinbauer (n, n)	le viticulteur	die Weinpresse (n)	le pressoir
der Winzer (-)	le vigneron	die Weinlese (n)	les vendanges
der Weinberg (e)	le vignoble	das Faß (¨sser)	le tonneau
die Rebe (n)	la vigne	gären	fermenter
der Weinstock (¨e)	le pied de vigne	(den Wein)	mettre (le vin)
die Traube (n)	le raisin	ab/füllen	en bouteilles
keltern	presser (le raisin)	der Jahrgang (¨e)	le millésime
die Kelter (n)	le pressoir		

DIE VIEHZUCHT
L'ÉLEVAGE

das Vieh	le bétail	der Viehzüchter (-)	l'éleveur
das Tier (e)	l'animal	der Viehbestand (¨e)	le cheptel
tierisch	animal	der Viehhändler (-)	le marchand de bétail
das Haustier (e)	l'animal domestique		
		die Herde (n)	le troupeau
das Großvieh	le gros bétail	die Weide (n)	le pâturage
Vieh züchten	élever du bétail	weiden	paître
das Rind (er)	le bovin	melken	traire
der Stier (e)	le taureau	die Melkmaschine (n)	la trayeuse
der Ochse (n, n)	le bœuf	die Molkerei (en)	la laiterie
die Rinderzucht	l'élevage des bovins	das Kalb (¨er)	le veau
die Kuh (¨e)	la vache		
das Pferd (e)	le cheval	das Geschirr	le harnais
der Hengst (e)	l'étalon	der Sattel (-)	la selle
die Stute (n)	la jument	der Sporn (die Sporen)	l'éperon
das Fohlen (-)	le poulain	der Schritt (e)	le pas
das Rennpferd (e)	le cheval de course	der Trab	le trot
der Huf (e)	le sabot	der Galopp	le galop
das Hufeisen (-)	le fer à cheval	reiten (i, i, ist)	aller à cheval
der Zaum (¨e)	la bride	der Reiter (-)	le cavalier
das Schwein (e)	le porc, le cochon	die Sau (¨e)	la truie
die Schweinezucht	l'élevage de porcs	das Ferkel (-)	le porcelet
das Schaf (e)	le mouton	der Esel (-)	l'âne
der Schafbock (¨e)	le bélier	die Ziege (n)	la chèvre
das Lamm (¨er)	l'agneau	der Ziegenbock (¨e)	le bouc
die Wolle	la laine	das Kaninchen (-)	le lapin
scheren (o, o)	tondre		

das Geflügel (sg.)	la volaille	ein Ei legen	pondre
der Hahn (¨e)	le coq	brüten	couver
das Huhn (¨er)	la poule	die Ente (n)	le canard
die Henne (n)	la poule pondeuse	die Gans (¨e)	l'oie
das Hühnchen (-)	le poulet	die Truthenne (n),	
das Küken (-)	le poussin	die Pute (n)	la dinde
das Ei (er)	l'œuf		

die Bienenzucht	l'apiculture	der Imker (-)	l'apiculteur
die Biene (n)	l'abeille	der Bienenstock (¨e)	la ruche
der Bienenzüchter (-)	l'apiculteur	der Honig	le miel

- *Expressions et phrases*

der landwirtschaftliche Betrieb (e)	*l'exploitation agricole*
auf einem Bauernhof arbeiten	*travailler dans une ferme*
auf dem Land wohnen	*habiter à la campagne*
ein Feld bestellen	*cultiver un champ*
Land bewirtschaften	*exploiter des terres*
Kartoffeln an/bauen	*cultiver des pommes de terre*
Die Mechanisierung erhöht die Erträge.	*La mécanisation augmente les rendements.*
ertragreiche Methoden an/wenden	*appliquer des méthodes productives*
das Vieh auf die Weide treiben (ie, ie)	*mener les bêtes au pâturage*
den Stier bei den Hörnern packen (fig.)	*prendre le taureau par les cornes*
Schwein haben (fam.)	*avoir du bol*
ein Pferd zäumen	*mettre la bride à un cheval*
seinen Zorn im Zaum halten (ie, a, ä) (fig.)	*contenir, maîtriser sa colère*
seine Zunge im Zaum halten (ie, a, ä) (fig.)	*tenir sa langue*
ein Pferd satteln	*seller un cheval*
im Trab reiten (i, i, ist)	*aller au trot*
im Galopp reiten	*aller au galop*
Der Hahn kräht.	*Le coq chante.*
Die Kuh muht.	*La vache beugle.*
Gänse stopfen	*gaver des oies*

VII. WISSENSCHAFT UND KUNST

32• ZAHLEN, GEWICHTE UND MAßE

NOMBRES, POIDS ET MESURES

DIE ZAHLEN
LES NOMBRES

null	0	zehn	10	zwanzig	20	hundert	100
eins	1	elf	11	einundzwanzig	21	hunderteins	101
zwei	2	zwölf	12	zweiundzwanzig	22	hundertzwei	102
drei	3	dreizehn	13	dreißig	30	zweihundert	200
vier	4	vierzehn	14	vierzig	40	tausend	1000
fünf	5	fünfzehn	15	fünfzig	50	tausendeins	1001
sechs	6	sechzehn	16	sechzig	60	zweitausend	2000
sieben	7	siebzehn	17	siebzig	70	zehntausend	10000
acht	8	achtzehn	18	achtzig	80	hunderttausend	100000
neun	9	neunzehn	19	neunzig	90		

das Paar	la paire	das Dutzend	la douzaine
das Hundert	la centaine	das Tausend	le millier
Hunderte	des centaines	Tausende	des milliers
eine Million	un million	zehn Millionen	10 millions
eine Milliarde	un milliard	zwei Milliarden	2 milliards

eineinhalb / anderthalb	1,5	eins Komma vier	1,4
zweieinhalb	2,5	zehn Komma acht	10,8

der erste	le premier	erstens	premièrement
der zweite	le deuxième	zweitens	deuxièmement
der dritte	le troisième	drittens	troisièmement
der vierte	le quatrième	der zwanzigste	le 20e
der fünfte	le cinquième	der dreißigste	le 30e
der sechste	le sixième	der vierzigste	le 40e
der siebte	le septième	der hundertste	le 100e
der achte	le huitième	der tausendste	le millième

der neunte	le neuvième	der zehnte	le dixième

einmal	une fois	einfach	simple
zweimal	deux fois	doppelt	double
das Doppelte	le double	das Dreifache	le triple
das Vierfache	le quadruple	das Zehnfache	dix fois plus
verdoppeln	doubler	verdreifachen	tripler
vervierfachen	multiplier par 4	vervielfachen	multiplier

halb	demi	die Hälfte (n)	la moitié
das Drittel (-)	le tiers	das Viertel (-)	le quart
das Zehntel (-)	le dixième	das Zwanzigstel	le vingtième
das Hundertstel (-)	le centième	das Tausendstel	le millième

ADJECTIFS ET ADVERBES DE QUANTITÉ

viel (sg.) / viele (pl.)	beaucoup de	sehr viel	énormément
zu viel	trop	viel zu viel	beaucoup trop
wenig	peu	zu wenig	trop peu
ein wenig	un peu de	ein bißchen	un peu de
wenige (plur.)	peu de	genug	assez (suffisamment)
ziemlich	assez (relativement)	circa / etwa / ungefähr	environ
rund	environ	einige (pl.)	quelques
mehrere	plusieurs	manch(e) (sg. et pl.)	certain(s)
gewisse	certains	alle	tous
alles	tout (la totalité)	ganz	tout, entièrement
der / die / das ganze	tout(e)	zweierlei	de deux sortes
dreierlei	de trois sortes	vielerlei	beaucoup de sortes de
allerlei	toutes sortes de		

- *Expressions et phrases*

zweiundzwanzig	*22*
fünfundachtzig	*85*
hundertfünfunddreißig	*135*
sechshundertachtundsechzig	*668*
tausendachthundertneunundsiebzig	*1879*
Er will immer der erste sein.	*Il veut toujours être le premier.*
Er kam als erster an.	*Il arriva le premier.*
Er ist nicht der erstbeste.	*Il n'est pas le premier venu.*
in ein oder zwei Tagen	*dans un ou deux jours*
vor anderthalb Jahren	*il y a un an et demi*
Sie sind immer zu zweit / zu dritt.	*Ils sont toujours à deux / à trois.*
Er besucht uns jeden zweiten Tag.	*Il nous rend visite tous les deux jours.*
Jeder dritte Deutsche lebt auf dem Land.	*Un Allemand sur trois habite à la campagne.*
Aller guten Dinge sind drei. (Prov.)	*Jamais deux sans trois.*
unter vier Augen	*en tête à tête, « entre quatre yeux » (fam.)*
Sie verdient doppelt so viel wie er.	*Elle gagne deux fois plus que lui.*
Ich habe anderthalb Stunden (pl.) gewartet.	*J'ai attendu une heure et demie.*
Es kostet zweimal mehr als vor zwei Jahren.	*Cela coûte deux fois plus qu'il y a deux ans.*
Er hat genug Geld.	*Il a assez d'argent.*
Diese Übung ist ziemlich schwer.	*Cet exercice est assez difficile.*
Das kostet ziemlich viel.	*C'est relativement cher.*
Es waren ungefähr hundert Leute da.	*Il y avait à peu près cent personnes.*
Alle waren informiert.	*Tout le monde était informé.*

Man kann nicht alles wissen.	*On ne peut pas tout savoir.*
Wir sind durch ganz Deutschland gereist.	*Nous avons parcouru toute l'Allemagne.*
den ganzen Tag / die ganze Zeit	*toute la journée / tout le temps*
Aller Anfang ist schwer. (Prov.)	*Il n'y a que le premier pas qui coûte.*
Ende gut, alles gut! (Prov.)	*Tout est bien qui finit bien !*
alles mögliche	*toutes sortes de choses*
so viel / so schnell / so gut wie möglich	*autant / aussi vite / aussi bien que possible*
in aller Frühe	*très tôt le matin*
alles in allem	*au bout du compte*
nach einiger Zeit	*après quelque temps*
in einigen Tagen / in ein paar Tagen	*dans quelques jours*
Es gibt vielerlei Menschen.	*Il y a beaucoup de sortes de gens.*
Wir hatten allerlei Schwierigkeiten.	*Nous avions toutes sortes de difficultés.*
Das ist mir einerlei.	*Cela m'est égal.*

DIE GEWICHTE UND MAßE
LES POIDS ET LES MESURES

das Gewicht (e)	le poids	der Millimeter (-)	le millimètre
wiegen (o, o)	peser	der Zentimeter (-)	le centimètre
die Waage (n)	la balance	der Kilometer (-)	le kilomètre
die Waagschale (n)	le plateau	die Meile (n)	le mille
	de la balance	die Entfernung (en)	la distance
das Gramm (e)	le gramme	weit	1. éloigné
das Pfund (-)	la livre		2. étendu
das Kilo (s),		die Weite (n)	l'étendue
das Kilogramm (-)	le kilo(gramme)	fern	loin
der Zentner (-)	le demi-quintal	die Ferne (n)	le lointain
der Doppelzentner (-)	le quintal	nah	proche
die Tonne (n)	la tonne	die Nähe (n)	la proximité
		der Umfang ("e)	1. le périmètre,
leicht	léger		le pourtour
schwer	lourd		2. l'étendue
das Maß (e)	la mesure	betragen (u, a, ä) /	s'élever à
messen (a, e, i)	mesurer	sich belaufen (ie, au, äu)	
die Maßeinheit (en)	l'unité de mesure	auf + A	s'élever à
der Maßstab ("e)	1. l'échelle		
	2. le critère	die Fläche (n)	la surface,
groß	grand		la superficie
die Größe (n)	la grandeur	der Quadratmeter (-)	le mètre carré
hoch	haut	der Hektar (-)	l'hectare
die Höhe (n)	la hauteur	das Volumen (-),	
breit	large	der Rauminhalt (e)	le volume
die Breite (n)	la largeur	der Kubikmeter (-)	le mètre cube
dick	épais	enthalten (ie, a, ä)	contenir
die Dicke (n)	l'épaisseur	der Liter (-)	le litre
dicht	dense	voll	plein
die Dichte (n)	la densité	leer	vide
lang	long	lauter	plein de
die Länge (n)	la longueur	die Temperatur (en)	la température
tief	profond	der Grad (e)	le degré
die Tiefe (n)	la profondeur	der / das	
der / das Meter (-)	le mètre	Thermometer (-)	le thermomètre

• *Expressions et phrases*

anderthalb Kilo	*un kilo et demi*
etwas in die Waagschale werfen (fig) (a, o, i)	*jeter qch. dans la balance*
in dem Maße wie	*à mesure que*
insofern als	*dans la mesure où*
etwas im Maßstab 1: 10000 dar/stellen	*représenter qch. à l'échelle 1 : 10000*
Das kann dir als Maßstab dienen.	*Cela peut te servir de référence.*
Maß halten (ie, a, ä)	*garder la mesure*
Das Maß ist voll! (fig.)	*La coupe est pleine !*
der Umfang des Schadens	*l'étendue des dommages*
Er wohnt ganz in der Nähe.	*Il habite juste à côté.*
Wir sind noch weit vom Ziel entfernt.	*Nous sommes encore loin du but.*
der Ferne Osten / der Nahe Osten	*l'Extrême-Orient / le Proche-Orient*
von nah und fern	*de toutes parts*
Das liegt noch in weiter Ferne. (fig.)	*Nous en sommes encore loin.*
Die Flasche enthält einen Liter Milch.	*La bouteille contient un litre de lait.*
Die Entfernung beträgt 5 Kilometer.	*La distance est de 5 kilomètres.*
Das Thermometer steht auf 15 Grad.	*Le thermomètre indique 15 degrés.*
Der Korb ist mit Äpfeln gefüllt.	*Le panier est rempli de pommes.*
Der Schrank ist voller Kleider.	*L'armoire est remplie d'habits.*
in voller Größe	*en grandeur nature*
zum vollen Preis	*au prix fort*
mit vollem Recht	*à bon droit, à juste titre*
bei vollem Bewußtsein sein	*avoir pleine conscience*
Er schreit aus vollem Halse.	*Il crie à gorge déployée.*
Ich habe alle Hände voll zu tun.	*J'ai beaucoup à faire.*
Ich danke Ihnen aus vollem Herzen.	*Je vous remercie de tout cœur.*
Ich habe volles Vertrauen.	*J'ai entière confiance.*
Vor lauter Arbeit vergißt er das Essen.	*Il a tellement de travail qu'il en oublie de manger.*
Im Saal saßen lauter junge Leute.	*Dans la salle, il n'y avait que des jeunes gens.*

---

33. DIE WISSENSCHAFTEN   LES SCIENCES

Vocabulaire général

DER WISSENSCHAFTLER UND DIE WISSENSCHAFT
LE SAVANT ET LA SCIENCE

wissen (wußte, gewußt)	savoir	**die Forschung (en)**	la recherche
das Wissen	le savoir	**der Forscher (-)**	le chercheur
die Wissenschaft (en)	la science	**forschen (intr.)**	faire de la recherche
der Wissenschaftler (-)	le savant, le scientifique	**etw. erforschen**	explorer, étudier qch.
wissenschaftlich	scientifique	**die Erforschung**	l'exploration

die Lehre (n)	1. l'enseignement	verwerten	exploiter
	2. la théorie,		(tirer profit)
	la doctrine	die Bedingung (en)	la condition
studieren	étudier	der Einfluß (¨sse)	l'influence
das Studium	le fait d'étudier	beeinflussen	influencer
die Studien	les études	etw. erfinden (a, u)	inventer qch.
die Studie (n)	l'étude	der Erfinder (-)	l'inventeur
etw. untersuchen	étudier, examiner,	die Erfindung (en)	l'invention
	analyser qch.	entdecken	découvrir
die Untersuchung (en)	l'analyse, l'étude	die Entdeckung (en)	la découverte
das Experiment (e)	l'expérience	beobachten	observer
experimentieren	expérimenter	die Beobachtung (en)	l'observation
der Versuch (e)	l'essai / l'expérience	fest/stellen	constater
etw. probieren	essayer /	die Feststellung (en)	la constatation
	expérimenter	erzielen	obtenir (un résultat)
an/wenden		der Fortschritt (e)	le progrès
(wandte, gewandt)	appliquer qch.	das Gebiet (e),	
die Probe (n)	1. l'essai	der Bereich (e)	le domaine
	2. l'échantillon	das Gesetz (e)	la loi
die Anwendung (en)	l'application	die Kunde (sg.)	la science (dans des
nutzen	utiliser		mots composés)
die Nutzung	l'utilisation	die Tierkunde	la zoologie
aus/nutzen	utiliser / exploiter	die Pflanzenkunde	la botanique
die Ausnutzung	l'exploitation	die Erdkunde	la géographie
benutzen / verwenden	utiliser / employer	die Sternkunde	l'astronomie
die Benutzung (sg.),	l'utilisation /		
die Verwendung (en)	l'emploi		

DIE WISSENSCHAFTLICHE TÄTIGKEIT
L'ACTIVITÉ SCIENTIFIQUE

lösen	1. résoudre	praktisch	pratiquement
	2. dissoudre	das Verfahren (-)	le procédé
die Lösung (en)	la solution	die Tatsache (n)	le fait
möglich	possible	der Fall (¨e)	le cas
die Möglichkeit (en)	la possibilité	tatsächlich	effectivement
beweisen (ie, ie)	prouver, démontrer	der Stoff (e)	la matière
der Beweis (e)	la preuve	die Entwicklung (en)	1. le développement
entstehen (entstand,			2. l'évolution
entstanden, ist)	naître, se produire	sich entwickeln	se développer
die Entstehung	la naissance,	sich wandeln	évoluer
	l'apparition	der Wandel	l'évolution
die Quelle (n)	la source	die Umwandlung (en),	
der Ursprung (¨e)	l'origine	die Verwandlung (en)	la transformation
ursprünglich	à l'origine	etw. oder sich	changer qch. ou se
die Herkunft	l'origine,	verändern	transformer
	la provenance	die Veränderung (en)	la transformation,
erzeugen,	produire,		le changement
die Erzeugung	la production	unveränderlich	invariable
der Schluß (¨sse)	1. la conclusion	veränderlich	variable, changeant
	2. la fin	sich verwandeln in + A	se transformer en
schließen aus + D	conclure de	der Umstand (¨e)	la circonstance
die Theorie (n)	la théorie	unterbrechen (a, o, i)	interrompre
theoretisch	théoriquement	unterscheiden (ie, ie)	distinguer
die Praxis	la pratique	der Unterschied (e)	la différence

vergleichen (i, i)		**der Vorgang ("e)**	1. le phénomène
mit + D	comparer à		2. la réaction
der Vergleich (e)	la comparaison		(chimique)
das Verhältnis (se)	la relation, le rapport	**vor/kommen (a, o, ist)**	se produire, arriver
die Verhältnisse (pl.)	les conditions	**wahr/nehmen (a, o, i)**	percevoir
verhältnismäßig	relativement	**der Zustand ("e)**	l'état
entsprechen		**wichtig**	important
(a, o, i) + D	correspondre à	**die Wichtigkeit**	l'importance
sich vermehren	se multiplier	**wesentlich**	essentiel
die Vermehrung	la multiplication	**wirksam**	efficace
verstärken	renforcer	**die Wirksamkeit**	l'efficacité
die Wirklichkeit	la réalité	**(sich) zusammen/setzen**	
verwirklichen	réaliser	**aus + D**	(se) composer de
die Verwirklichung (en)	la réalisation	**die Zusammen-**	
		setzung (e)	la composition

- *Expressions et phrases*

die Grundlagenforschung	*la recherche fondamentale*
die angewandte Forschung	*la recherche appliquée*
das Medizinstudium	*les études de médecine*
eine Studie an/fertigen / durch/führen	*réaliser une étude*
eine Untersuchung durch/führen	*faire une analyse*
eine Probe machen	*faire un essai*
eine Wasserprobe untersuchen	*examiner un échantillon d'eau*
das Wasser untersuchen	*analyser l'eau*
einen Einfluß aus/üben (auf + A)	*exercer une influence*
die Erforschung des Weltalls	*l'exploration de l'univers*
die Entwicklungslehre	*la théorie de l'évolution*
die Nutzung der Kernenergie	*l'utilisation de l'énergie nucléaire*
Möglichkeiten aus/nutzen	*exploiter des possibilités*
eine Erfindung verwerten	*exploiter une invention*
ein Ergebnis erzielen	*obtenir un résultat*
auf dem Gebiet der Wissenschaften	*dans le domaine des sciences*
im Bereich der Physik	*dans le domaine de la physique*
Ein Gesetz tritt in Kraft.	*Une loi entre en vigueur.*
gegen ein Gesetz verstoßen (ie, o, ö)	*enfreindre une loi*
ein Problem lösen	*résoudre un problème*
Zucker löst sich im Wasser auf.	*Le sucre se dissout dans l'eau.*
einen Beweis erbringen (erbrachte, erbracht)	*apporter une preuve*
einen Schluß ziehen (o, o)	*tirer une conclusion*
Wir bleiben bis zum Schluß.	*Nous restons jusqu'au bout.*
Was kann man daraus schließen?	*Que peut-on en conclure ?*
die Theorie in die Praxis um/setzen	*mettre la théorie en pratique*
unter diesen Umständen	*dans ces conditions*
veränderliches Wetter	*du temps variable*
Es besteht ein großer Unterschied zwischen diesen beiden Fakten.	*Il y a une grande différence entre ces deux faits.*
einen Vergleich ziehen (o, o)	*faire une comparaison*
im Vergleich zur früheren Lage	*en comparaison avec l'ancienne situation*
im Verhältnis zu seinen Leistungen	*par rapport à ses performances*
schlechte Lebensverhältnisse	*de mauvaises conditions de vie*
Das entspricht nicht der Wirklichkeit.	*Cela ne correspond pas à la réalité.*
die Entwicklung der Menschheit	*l'évolution de l'humanité*
der Wandel der Sitten	*l'évolution des mœurs*
ein Projekt verwirklichen	*réaliser un projet*
ein chemischer Stoff (e)	*une matière chimique*
ein chemischer Vorgang	*une réaction chimique*
So etwas kann vorkommen.	*De telles choses peuvent se produire.*

URSACHE UND FOLGE
CAUSE ET CONSÉQUENCE

darum / deshalb / deswegen	c'est pourquoi	aus/lösen	déclencher, provoquer
verursachen	causer, provoquer	zurück/führen auf + A	être dû à
die Ursache (n)	la cause	die Folge (n)	la conséquence
die Wirkung (en)	l'effet	infolge + G	par suite de
etw. (A) bewirken	produire un effet	demzufolge, infolgedessen	par conséquent
die Auswirkung (en)	la répercussion	das Ergebnis (se)	le résultat
sich aus/wirken auf + A	se répercuter sur	sich ergeben aus + D	
hervor/bringen (brachte, gebracht)	produire (un effet)	(a, e, i)	résulter de
hervor/rufen (ie, u)	provoquer		

• *Expressions et phrases*

einen Unfall verursachen	*causer un accident*
Diese Maßnahme hat nichts bewirkt.	*Cette mesure n'a pas eu d'effet.*
Wirkungen hervor/bringen (brachte, gebracht)	*produire des effets*
eine Krankheit hervor/rufen (ie, u)	*provoquer une maladie*
Der Klimawechsel hat sich nachteilig auf seine Gesundheit ausgewirkt.	*Le changement climatique a eu des répercussions défavorables sur sa santé.*
eine Reaktion / einen Konflikt aus/lösen	*provoquer une réaction / déclencher un conflit*
Diese Katastrophe ist auf das schlechte Wetter zurückzuführen.	*Cette catastrophe est due au mauvais temps.*
infolge des schlechten Wetters	*par suite du mauvais temps*
zu einem Ergebnis kommen (a, o, ist)	*parvenir à un résultat*

DIE MATHEMATIK
LES MATHÉMATIQUES

der Mathematiker	le mathématicien	die ungerade Zahl (en)	le nombre impair
mathematisch	mathématique	die Summe (n)	la somme
die Arithmetik	l'arithmétique	das Produkt (e)	le produit
rechnen	calculer	der Quotient (en, en)	le quotient
das Kopfrechnen	le calcul mental	der Bruch ("e)	la fraction
die Rechnung (en)	le calcul	der gemeinsame Nenner (-)	le dénominateur commun
die Rechenaufgabe (n)	le problème d'arithmétique	ein Prozent, drei Prozent	un pour cent, trois pour cent
das Einmaleins	la table de multiplication	das Theorem (e), der Lehrsatz ("e)	le théorème
addieren	additionner	der Beweis (e)	la preuve
die Addition (en)	l'addition	die Beweisführung (en)	la démonstration
subtrahieren von + D	soustraire	die Gleichheit (en)	l'égalité
die Subtraktion (en)	la soustraction	die Gleichung (en)	l'équation
multiplizieren mit + D	multiplier	die Potenz (en)	la puissance
die Multiplikation (en)	la multiplication	die Unbekannte (adj.)	l'inconnue
dividieren		der Grad (e)	le degré
teilen durch + A	diviser	die Wurzel (n)	la racine
die Division (en)	la division	die Geometrie	la géométrie
gleich sein + D	être égal à	die Figur (en)	la figure
die Zahl (en)	le nombre	die Gerade (n)	la (ligne) droite
die gerade Zahl (en)	le nombre pair		

der Winkel (-)	l'angle	das Dreieck (e)	le triangle
die Oberfläche	la surface	das Viereck (e)	le quadrilatère
die Fläche (n)	la superficie	das Quadrat (e)	le carré
das Volumen (-),		das Quadratmeter (-)	le mètre carré
der Rauminhalt	le volume	das Kubikmeter (-)	le mètre cube
der Umfang (sg.)	la circonférence	unendlich	infini
der Punkt (e)	le point	waagerecht	horizontal
der Mittelpunkt (e)	le centre	senkrecht	vertical
der Kreis (e)	le cercle	schräg	oblique

- *Expressions et phrases*

Zwei und vier ist sechs.	*Deux plus quatre font six.*
Wieviel ist zwei mal fünf?	*Combien font deux fois cinq ?*
eine Gleichung zweiten Grades	*une équation du second degré*
Wieviel ist zehn (geteilt) durch fünf?	*Combien font dix divisé par cinq ?*
eine fünfstellige Zahl	*un nombre à cinq chiffres*
Die Rechnung stimmt.	*Le calcul est juste.*
Er kann gut kopfrechnen.	*Il est bon en calcul mental.*
ins Quadrat erheben (o, o)	*élever au carré*

DIE PHYSIK
LA PHYSIQUE

die Physik	la physique	die Linse (n)	la lentille
der Physiker (-)	le physicien	das Objektiv (e)	l'objectif
die Mechanik	la mécanique	der Brennpunkt (e)	le point de
die Kraft ("e)	la force		convergence
die Schwerkraft	la pesanteur	die Röntgenstrahlen	les rayons X
die Anziehungskraft	la force d'attraction	die Elektrizität	l'électricité
der Schwerpunkt (e)	le centre de gravité	der Strom	le courant électrique
das Gleichgewicht	l'équilibre	der Wechselstrom	le courant alternatif
die Masse (n)	la masse	der Gleichstrom	le courant continu
die Dichte (n)	la densité	die Leitung (en)	la ligne (électrique)
der Druck (sg.)	la pression	der Leiter (-)	le conducteur
die Bewegung (en)	le mouvement	leiten	conduire
die Richtung (en)	la direction	die Spannung (en)	la tension
die Temperatur (en)	la température	die Hochspannung	la haute tension
das Thermometer (-)	le thermomètre	der Widerstand ("e)	la résistance
das Barometer (-)	le baromètre	die Stromstärke (n)	l'intensité
der Luftdruck	la pression	die Sicherung (en)	le fusible
	atmosphérique	die Akustik	l'acoustique
der Magnetismus	le magnétisme	der Schall (e),	
der Magnet (e)	l'aimant	der Ton ("e)	le son
der Kompaß (sse)	la boussole	die Kernphysik	la physique nucléaire
der Pol (e)	le pôle	das Atom (e)	l'atome
die Optik	l'optique	der Kern (e)	le noyau
das Licht	la lumière	die Kernspaltung	la fission nucléaire
der Lichtstrahl (en)	le rayon lumineux	die Radioaktivität	la radioactivité
der Spiegel (-)	le miroir	die Strahlung (en)	le rayonnement
der Konvexspiegel (-)	le miroir convexe	der Kernreaktor (en)	le réacteur nucléaire
der Hohlspiegel (-)	le miroir concave	die Kernexplosion (en)	l'explosion nucléaire
das Mikroskop (e)	le microscope	die Kettenreaktion (en)	la réaction en chaîne

DIE CHEMIE
LA CHIMIE

der Chemiker (-)	le chimiste	der Schwefel	le soufre
chemisch	chimique	das Chlor	le chlore
die organische Chemie	la chimie organique	die Säure (n)	l'acide
die anorganische		das Uran	l'uranium
Chemie	la chimie minérale	das Kali	la potasse
das Laboratorium (ien),		der Alkohol (e)	l'alcool
das Labor (s)	le laboratoire	die Lösung (en)	la solution
der Stoff (e)	la substance	das Zeichen (-)	le symbole
der Grundstoff (e)	le corps simple	die Formel (n)	la formule
das Molekül (e)	la molécule	der Versuch (e)	l'expérience
die Partikel (n)	la particule	das Reagenzglas (¨er)	l'éprouvette
das Gas (e)	le gaz	verändern	modifier
der Wasserstoff	l'hydrogène	frei/machen	libérer
der Sauerstoff	l'oxygène	binden (a, u)	combiner
der Stickstoff	l'azote	auf/lösen	dissoudre
der Kohlenstoff	le carbone	zersetzen	décomposer
das Stickoxyd	l'oxyde d'azote	verflüssigen	liquéfier

DIE METALLE
LES MÉTAUX

das Metall (e)	le métal	das Zink	le zinc
das Eisen	le fer	das Zinn	l'étain
der Stahl	l'acier	das Nickel	le nickel
das Kupfer	le cuivre	das Gold	l'or
das Aluminium	l'aluminium	das Silber	l'argent
das Blei	le plomb	das Quecksilber	le mercure

DIE BIOLOGIE
LA BIOLOGIE

Die Tierkunde
La zoologie

das Tierreich	le règne animal	das Säugetier (e)	le mammifère
die Tierwelt	la faune	das Merkmal (e)	le caractère distinctif
die Einteilung (en)	la classification	das Gen (e)	le gène
die Gattung (en)	le genre	die Genetik	la génétique
die Art (en)	l'espèce	die Gentechnik	le génie
die Zelle (n)	la cellule		génétique
die Wirbeltiere	les vertébrés	das Chromosom (e)	le chromosome
der Wirbel (-)	la vertèbre	das Gewebe (sg.)	le tissu
die Wirbelsäule (n)	la colonne vertébrale		

Die Pflanzenkunde
La botanique

die Botanik	la botanique	keimen	germer
der Botaniker (-)	le botaniste	die Knospe (n)	le bourgeon
der Keim (e)	le germe	der Blumenkelch (e)	le calice

die Blüte (n)	1. la floraison	der Blütenstaub	le pollen
	2. la fleur	sich fort/pflanzen	se reproduire
	(d'un arbre)	die Fortpflanzung	la reproduction

DIE STERNKUNDE
L'ASTRONOMIE

die Astronomie	l'astronomie	das Gestirn (e)	l'astre
der Astronom (en, en)	l'astronome	die Umlaufbahn (en)	l'orbite
die Sternwarte (n)	l'observatoire	der Umlauf ("e)	la révolution
das Fernrohr (e)	le télescope	kreisen (um + A)	
das Weltall,		(intr.) (ist)	tourner (autour)
das Universum	l'univers	umkreisen (tr.)	tourner autour de
der Weltraum	l'espace	die Anziehungs-	la force
	(interplanétaire)	kraft (sg.)	d'attraction
der Planet (en, en)	la planète		

DIE RAUMFAHRT
L'ASTRONAUTIQUE

die Weltraum-		die Raumfähre (n)	la navette spatiale
forschung (sg.)	la recherche spatiale	die Rakete (n)	la fusée
erobern	conquérir	ab/schießen (o, o)	lancer
die Weltraum-		der Abschuß ("sse)	le lancement
eroberung (sg.)	la conquête spatiale	der Treibstoff (e)	le carburant
der Raumflug ("e)	le vol spatial	der Satellit (en, en)	le satellite
das Raumschiff (e)	le vaisseau spatial	der Nachrichten-	le satellite de télé-
der Raumfahrer (-)	l'astronaute	satellit (en, en)	communications
die Raumstation (en)	la station orbitale	die Schwerelosigkeit	l'apesanteur
die Weltraumsonde (n)	la sonde spatiale	die Umlaufbahn (en)	l'orbite

• *Expressions et phrases*

die Naturwissenschaften	*les sciences physiques et naturelles*
die exakten Wissenschaften	*les sciences exactes*
die Experimentalwissenschaften	*les sciences expérimentales*
die angewandten Wissenschaften	*les sciences appliquées*
Manche Tierarten sind bedroht.	*Certaines espèces animales sont menacées.*
das allgemeine Gravitationsgesetz	*la loi de la gravitation universelle*
Die Erde kreist um die Sonne.	*La terre tourne autour du soleil.*
Der Mond umkreist die Erde.	*La lune tourne autour de la terre.*
den Weltraum erforschen	*explorer l'espace*
eine Rakete ab/schießen (o, o)	*lancer une fusée*
Die Rakete verbraucht flüssigen Treibstoff.	*La fusée utilise du carburant liquide.*
im Zustand der Schwerelosigkeit	*en état d'apesanteur*
einen Satelliten in eine Umlaufbahn bringen	*mettre un satellite en orbite*
(brachte, gebracht)	
auf dem Mond landen (ist)	*atterrir sur la lune*

34. KUNST UND LITERATUR — ARTS ET LETTRES

Vocabulaire général

die Kultur (en)	la civilisation, la culture	die Kunst-sammlung (en)	la collection d'art
kulturell	culturel	der Mäzen (e)	le mécène
die Kunst (¨e)	l'art	die Kunstgeschichte	l'histoire de l'art
der Künstler (-)	l'artiste	die Epoche (n)	l'époque
künstlerisch	artistique	die Strömung (en)	le courant
das Werk (e)	l'œuvre	die Kunstrichtung (en)	la tendance artistique
das Kunstwerk (e)	l'œuvre d'art		
der Meister (-)	le maître	die Gattung (en)	le genre
das Meisterwerk (e)	le chef-d'œuvre	der Stil (e)	le style
begabt	doué	stilistisch	stylistique
die bildenden Künste	les arts plastiques	der Geschmack	le goût
die darstellende Kunst	l'art figuratif	geschmackvoll	avec goût, de bon goût
die abstrakte Kunst	l'art abstrait		
der Kunstkenner (-)	le connaisseur	geschmacklos, kitschig	de mauvais goût
kunstverständig	qui s'y connaît en art	echt	authentique
		entartet	dégénéré
der Kunstliebhaber (-)	l'amateur d'art	entstehen (a, a, ist)	naître, apparaître
der Kunstkritiker (-)	le critique d'art	schaffen (u, a)	créer
der Laie (n, n)	le profane	vollenden	achever
der Kunstsammler (-)	le collectionneur d'art	das Museum (Museen)	le musée
		die Ausstellung (en)	l'exposition

DIE MALEREI
LA PEINTURE

der Maler (-), der Kunstmaler (-)	le peintre	auf/tragen (u, a, ä)	appliquer
malen	peindre	mischen	mélanger
malerisch	pittoresque	der Pinsel (-)	le pinceau
das Bild (er)	1. l'image	der Malkasten (¨)	la boîte de peinture
	2. le tableau	die Leinwand (¨e)	la toile (à peindre)
	3. la photo	der Rahmen (-)	le cadre
das Gemälde (-)	le tableau	die Staffelei (en)	le chevalet
das Ölgemälde (-)	la peinture à l'huile	die Technik (en)	la technique
die Gemäldegalerie (n)	la galerie de peinture	das Landschaftsbild (er)	le paysage
das Atelier (s)	l'atelier	das Bildnis (se), das Porträt (s)	le portrait
das Aquarell (e)	l'aquarelle	das Selbstbildnis (e)	l'autoportrait
die Guaschmalerei	la gouache	das Stilleben (-)	la nature morte
die Farbe (n)	la couleur, la peinture	der Akt (e)	le nu
		das Modell (e)	le modèle
die Ölfarbe (n)	la peinture à l'huile	das Motiv (e)	le motif, le thème
die Wasserfarbe (n)	la peinture à l'eau	der Vordergrund	le premier plan

der Hintergrund	l'arrière-plan	rot	rouge
der Kontrast (e)	le contraste	blau	bleu
die Perspektive (n)	la perspective	grün	vert
der Strich (e)	le trait	gelb	jaune
der Umriß (sse)	le contour	braun	brun
der Schatten (-)	l'ombre	grau	gris
sich ab/heben (o, o)		lila	mauve
gegen + A	se détacher de	rosa	rose
der Farbton (¨e)	la teinte	bunt	multicolore
schwarz	noir	hell	clair
weiß	blanc	dunkel	foncé

DIE ZEICHENKUNST
LE DESSIN (L'ART)

zeichnen	dessiner	die Kopie (n)	la copie
der Zeichner (-)	le dessinateur	nach/ahmen	imiter
der Graphiker (-)	le graphiste	fälschen	falsifier,
der Bleistift (e)	le crayon		faire un faux
der Farbstift (e)	le crayon couleur	die Fälschung (en)	le faux
der Entwurf (¨e)	l'ébauche	die Karikatur (en)	la caricature
etw. entwerfen (a, o, i)	ébaucher, esquisser	der Karikaturist	
die Skizze (n)	l'esquisse	(en, en)	le caricaturiste
die Studie (n)	l'étude	karikieren	caricaturer
das Original (e)	l'original	illustrieren	illustrer
original	d'origine	der Illustrator (en)	l'illustrateur
originell	original	die Bildgeschichte (n),	
kopieren	copier	die Comics (pl.)	la bande dessinée

DIE BILDHAUEREI
LA SCULPTURE

der Bildhauer (-)	le sculpteur	ausdruckslos	inexpressif
die Skulptur (en),	la sculpture	etw. schnitzen	tailler qch.
die Plastik (en)	(l'œuvre)	die Holzschnitzerei	la sculpture sur bois
die Werkstatt (¨en)	l'atelier	der Holzschnitzer (-)	le sculpteur sur bois
plastisch	plastique	der Holzschnitt (e)	la gravure sur bois
der Hammer (-)	le marteau	der Steinmetz (e)	le tailleur de pierre
der Meißel (-)	le burin	der Guß (¨sse)	le moulage
die Statue (n)	la statue	gießen (o, o)	fondre, couler
die Figur (en)	la figure, la statuette	die Bronze (n)	le bronze
die Form (en)	la forme	das Relief (s)	le relief
etw. formen	donner forme à	die Büste (n)	le buste
rund	rond	der Kupferstich (e)	la gravure sur cuivre
viereckig	rectangulaire	das Elfenbein	l'ivoire
ausdrucksvoll	expressif		

DIE BAUKUNST / DIE ARCHITEKTUR
L'ARCHITECTURE

der Architekt (en, en)	l'architecte	bauen / errichten	construire
architektonisch /		wiederauf/bauen	reconstruire
baulich	architectural	restaurieren	restaurer
der Bauplan ("e)	le plan	das Bauwerk (e)	l'édifice
der Bau (Bauten)	1. la construction	das Gebäude (-)	le bâtiment
	2. le bâtiment	das Denkmal ("er)	le monument

Die Kirche (n)
L'église

der Kirchturm ("e)	la tour d'église	der Chor ("e)	le chœur
der Glockenturm ("e)	le clocher	das Kirchenfenster (-)	le vitrail
der Dom (e),		der Altar (e)	l'autel
das Münster (-)	la cathédrale	das Portal (e)	le portail
die Säule (n)	la colonne	die Kanzel (n)	la chaire
der Pfeiler (-)	le pilier	die Kuppel (n)	le dôme, la coupole
das Kapitell (e)	le chapiteau	das Gewölbe (-)	la voûte
das Schiff (e)	la nef	das Kloster (¨)	le couvent
das Seitenschiff (e)	la nef latérale	der Kreuzgang ("e)	le cloître
das Querschiff (e)	le transept	die Abtei (en)	l'abbaye

Der Baustil
Le style architectural

die Antike	l'Antiquité	der Renaissancestil	le style
antik	antique		Renaissance
griechisch	grec	das Barock	le baroque
römisch	romain	barock	baroque
der Triumphbogen (¨)	l'arc de triomphe	das Rokoko	le rococo
die Romanik	le roman	der Klassizismus	le classicisme
romanisch	roman	klassizistisch	classique
die Gotik	le gothique	der Jugendstil	l'art nouveau
gotisch	gothique		(style 1900)

Das Schloß ("sser)
Le château

das Mittlelalter	le Moyen-Âge	die Zugbrücke (n)	le pont-levis
mittelalterlich	médiéval	der Wachturm ("e)	le donjon
die Burg (en)	le château-fort	der Burgwall ("e)	les remparts
der Burghof ("e)	la cour du château	der Palast ("e)	le palais
der Burggraben (¨)	la douve		

- *Expressions et phrases*

ein begabter Künstler	*un artiste doué*
ein Meisterwerk schaffen (u, a)	*créer un chef-d'œuvre*
Er versteht etwas von Kunst.	*Il s'y connaît en art.*
ein Museum besichtigen	*visiter un musée*
Die Ausstellung wird morgen	*Le vernissage de l'exposition aura lieu*
eröffnet.	*demain.*
die Kunst fördern	*favoriser, aider l'art*
leuchtende, grelle Farben	*des couleurs lumineuses, vives*
die Farben mischen	*mélanger les couleurs*

die Farben auf/tragen (u, a, ä)	*appliquer les couleurs*
(sich) (D) ein Bild an/sehen (a, e, ie)	*regarder un tableau*
Im Hintergrund rechts steht ein Haus.	*Au fond à droite se trouve une maison.*
Kinder mögen Comics sehr.	*Les enfants aiment beaucoup les bandes dessinées.*
eine Statue in Stein hauen	*sculpter une statue dans la pierre*
einen Plan zeichnen	*dessiner un plan*
ein Denkmal errichten	*ériger un monument*
unter Denkmalschutz stehen (a, a)	*être classé monument historique*

DIE MUSIK
LA MUSIQUE

der Musiker (-)	le musicien	der Gesangverein (e)	la chorale
musikalisch	musical	die Stimme (n)	la voix
musizieren,		die Melodie (n)	la mélodie
Musik machen	faire de la musique	melodisch	mélodieux
der Musikliebhaber (-)	le mélomane	der Schlager (-)	le tube, la chanson en vogue
die klassische Musik	la musique classique		
die Kirchenmusik	la musique religieuse	der Komponist (en, en)	le compositeur
die Orchestermusik	la musique symphonique	komponieren	composer
		der Dirigent (en, en)	le chef d'orchestre
die Kammermusik	la musique de chambre	leiten	diriger (un orchestre)
die Volksmusik	la musique populaire	das Pult (e)	le pupitre
die Popmusik	la musique pop	der Solist (en, en)	le soliste
die Rockmusik	le rock	vertonen	mettre en musique
die Jazzmusik	le jazz	der Beifall,	
das Konzert (e)	1. le concert	der Applaus (sg.)	les applaudissements
	2. le concerto	jm. Beifall klatschen	applaudir qn.
der Konzertsaal (säle)	la salle de concert		
das Orchester (-)	l'orchestre	die Note (n)	la note
die Symphonie (n),		die Partitur (en)	la partition
die Sinfonie (n)	la symphonie	die Tonleiter (n)	la gamme
der Satz (¨e)	le mouvement	C, D, E, F, G, A, H, C	do, ré, mi, fa, sol, la, si, do
die Oper (n)	l'opéra		
der Chor (¨e)	le chœur	der Takt (e), im Takt	en mesure
das Lied (er)	la chanson	der Rhythmus (men)	le rythme
singen (a, u)	chanter	rhythmisch	rythmique
der Gesang (¨e)	le chant	klingen (a, u)	résonner
der Sänger (-)	le chanteur	der Klang (¨e)	la sonorité, le timbre
die Sängerin (nen)	la cantatrice		

DIE MUSIKINSTRUMENTE
LES INSTRUMENTS DE MUSIQUE

das Instrument (e)	l'instrument	der Organist (en, en)	l'organiste
das Klavier (e)	le piano	das Streich-	l'instrument
der Klavierspieler (-),		instrument (e)	à cordes
der Pianist (en, en)	le pianiste	die Geige (n),	
der Flügel (-)	le piano à queue	die Violine (n)	le violon
die Taste (n)	la touche	der Geigenspieler (-)	le violoniste
die Klaviatur (en)	le clavier	die Bratsche (n)	l'alto
die Orgel (n)	l'orgue	das Cello (i)	le violoncelle

der Cellist (en, en)	le violoncelliste
der Kontrabaß (¨sse)	la contrebasse
die Harfe (n)	la harpe
die Gitarre (n)	la guitare
das Blasinstrument (e)	l'instrument à vent
die Blaskapelle (n)	la fanfare
die Trompete (n)	la trompette
das Horn (¨er)	le cor
die Posaune (n)	le trombone
die Oboe (n)	le haut-bois
die Klarinette (n)	la clarinette
die Flöte (n)	la flûte
die Mundharmonika (s)	l'harmonica
die Ziehharmonika (s)	l'accordéon

das Schlag-instrument (e)	l'instrument à percussion
das Schlagzeug	la batterie
die Trommel (n)	le tambour
trommeln	jouer du tambour
der Trommler (-)	le tambour (personne)
die Pauke (n)	la timbale
die Schallplatte (n)	le disque
die Compact-disc (s)	le disque compact
die Stereoanlage (n)	la chaîne stéréo
das Tonband (¨er)	la bande magnétique
das Tonbandgerät (e)	le magnétophone

DER TANZ
LA DANSE

tanzen	danser
der Tänzer (-)	le danseur
die Tänzerin (nen)	la danseuse
der Tanzkurs (e)	le cours de danse
die Tanzfläche (n)	la piste de danse
das Ballett (e)	le ballet

der Ballettänzer (-)	le danseur de ballet
die Ballett-tänzerin (nen)	la ballerine
der Solotänzer (-)	le danseur étoile
die Ballettmusik	la musique de ballet
der Walzer (-)	la valse

• *Expressions et phrases*

ins Konzert gehen (i, a, ist)	*aller au concert*
Musik hören	*écouter de la musique*
musikalisch sein	*être musicien, avoir l'oreille musicale*
Klavier üben	*s'exercer au piano*
Klavier / Geige spielen	*jouer du piano / du violon*
jemanden auf dem Klavier begleiten	*accompagner qn. au piano*
den Takt schlagen (u, a, ä)	*battre la mesure*
aus dem Takt kommen (a, o, ist)	*ne plus être en mesure*
die Trommel schlagen (u, a, ä) / rühren	*jouer du tambour*
den Ton an/geben (a, e, i)	*donner le la (sens propre et figuré)*
richtig / falsch singen (a, u)	*chanter juste / faux*
vor sich hin singen	*chantonner*
ein Klavierkonzert, ein Violinkonzert	*un concerto pour piano / pour violon*
solo spielen	*jouer en soliste*
sich (D) eine Platte an/hören	*écouter un disque*
jemanden zum Tanzen auf/fordern	*inviter qn. à danser*
einen Walzer tanzen	*danser une valse*
aus der Reihe tanzen (fig.)	*n'en faire qu'à sa tête*

DAS THEATER
LE THÉÂTRE

das Schauspielhaus (¨er)	le théâtre (édifice)
das Theaterstück (e)	la pièce de théâtre
die Theater-vorstellung (en), die Aufführung (en)	la représentation théâtrale

auf/führen	représenter (une pièce)
die Erstaufführung (en)	la première
die Generalprobe (n)	la répétition générale
der Spielplan (¨e)	le répertoire

das Publikum	le public	tragisch	tragique
der Zuschauer (-)	le spectateur	die Handlung (en)	l'action
der Kassenschlager (-)	la pièce à succès	sich ab/spielen	se dérouler
der Zuschauerraum (¨e)	la salle	die Szene (n),	la scène
das Parkett (e)	l'orchestre (salle)	der Auftritt (e)	(partie d'un acte)
der Sitz (e)	le siège	der Akt (e),	
der Rang (¨e)	la rangée	der Aufzug (¨e)	l'acte
der Balkon (e)	le balcon	die Inszenierung (en)	la mise en scène
die Kasse (n)	la caisse	etw. inszenieren	mettre en scène qch.
die Eintrittskarte (n)	le billet d'entrée		
der Vorverkauf	la réservation	die Truppe (n),	
die Garderobe	le vestiaire	das Ensemble (s)	la troupe
die Bühne (n)	la scène (le lieu)	der Schauspieler (-)	l'acteur
die Kulisse (n)	les coulisses	die Schauspielerin (nen)	l'actrice
das Bühnenbild (er)	le décor	der Statist (en, en)	le figurant
der Vorhang (¨e)	le rideau	auf/treten (a, e, i, ist)	entrer en scène
auf/gehen (i, a, ist)	se lever	der Auftritt (e)	l'entrée en scène
fallen (ie, a, ä, ist)	tomber	etw. dar/stellen	interpréter qch.
		eine Rolle spielen	jouer un rôle
das Festspiel (e)	le festival	die Hauptrolle (n)	le rôle principal
das Schauspiel (e)	le spectacle, la pièce	die Nebenrolle (n)	le rôle secondaire
das Lustspiel (e)	la comédie	die Rollenbesetzung	la distribution
die Komödie (n)	la comédie	Lampenfieber haben	avoir le trac
komisch, lustig	comique	der Erfolg (e)	le succès
das Trauerspiel (e),		der Mißerfolg (e)	l'échec
das Drama (s / en)	le drame	erfolgreich sein	avoir du succès
die Tragödie (n)	la tragédie	jn. aus/pfeifen (i, i)	siffler qn.

- *Expressions et phrases*

ins Theater gehen (i, a, ist)	*aller au théâtre*
Mach doch kein Theater! (fam.)	*Ne fais donc pas d'histoires !*
Das ist alles nur Theater! (fam.)	*C'est du cinéma !*
ein Theaterstück auf/führen	*représenter / monter une pièce*
vor ausverkauftem Haus spielen	*jouer à guichets fermés*
Alles ausverkauft!	*C'est complet !*
Beifall ernten / erhalten (ie, a, ä)	*récolter les applaudissements*
hinter die Kulissen sehen (a, e, ie)	*jeter un œil derrière les coulisses*
Die Vorstellung fällt aus.	*La représentation est annulée.*
sich an/stellen, Schlange stehen (a, a)	*faire la queue*
Das Stück spielt im Mittelalter.	*La scène se passe au Moyen-âge.*
eine Rolle verkörpern	*incarner un rôle*
eine Rolle übernehmen (a, o, i)	*prendre un rôle*
Das spielt keine Rolle. (fig.)	*Cela n'a pas d'importance.*

DER FILM
LE CINÉMA

der Film (e)	1. le cinéma	die Film-	
	2. le film	vorführung (en)	la séance de cinéma
die Filmkunst	le cinéma (art)	der Filmtitel (-)	le titre du film
das Kino (s)	le cinéma (salle)	die Originalfassung (en)	la version originale
die Leinwand (¨e)	l'écran	der Stummfilm (e)	le film muet
die Film-		der Schwarzweiß-	le film en noir
vorstellung (en)	la séance de cinéma	film (e)	et blanc

der Farbfilm (e)	le film en couleurs	das Filmfestival (s)	
der (Zeichen)		die Filmfest-	le festival
Trickfilm (e)	le dessin animé	spiele (pl.)	de cinéma
der Kurzfilm (e)	le court métrage		
der Spielfilm (e)	le long métrage	das Foto (s),	
der Kriminalfilm (e),		das Bild (er)	la photo
der Krimi (s)	le film policier	der Photoapparat (e),	
der Dokumentar-		die Kamera (s)	l'appareil photo
film (e)	le film documentaire	die Filmkamera (s)	la caméra
der Horrorfilm (e)	le film d'épouvante	die Videokamera (s)	le caméscope
der Wildwestfilm (e)	le western	der Fotograph (en, en)	le photographe
der Werbefilm (e)	le film publicitaire	etw. fotografieren	
der Regisseur (e)	le metteur en scène	etw. auf/nehmen	
etw. filmen	filmer qch.	(a, o, i)	photographier qch.
etw. verfilmen	porter à l'écran	die Nahaufnahme (n)	le gros-plan
etw. inszenieren	mettre en scène qch.	der Film (e)	la pellicule
einen Film drehen	tourner un film	das Dia (s),	
die Dreharbeiten (pl.)	le tournage	das Diapositiv (e)	la diapositive
das Drehbuch (¨er)	le scénario	das Blitzlicht (er)	le flash
etw. bearbeiten	adapter	etw. ein/stellen	régler,
die Bearbeitung (en)	l'adaptation		mettre au point
die Filmaufnahme (n)	la prise de vues	belichten	exposer
der Filmschauspieler (-)	l'acteur de cinéma	einen Film entwickeln	développer une
der Filmstar (s)	la star		pellicule
der Statist (en, en)	le figurant		

• *Expressions et phrases*

ins Kino gehen (i, a, ist)	*aller au cinéma*
einen Roman verfilmen	*mettre un roman à l'écran*
das Drehbuch zu einem Film schreiben	*écrire le scénario d'un film*
(ie, ie)	
Was läuft heute im Kino?	*Que passe-t-on au cinéma aujourd'hui ?*
Diesen Film mußt du dir ansehen!	*Il faut que tu voies ce film !*
eine Aufnahme / ein Photo machen	*faire une photo*
eine Nahaufnahme machen	*prendre une photo en gros-plan*
die Schärfe richtig ein/stellen	*régler correctement la netteté*

DIE LITERATUR
LA LITTÉRATURE

Allgemeines
Vocabulaire général

die Literatur (en)	la littérature	die Lexika	le dictionnaire
literarisch	littéraire	das Buch (¨er)	le livre
schreiben (ie, ie)	écrire	das Werk (e)	l'œuvre
die Schrift (en)	1. l'écriture	das Meisterwerk (e)	le chef-d'œuvre
	2. l'écrit	die Gattung (en)	le genre littéraire
der Schriftsteller (-)	l'écrivain	der Verleger (-)	l'éditeur
der Autor (en),		der Verlag (e),	
der Verfasser (-)	l'auteur	das Verlagshaus (¨er)	la maison d'édition
etw. verfassen	composer,	lesen (a, e, ie)	lire
	rédiger qch.	der Leser (-)	le lecteur
das Wörterbuch (¨er)	le dictionnaire	die Leserschaft (sg.)	les lecteurs
das Lexikon	le dictionnaire	die Lektüre (n)	la lecture

die Klassik	le classicisme	die Romantik	le romantisme
klassisch	classique	romantisch	romantique
der Klassiker (-)	le classique	der Romantiker (-)	le romantique

Die Dichtung
La poésie

das Gedicht (e)	le poème	volkstümlich	populaire
der Dichter (-)	le poète	spannend	passionnant
dichten	faire de la poésie	ergreifend	émouvant
die Strophe (n)	la strophe	rührend	touchant
der Vers (e)	le vers	fabelhaft	fabuleux
der Reim (e)	la rime	ausführlich	détaillé
sich reimen	rimer	nüchtern	sobre,
zeitgenössisch	contemporain		sans emphase

Die Prosa
La prose

der Roman (e)	le roman	der Titel (-),	
der Kriminalroman (e),	le roman	die Überschrift (en)	le titre
der Krimi (s)	policier	der Untertitel (-)	le sous-titre
der Roman-		der Inhalt (e)	le contenu
schriftsteller (-)	le romancier	das Thema (en)	le sujet
die Novelle (n)	la nouvelle	beschreiben (ie, ie)	décrire
das Tagebuch (¨er)	le journal intime	die Beschreibung (en)	la description
erzählen	raconter	schildern	relater, narrer
die Erzählung (en)	le récit	die Schilderung (en)	la narration
der Erzähler (-)	le narrateur	der Stil (e)	le style
die Geschichte (n)	l'histoire	die Form (en)	la forme
die Kurzgeschichte (n)	le récit,	die Rede (n)	le discours
	la nouvelle brève	der Redner (-)	l'orateur
die Sage (n),		der Grundgedanke	l'idée
die Legende (n)	la légende	(n, ns, n)	fondamentale
das Märchen (-)	le conte	der Leitgedanke	
der Riese (n, n)	le géant	(n, ns, n)	l'idée directrice
der Zwerg (e)	le nain	erläutern	commenter, élucider
		der Sinn (e)	le sens
das Abenteuer (-)	l'aventure	mehrsinnig	polysémique
abenteuerlich	aventureux	zweideutig	ambigu
der Text (e)	le texte	eindeutig	clair, sans ambiguïté

• *Expressions et phrases*

literarisch begabt sein	*avoir des dons littéraires*
die literarische Bewegung	*le mouvement littéraire*
eine Landschaft ausführlich beschreiben (ie, ie)	*décrire un paysage en détail*
Ereignisse schildern	*relater des événements*
ein spannender Roman	*un roman passionnant*
ein ergreifendes Gedicht	*un poème émouvant*
eine Rede halten (ie, a, ä)	*faire un discours*
ein zweideutiges Wort	*un mot à double sens*

Voir par ailleurs le vocabulaire du commentaire de texte (chap. 41).

VIII. DIE WELT

35. DIE ZEIT	LE TEMPS

Vocabulaire général

die Zeit (en)	1. le temps	die Zukunft	l'avenir
	2. l'époque	die Weile (sg.)	le moment (un
zeitlich	relatif au temps		certain temps)
das Zeitalter (-)	l'époque, l'ère	der Augenblick (e),	
der Zeitpunkt (e)	le moment	der Moment (e)	l'instant, le moment
der Zeitabschnitt (e)	la période	augenblicklich,	
der Zeigenosse (n, n)	le contemporain	momentan (adv.)	en ce moment
zeitgemäß	moderne, actuel	der Anfang (¨e),	
unzeitgemäß	inactuel, démodé	der Beginn	le commencement
rechtzeitig	à temps	das Ende (sg.)	la fin
gleichzeitig	simultanément	die Dauer	la durée
eine Zeitlang	durant un	dauerhaft	durable
	certain temps	die Frist (en)	le délai
		kurzfristig	à court terme
vergehen (i, a, ist)		mittelfristig	à moyen terme
(intr.)	passer	langfristig	à long terme
vergangen	passé	das Datum, die Daten	la date
die Vergangenheit	le passé	die Ewigkeit	l'éternité
gegenwärtig	présent	ewig	éternel
die Gegenwart	le présent		
künftig	futur		

• *Expressions et phrases*

zu dieser Zeit	*à cette époque*
zur Zeit	*en ce moment*
um diese Zeit	*à cette heure*
von Zeit zu Zeit	*de temps en temps*
vor kurzer Zeit	*récemment*
vor einiger Zeit	*il y a quelque temps*
zur rechten Zeit	*au bon moment*
zu jeder Zeit	*à tout moment*
zur gleichen Zeit	*au même moment*
zu meiner Zeit	*de mon temps*
die gute alte Zeit	*le bon vieux temps*

Die Zeit vergeht.	*Le temps passe.*
die Zeit verbringen (verbrachte, verbracht)	*passer le temps*
in der Vergangenheit, in (der) Zukunft	*dans le passé, à l'avenir*
am Anfang / zu Beginn	*au début*
Das ist der Anfang vom Ende.	*C'est le début de la fin.*
Aller Anfang ist schwer! (Prov.)	*Il n'y a que le premier pas qui coûte !*
am Ende	*à la fin*
von einem Ende bis zum anderen	*d'un bout à l'autre*
am Ende der Welt	*au bout du monde*
Ende dieses Monats	*à la fin de ce mois*
etwas zum guten Ende bringen	*mener qch. à bonne fin*
(brachte, gebracht)	
Ich bin am Ende! (fam.)	*Je suis au bout du rouleau !*
Die Vorstellung ist zu Ende.	*La représentation est terminée.*
Ich bin fertig.	*J'ai fini.*
Das muß ein Ende haben!	*Il faut que cela finisse !*
Ende gut, alles gut! (Prov.)	*Tout est bien qui finit bien !*
Es dauerte eine Weile.	*Cela a duré un certain temps.*
Warte einen Augenblick!	*Attends un instant !*
Moment, bitte!	*Un instant, s'il vous plaît !*
eine Frist ein/halten (ie, a, ä)	*respecter un délai*

ADVERBES DE TEMPS

anfangs	au début	von jeher	de tout temps
schon / bereits	déjà	früh	tôt
bisher	jusqu'ici	spät	tard
diesmal	cette fois-ci	eher	1. plus tôt
inzwischen	entre-temps		2. (adv. de man.)
jetzt	maintenant		plutôt
gleich / sogleich / sofort	tout de suite	früher / ehemals	autrefois
gleichzeitig	en même temps	damals	à cette époque-là
rechtzeitig	à temps	seit langem / längst /	
kurz darauf	peu après	schon lange	depuis longtemps
vorher / zuvor	auparavant	lange	longtemps
nachher / danach	après (adv.)	seither / seitdem	depuis lors
bald	bientôt	seit kurzem	depuis peu
demnächst	prochainement	vor kurzem / kürzlich /	récemment, il y a
später	plus tard	neulich	peu de temps
immer	toujours	im voraus	d'avance
nie	jamais		

ADVERBES D'ORDRE

zunächst	tout d'abord	schließlich	finalement
zuerst	d'abord	endlich	enfin
danach	après cela	zuletzt	en dernier lieu
dann	ensuite		

ADVERBES DE FRÉQUENCE

plötzlich / auf einmal	soudain, tout d'un coup	bald..., bald...	tantôt..., tantôt...
selten	rarement	nach und nach,	peu à peu,
manchmal	parfois	allmählich	progressivement
gelegentlich	occasionnellement	wieder	à nouveau
gewöhnlich	habituellement	mehrmals	plusieurs fois
zufällig	par hasard	oft / häufig	souvent,
von Zeit zu Zeit,			fréquemmment
ab und zu	de temps en temps	stets / ständig	constamment
dann und wann,		unaufhörlich	sans cesse
hin und wieder	de temps à autre	meistens	le plus souvent

• *Expressions et phrases*

Bisher ging alles gut.	*Jusqu'ici tout s'est bien passé.*
Inzwischen ist er weggegangen.	*Entre temps, il est parti.*
Er ist rechtzeitig angekommen.	*Il est arrivé à temps.*
Kurz darauf begann der Unterricht.	*Le cours a commencé peu après.*
Zuvor hat er mit seinen Freunden gesprochen.	*Auparavant, il a parlé à ses amis.*
Danach ging er nach Hause.	*Après cela, il rentra chez lui.*
Demnächst wird er verreisen.	*Prochainement, il partira en voyage.*
Ich danke Ihnen im voraus.	*Je vous remercie d'avance.*
Ich kenne ihn schon lange.	*Je le connais depuis longtemps.*
Er war von jeher sehr intelligent.	*Il a toujours été très intelligent.*
Aber früher war er nicht so fleißig.	*Mais autrefois, il n'était pas aussi travailleur.*
Mit 18 verließ er die Schule; damals ging er noch gern aus.	*À 18 ans, il quitta l'école ; à cette époque-là, il aimait encore sortir.*
Aber später hatte er immer weniger Zeit.	*Mais plus tard, il eut de moins en moins de temps.*
Er wechselte mehrmals die Arbeit.	*Il changea plusieurs fois de travail.*
Nach und nach verbesserte er seine Stellung.	*Il améliora peu à peu sa situation.*
Er hatte ständig viel zu tun.	*Il avait constamment beaucoup à faire.*
Doch war er meistens zufrieden.	*Cependant, il était le plus souvent satisfait.*
Ich werde dich gelegentlich besuchen.	*Je te rendrai visite à l'occasion.*
Ich habe ihn zufällig getroffen.	*Je l'ai rencontré par hasard.*
Die Lage hat sich allmählich verbessert.	*La situation s'est améliorée progressivement.*
Bald ist er lustig, bald weint er.	*Tantôt il est joyeux, tantôt il pleure.*

DER TAG (E)
LE JOUR

Montag	lundi	heute	aujourd'hui
Dienstag	mardi	heute morgen	ce matin
Mittwoch	mercredi	heute nachmittag	cet après-midi
Donnerstag	jeudi	heute abend	ce soir
Freitag	vendredi	heutzutage	de nos jours
Samstag	samedi	morgen	demain
Sonntag	dimanche	übermorgen	après-demain
gestern	hier	am Tag	le jour / de jour
vorgestern	avant-hier	tagsüber	durant la journée
gestern morgen	hier matin	täglich	quotidien

zweitägig,	de deux jours,	der Morgen (-)	le matin
achttägig, etc.	de huit jours, etc.	am Morgen / morgens	le matin
tagelang	des jours durant	am nächsten Morgen	le lendemain matin
der Tagesablauf	le déroulement	morgen früh	demain matin
	de la journée	morgen nachmittag	demain après-midi
der Werktag (e)	le jour ouvrable	morgen abend	demain soir
der Feiertag (e)	le jour férié	am Vormittag,	
der Alltag	le quotidien	vormittags	dans la matinée
jeden Tag	tous les jours	heute mittag	ce midi
jeden zweiten Tag	tous les deux jours	der Nachmittag (e)	l'après-midi
den ganzen Tag	toute la journée	am Nachmittag,	
am nächsten Tag	le lendemain	nachmittags	l'après-midi
am folgenden Tag	le lendemain	heute nachmittag	cet après-midi
am Tag nach Ostern	le lendemain	am Abend / abends	le soir
	de Pâques	gestern abend	hier soir
am Tag zuvor	la veille	am Vorabend	la veille
am Tag vor Ostern	la veille de Pâques	die Nacht ("e)	la nuit
am gleichen Tag	le même jour	in der Nacht / nachts	durant la nuit
vor acht Tagen	il y a huit jours	mitten in der Nacht	au milieu de la nuit
in vierzehn Tagen	dans quinze jours	um Mitternacht	à minuit
eines Tages	un jour		

DIE UHRZEIT
L'HEURE

die Uhr (en)	la montre	Es ist ein Uhr.	Il est une heure.
die Armbanduhr (en)	la montre-bracelet	um ein Uhr	à une heure
der Wecker (-)	le réveil	Es ist 10 nach eins.	Il est une heure 10.
die Stunde (n)	l'heure	Es ist Viertel nach eins.	Il est une heure un
eine halbe Stunde	une demi-heure		quart.
eine Viertelstunde	un quart d'heure	Es ist halb zwei.	Il est une heure et
die Minute (n)	la minute		demie.
die Sekunde (n)	la seconde	Es ist Viertel vor zwei.	Il est deux heures
der Zeiger (-)	l'aiguille		moins le quart.

DIE WOCHE, DER MONAT UND DAS JAHR
LA SEMAINE, LE MOIS ET L'ANNÉE

die Woche (n)	la semaine	November	novembre
wöchentlich	hebdomadaire	Dezember	décembre
das Wochenende (n)	le week-end	das Jahr (e)	l'année
die Arbeitswoche	la semaine de travail	jährlich	annuel
der Monat (e)	le mois	jahrelang	durant des années
monatlich	mensuel	zweijährig	1. qui dure deux ans
Januar	janvier		2. âgé de deux ans
Februar	février	die Jahreszeit (en)	la saison
März	mars	der Frühling	le printemps
April	avril	der Sommer	l'été
Mai	mai	der Herbst	l'automne
Juni	juin	der Winter	l'hiver
Juli	juillet	das Jahrzehnt (e)	la décennie
August	août	das Jahrhundert (e)	le siècle
September	septembre	das Jahrtausend (e)	le millénaire
Oktober	octobre		

VERBES RELATIFS AU TEMPS

an/fangen (i, a, ä) (mit + D)	commencer (par)	Zeit verbringen (verbrachte, verbracht)	passer du temps
enden (intr.)	finir		
etw. beenden	finir, terminer qch.	etw. erwarten	attendre qch.
dauern	durer	Zeit gewinnen (a, o)	gagner du temps
sich erinnern an + A	se souvenir de, se rappeler	Zeit verlieren (o, o)	perdre du temps
vergessen (a, e, i)	oublier	sich verspäten	être retardé
vor/sehen (a, e, ie)	prévoir (programmer)	vor/gehen (i, a, ist) (die Uhr)	avancer
voraus/sehen (a, e, ie)	prévoir (faire des prévisions)	nach/gehen (i, a, ist) (die Uhr)	retarder
vorher/sagen	prédire	Verspätung haben	avoir du retard
		Vorsprung haben	avoir de l'avance
		verschieben (o, o)	reporter

• *Expressions et phrases*

eine zweitägige Reise	*un voyage de deux jours*
Montag, den 2. Oktober	*Lundi, le 2 octobre*
Paris, den 1. November 1995	*Paris, le 1er novembre 1995*
am Montag, Dienstag / montags …	*le lundi, le mardi, etc.*
Heute haben wir den 3. Mai.	*Aujourd'hui, nous sommes le 3 mai.*
zweimal pro Tag	*deux fois par jour*
Guten Morgen!	*Bonjour ! (le matin)*
Guten Tag!	*Bonjour !*
Guten Abend!	*Bonsoir !*
Gute Nacht!	*Bonne nuit !*
bei Tage	*de jour*
Der Tag bricht an.	*Le jour se lève.*
am hellichten Tag	*en plein jour*
vom ersten Tag an	*dès le premier jour*
an den Tag bringen (brachte, gebracht)	*mettre à jour*
in den Tag hinein leben	*vivre au jour le jour*
die Sorgen des Alltags	*les soucis du quotidien*
Jeder Tag hat seine Plage. (Prov.)	*À chaque jour suffit sa peine.*
am frühen Morgen	*tôt le matin*
von früh bis spät	*du matin jusqu'au soir*
von heute auf morgen	*du jour au lendemain*
am späten Nachmittag	*tard dans l'après-midi*
am Wochenende	*le week-end*
im (Monat) Mai	*au mois de mai*
am Anfang des Monats	*au début du mois*
am Ende des Jahres	*à la fin de l'année*
im Jahre 1996 / 1996 (sans préposition)	*en 1996*
vor zwei Jahren	*il y a deux ans*
voriges Jahr / nächstes Jahr	*l'an dernier / l'an prochain*
im Sommer / im Winter	*en été / en hiver*
die Jahrhundertwende	*le tournant du siècle*
die Jahrtausendwende	*le tournant du millénaire*
Das war nicht vorgesehen.	*Cela n'était pas prévu.*
Wir konnten das nicht voraussehen.	*Nous ne pouvions pas prévoir cela.*
Meine Uhr geht vor.	*Ma montre avance.*
Meine Uhr ist stehengeblieben.	*Ma montre s'est arrêtée.*
Wieviel Uhr ist es? / Wie spät ist es ?	*Quelle heure est-il ?*
Es ist zwölf (Uhr). / Es ist Mittag.	*Il est midi.*

Es ist Viertel nach zwei.	*Il est deux heures un quart.*
Es ist halb drei.	*Il est deux heures et demie.*
Es ist fünf nach halb drei.	*Il est quatre heures moins vingt-cinq.*
Es ist Viertel vor drei.	*Il est quatre heures moins le quart.*
Um wieviel Uhr kommt er?	*À quelle heure viendra-t-il ?*
Um acht Uhr / um acht!	*À huit heures !*
Es ist Punkt Mittag.	*Il est midi pile.*
Es schlägt zwölf.	*Il sonne midi.*
Der Zug kommt um fünf nach drei an.	*Le train arrive à trois heures cinq.*
Der Zug hat Verspätung.	*Le train a du retard.*
Sie haben einen großen Vorsprung.	*Ils ont une grande avance sur nous.*
Wir müssen unser Treffen auf morgen verschieben.	*Il faut que nous reportions notre rencontre à demain.*

---

36. DIE GEOGRAPHIE   LA GÉOGRAPHIE

Vocabulaire général

die Geographie,		die See (n)	la mer
die Erdkunde	la géographie	der Ozean (e)	l'océan
die Erde	la terre	der See (n)	le lac
die Erdkugel,		der Strom (¨e)	le fleuve
der Globus	le globe	der Fluß (¨sse)	la rivière
die Halbkugel (n)	l'hémisphère	der Bach (¨e)	le ruisseau
der Erdteil (e),		die Quelle (n)	la source
der Kontinent (e)	le continent	fließen (o, o, ist)	couler
der Planet (en, en)	la planète	die Insel (n)	l'île
die Welt (en)	le monde	die Küste (n)	la côte
das Weltall	le cosmos, l'univers	der Strand (¨e)	la plage
der Weltraum	l'espace	der Berg (e)	la montagne
der Stern (e)	l'étoile	das Gebirge (sg.)	les montagnes,
der Himmel	le ciel		la chaîne de
die Sonne	le soleil		montagnes
das Sonnensystem (e)	le système solaire		
der Mond (e)	la lune	die Ebene (n)	la plaine
das Wasser	l'eau	die Hochebene (n)	le plateau
das Meer (e)	La mer	das Tal (¨er)	la vallée

• *Expressions et phrases*

am Ende der Welt	*au bout du monde*
in der ganzen Welt	*dans le monde entier*
die Dritte Welt	*le Tiers-Monde*
die Neue Welt	*le Nouveau Monde (l'Amérique)*
die weite Welt	*le vaste monde*
eine Reise um die Welt	*un voyage autour du monde*

in der Welt viel herum/kommen (a, o, ist)	*beaucoup voyager / rouler sa bosse*
Alle Welt weiß das.	*Tout le monde sait cela.*
auf die Welt / zur Welt kommen (a, o, ist)	*venir au monde*
das Licht der Welt erblicken	*voir le jour, venir au monde*
Das ist der Lauf der Welt.	*Ainsi va le monde.*
am Meer	*au bord de mer*
auf offener See	*en haute mer*
an der Küste	*sur la côte*
am Strand	*à la plage*
im Gebirge / in den Bergen	*en montagne*
auf dem Berg	*sur la montagne*
auf der Hochebene	*sur le plateau*
im Tal	*dans la vallée*

Vocabulaire spécialisé

DAS WELTALL
L'UNIVERS

entstehen (a, a, ist)	se former, naître	sich drehen um + A	tourner autour
erforschen	explorer	die Umlaufbahn (en)	l'orbite
die Weltraumforschung	la recherche spatiale	der Sonnenstrahl (en)	le rayon du soleil
		der Sonnenaufgang (¨e)	le lever du soleil
der Astronom (en, en)	l'astronome	der Sonnenunter-	le coucher
der Astronaut (en, en)	l'astronaute	gang (¨e)	du soleil
die Sternwarte (n)	l'observatoire	auf/gehen (i, a, ist)	se lever
das Fernrohr (e)	le télescope	unter/gehen (i, a, ist)	se coucher
die Milchstraße	la voie lactée	die Sonnen-	
das Lichtjahr (e)	l'année-lumière	finsternis (se)	l'éclipse du soleil
unendlich	infini	strahlen	briller, rayonner
unermeßlich	incommensurable	leuchten	luire
unzählig	innombrable	funkeln	étinceler

DIE ERDE UND DIE HIMMELSRICHTUNGEN
LA TERRE ET LES POINTS CARDINAUX

die Erdoberfläche	la surface de la terre	südlich	du sud / méridional
der Äquator	l'équateur	der Osten	l'est
der Breitengrad	le degré de latitude	östlich	de l'est / oriental
der Längengrad	le degré de longitude	der Westen	l'ouest
der Pol (e)	le pôle	westlich	occidental
der Nordpol	le pôle nord	Nordeuropa	l'Europe du Nord
der Südpol	le pôle sud	Südeuropa	l'Europe du Sud
der Polarkreis	le cercle polaire	der Nahe Osten	le Proche-Orient
der Norden	le nord	der Mittlere Osten	le Moyen-Orient
nördlich	du nord	der Ferne Osten	l'Extrême-Orient
der Süden	le sud		

OZEANE UND MEERE
LES OCÉANS ET LES MERS

das Mittelmeer	la Méditerranée	die Welle (n)	la vague
das Schwarze Meer	la Mer Noire	der Schaum	l'écume
die Nordsee	la Mer du Nord	bewegt	agité
die Ostsee	la Baltique	die Alge (n)	l'algue
der Ärmelkanal	la Manche	der Eisberg (e)	l'iceberg
der Atlantik	l'océan Atlantique	die Felsenküste (n)	la côte rocheuse
der Pazifik,		die Felswand (ë)	la falaise
der Stille Ozean	l'océan Pacifique	das Kap (s)	le cap
der Meeresspiegel	le niveau de la mer	das Riff (e)	le récif
die Bucht (en)	la baie	die Klippe (n)	l'écueil
die Ebbe (n)	la marée basse	der Sand	le sable
die Flut (en)	la marée haute	sandig	sablonneux
die Gezeiten	les marées	die Sandbank (¨e)	le banc de sable
die Sturmflut (en)	le raz-de-marée	die Düne (n)	la dune

SEEN UND ANDERE GEWÄSSER
LACS ET AUTRES COURS D'EAU

der Bodensee	le lac de Constance	sumpfig	marécageux
entspringen (a, u, ist)		der Kanal (¨e)	le canal
+ prép.+ D	prendre sa source	die Schleuse (n)	l'écluse
strömen	couler à flots	der Damm (¨e)	la digue
der Bergstrom (¨e),		der Staudamm (¨e),	
der Sturzbach (¨e)	le torrent	die Talsperre (n)	le barrage
der Wasserfall (¨e)	la cascade,	der Rhein	le Rhin
	la chute d'eau	der Main	le Main
flußaufwärts	en amont	der Neckar	le Neckar
flußabwärts	en aval	die Donau	le Danube
das Delta (s)	le delta	die Mosel	la Moselle
die Mündung (en)	l'embouchure	die Elbe	l'Elbe
münden in + A	se jeter dans	die Oder	l'Oder
das Ufer (-)	la rive	die Seine	la Seine
der Teich (e)	l'étang	die Rhône	le Rhône
der Sumpf (¨e)	le marécage	die Themse	la Tamise

INSELN
ÎLES

Korsika	la Corse	Sardinien	la Sardaigne
Kreta	la Crète	Sizilien	la Sicile

DAS GEBIRGE
LES MONTAGNES

die Gebirgskette (n)	la chaîne de montagnes	bergab gehen (i, a, ist)/ fahren (ie, a, ä, ist)	descendre la montagne
das Hochgebirge	la haute montagne	bergig	montagneux
bergauf gehen (i, a, ist)/ fahren (ie, a, ä, ist)	monter la montagne	die Gebirgslandschaft (en)	le paysage de montagne

der Gipfel (-)	le sommet	die Alm (en)	l'alpage
der Bergkamm ("e)	la crête	der Gletscher (-)	le glacier
	d'une montagne	die Lawine (n)	l'avalanche
der (Ab)hang ("e)	le versant, la pente	der Vulkan (e)	le volcan
die Höhe (n)	la hauteur	steil	raide, escarpé
der Hügel (-)	la colline	schroff	abrupt
der Fels (en, en),		flach / eben	plat
der Felsen (-)	le rocher	klettern	grimper
die Schlucht (en)	la gorge	empor /ragen	se dresser
	(d'une montagne)	die Alpen	les Alpes
der Abgrund ("e)	le ravin, le précipice	die Pyrenäen	les Pyrénées
die Kluft ("e)	la crevasse, le gouffre	die Vogesen	les Vosges
die Höhle (n)	la caverne	der Schwarzwald	la Forêt Noire
der Paß ("sse)	le col		

ANDERE LANDSCHAFTEN
AUTRES PAYSAGES

die Wüste (n)	le désert	öde	désert, dénudé
die Wüsten-		die Steppe (n)	la steppe
landschaft (en)	le paysage désertique	der Dschungel	la jungle
die Oase (n)	l'oasis	der Urwald ("er)	la forêt vierge

• *Expressions et phrases*

die Entstehung der Welt	*l'origine du monde*
den Weltraum erforschen	*explorer l'espace*
einen Satelliten auf eine Umlaufbahn bringen	*mettre un satellite en orbite*
(brachte, gebracht)	
bei Sonnenaufgang	*au lever du soleil*
im Norden, im Süden, usw.	*au nord, au sud, etc.*
in Norddeutschland	*en Allemagne du nord*
in Westeuropa	*en Europe occidentale*
im Süden Frankreichs	*dans le sud de la France*
südlich von Deutschland	*au sud de l'Allemagne*
Der Rhein entspringt am Sankt Gotthard.	*Le Rhin prend sa source au Saint-Gothard.*
Die Rhône mündet ins Mittelmeer.	*Le Rhône se jette dans la Méditerranée.*
auf einer Insel leben	*vivre sur une île*
Er verbringt den Urlaub auf Korsika.	*Il passe ses vacances en Corse.*
in die Berge gehen (i, a, ist)	*aller en montagne*
einen Paß überqueren	*franchir un col*
eine schroffe Felswand	*une paroi rocheuse abrupte*
ein steiler Hang	*un versant raide*
Das Wasser strömt den Berg hinab.	*L'eau descend en torrents de la montagne.*
Das ist Wasser auf seine Mühle. (fig.)	*Cela apporte de l'eau à son moulin.*

DIE NATURKATASTROPHEN
LES CATASTROPHES NATURELLES

Allgemeines
Vocabulaire général

die Katastrophe (n)	la catastrophe	die Trümmer (pl.)	les décombres
der Schaden (")	le dommage	retten / bergen (a, o, i)	sauver
verursachen / aus/lösen	causer / provoquer	der Retter (-)	le sauveteur

die Rettungs-mannschaft (en) — l'équipe de sauveteurs
das Opfer (-) — la victime

das Erdbeben (-) — le tremblement de terre
beben / zittern — trembler
die Stärke — la force
die Richterskala — l'échelle de Richter
das Erdbebengebiet (e) — la zone du séisme

der Vulkan-ausbruch (¨e) — l'éruption d'un volcan
aus/brechen (a, o, i, ist) — entrer en éruption

die Lawine (n) — l'avalanche
die Lawinengefahr (en) — le risque d'avalanche

die Über-schwemmung (en) — l'inondation
überschwemmen — inonder
das Hochwasser — la crue

der Waldbrand (¨e) — l'incendie de forêt
brennen (brannte, gebrannt) — brûler
der Brand (¨e) — l'incendie
der Brandstifter (-) — l'incendiaire, le pyromane

sich aus/breiten — se répandre
der Feuerwehr-mann (leute) — le pompier

verheeren — dévaster
zerstören — détruire
verschlimmern — aggraver

der Erdstoß (¨e) — la secousse sismique
der Erdriß (sse) — la fissure de terrain
der Erdrutsch (e) — le glissement de terrain
der Schaden (¨) — le dommage, le dégât

die Lava — la lave
der Krater (-) — le cratère
glühend — incandescent
die Asche — les cendres

jn. verschütten — ensevelir qn.

die Sturmflut (en) — le raz de marée
über das Ufer treten (a, e, i, ist) — déborder
die Dürre (n) — la sécheresse

die Feuerwehr (sg.) — les pompiers
löschen — éteindre
das Löschfahrzeug (e) — la voiture de pompiers

der Rauch — la fumée
der Qualm — la fumée épaisse
qualmen — fumer

• *Expressions et phrases*

in Trümmern liegen (a, e) — *être en ruines*
Schaden an/richten — *causer des dégâts*
Opfer fordern — *faire des victimes*
Das Erdbeben erreichte Stärke 6 auf der Richterskala. — *Le tremblement de terre a atteint la force 6 sur l'échelle de Richter.*
Es hat einen Erdrutsch ausgelöst. — *Il a provoqué un glissement de terrain.*
Es hat großen Schaden angerichtet. — *Il a causé des dommages importants.*
unter Wasser stehen (a, a) — *être inondé*
Das Wasser reißt alles mit sich. — *L'eau emporte tout.*
Die Überschwemmung hat zwei Opfer gefordert. — *L'inondation a fait deux victimes.*

in Brand geraten (ie, a, ä, ist) — *prendre feu*
in Brand stehen (a, a) — *être en feu*
ein Haus in Brand stecken — *mettre le feu à une maison*
Ein Brandstifter hat das Haus in Brand gesteckt. — *Un incendiaire a mis le feu à la maison.*
einen Brand ein/dämmen — *maîtriser un incendie*
Die Feuerwehr greift rasch ein. — *Les pompiers interviennent rapidement.*

37. UMWELT UND UMWELTSCHUTZ
L'ENVIRONNEMENT ET L'ÉCOLOGIE

Vocabulaire général

die Umwelt	l'environnement	verseucht	contaminé
der Umweltschutz	la protection de l'environnement	die Luft verpesten	polluer l'air
die Umweltver-schmutzung (en)	la pollution de l'environnement	verursachen	causer, provoquer
		hervor/rufen (ie, u)	provoquer, susciter
die Umwelt-belastung (en)	la nuisance	zur Folge haben + A	avoir pour conséquence
die Umwelt schäden (pl.)	les dégâts causés à l'environnement	aus/lösen	déclencher
		sauber	propre
die Umwelt vernichtung (en)	la destruction de l'environnement	schmutzig	sale
		rein	pur
der Umweltschützer (-)	l'écologiste	heil	sain, préservé
der Grüne (adj.)	l'écologiste (membre ou sympatisant des verts)	schädlich	nocif
		gesundheitsschädigend	nocif pour la santé
		schaden + D	nuire à
		der Schaden (¨)	le dommage
die Ökologie	l'écologie	besorgniserregend, beunruhigend	inquiétant
die Umweltpolitik	la politique de l'environnement	die Luft-verschmutzung (en), -verpestung (en)	la pollution de l'air
das Naturschutz-gebiet (e)	la réserve naturelle	die Wasser-verseuchung (en)	la contamination de l'eau
umweltfreundlich	non polluant, écologique	die Boden-verseuchung (en)	la contamination du sol
umweltfeindlich	nuisible à l'environnement	das Grundwasser	la nappe phréatique
		die Kläranlage (n)	la station d'épuration
umweltverschmutzend	polluant		
verschmutzen	polluer		
verseuchen	polluer, contaminer	reinigen	épurer

DAS AUTO UND LUFTVERSCHMUTZUNG
LA VOITURE ET LA POLLUTION DE L'AIR

die Abgase (pl.)	les gaz d'échappement	aus/rüsten mit	équiper de
		das bleifreie Benzin	l'essence sans plomb
aus/stoßen (ie, o, ö)	dégager, émettre	das verbleite Benzin	l'essence avec plomb
der Ausstoß (¨e)	l'émission	das Kohlenmonoxyd	le monoxyde de carbone
der Katalysator (en), der Kat	le pot catalytique	das Kohlendioxyd, das CO_2	le dioxyde de carbone
das Kat-Auto	la voiture équipée d'un pot catalytique	das Schwefeldioxyd	le dioxyde de soufre

der saure Regen	les pluies acides	der Meeresspiegel	le niveau de la mer
das Waldsterben	le dépérissement	die Atomrückstände	les résidus
	des forêts		nucléaires
das Ozon	l'ozone	die Radioaktivität	la radioactivité
die Ozonschicht	la couche d'ozone	die Strahlen-	
das Ozonloch (¨er)	le trou d'ozone	belastung (en)	l'irradiation
das Treibgas (e)	le gaz propulseur	der Lärm (sg.)	le bruit
die Fluorchlorkohlen-	les chlorofluoro-	die Lärm-	
wasserstoffe (pl.)	carbones	belästigung (en)	la nuisance sonore
die FCKW	les C.F.C.	der Lärmschutz (sg.)	la protection
der Treibhauseffekt	l'effet de serre		contre le bruit
die Erderwärmung	le réchauffement	ein/dämmen	endiguer, réduire
	de la terre	die Lärm-	
die Klima-	le changement	schutzwand (¨e)	le mur anti-bruit
veränderung (en)	climatique	die Ölpest (sg.)	la marée noire

- *Expressions et phrases*

die Verseuchung der Gewässer	*la pollution des eaux (rivières, fleuves, etc.)*
die Reinhaltung der Gewässer	*la préservation de la propreté des eaux*
das Abholzen der Tropenwälder	*la déforestation des forêts tropicales*
eine umweltfreundliche Politik führen	*mener une politique écologique*
den Lärm eindämmen	*réduire le bruit*
Die Grünen bekämpfen alle	*Les Verts combattent toutes les nuisances à*
Umweltbelastungen.	*l'environnement.*
Der Ausstoß von Abgasen fördert den	*L'émission de gaz d'échappement favorise*
Treibhauseffekt.	*l'effet de serre.*
Die Ozonschicht wird dünner.	*La couche d'ozone devient plus mince.*
Über den Polen vergrößert sich das	*Le trou dans la couche d'ozone s'agrandit*
Ozonloch.	*au-dessus des pôles.*
Der Meeresspiegel steigt.	*Le niveau de la mer monte.*
Das Grundwasser wird durch Giftstoffe	*La nappe phréatique est polluée par des*
verseucht.	*produits toxiques.*
Die Lärmbelastung kann schwere	*Les nuisances sonores peuvent provoquer*
Gesundheitsschäden hervorrufen.	*de graves dommages à la santé.*

DAS MÜLLPROBLEM
LE PROBLÈME DES ORDURES

der Müll (sg.)	les ordures	der Atommüll	les déchets
der Abfall (¨e)	le déchet		nucléaires
die Müllabfuhr	l'enlèvement	das Gift (e)	le poison
	des ordures	der Giftstoff (e),	
die Müllentsorgung	l'élimination	der Schadstoff (e)	le produit toxique
	des ordures	der Giftmüll	les déchets toxiques
entsorgen	1. éliminer /		
	évacuer	die Mülldeponie (n),	
	2. décontaminer	die Müllkippe (n)	la décharge
die Abfallbeseitigung	l'élimination	der Müllabladeplatz (¨e)	la décharge
	des déchets		publique
der Hausmüll	les ordures	lagern / ab/lagern	stocker, déposer
	ménagères	die Lagerung (sg.),	
der Industriemüll	les déchets	die Ablagerung	le stockage
	industriels	den Müll sammeln	collecter les ordures
der Verpackungsmüll	les déchets dus	der Container (-)	le conteneur
	aux emballages	der Mülleimer (-)	la poubelle

den Müll sortieren	trier les déchets	die Pfandflasche (n)	la bouteille
die Verbrennung	l'incinération		consignée
die Müllverbrennungs-	l'usine	die Wieder/verwertung	
anlage (n)	d'incinération	(en), das Recycling	le recyclage
	des ordures	wiederverwerten,	
das Altpapier	les vieux papiers	recyceln	recycler
der Stahlschrott (sg.),		die Wieder-	la réutilisation,
der Eisenschrott (sg.)	la ferraille	verwendung (en)	la récupération
die Einweg-		wieder/auf/bereiten	retraiter
verpackung (en)	l'emballage jetable	endlagern	stocker
die Mehrweg-	l'emballage		définitivement
verpackung (en)	à réutiliser	die Endlagerung (en)	le stockage
			définitif

• *Expressions et phrases*

Die Müllentsorgung stellt immer mehr Probleme.	*L'élimination des ordures pose de plus en plus de problèmes.*
Durch Recycling werden Rohstoffe gespart.	*Grâce au recyclage, on économise des matières premières.*
Das Sortieren des Hausmülls ermöglicht die Wiederverwertung mancher Stoffe.	*Le tri des ordures ménagères permet le recyclage de certains matériaux.*
Durch die Müllverbrennung werden schädliche Abgase ausgestoßen.	*Lors de l'incinération, des gaz nocifs sont émis dans l'atmosphère.*
Pfandflaschen im Verkauf an/bieten (o, o)	*proposer à la vente des bouteilles consignées*
die Umweltkriminalität ein/dämmen	*endiguer la délinquance en matière d'écologie*
die Verseuchung durch radioaktive Stoffe	*la contamination par des matières radioactives*
die Entsorgung der Kernkraftwerke	*la décontamination des centrales nucléaires*
die Endlagerung des Atommülls	*le stockage définitif des déchets nucléaires*

---

38. WETTER UND KLIMA   LA MÉTÉOROLOGIE ET LE CLIMAT

Vocabulaire général

das Wetter	le temps	kontinental	continental
das Klima (s)	le climat	tropisch	tropique
klimatisch	climatique	subtropisch	subtropique
die Klima-	le changement	die Tropen (pl.)	les tropiques
veränderung (en)	climatique	die Klimaerwärmung	le réchauffement
sich verändern	changer /		climatique
	se modifier	sich erwärmen	se réchauffer
gemäßigt	tempéré	die Abkühlung	le refroidissement

sich ab/kühlen	se refroidir	das Glatteis	le verglas
die Temperatur (en)	la température	es friert (o, o)	il gèle
die Durchschnitts-	la température	der Frost	le gel, la gelée
temperatur	moyenne	der Hagel	la grêle
regnen	pleuvoir	es hagelt	il grêle
regnerisch	pluvieux	der Sturm (¨e)	la tempête
der Regen		der Donner	le tonnerre
(die Regenfälle)	la pluie	der Blitz (e)	l'éclair
die Wolke (n)	le nuage	der Wind (e)	le vent
bewölkt	nuageux	windig	venteux
die Sonne	le soleil	warm	chaud
sonnig	ensoleillé	die Wärme	la chaleur
scheinen (ie, ie)	briller	heiß	très chaud
der Sonnenstrahl (en)	le rayon de soleil	die Hitze	la forte chaleur
der Sonnenschein (sg.)	le soleil	kalt	froid
bei Sonnenschein	quand le soleil brille	die Kälte	le froid
der Nebel	le brouillard	milde	doux
neb(e)lig	brumeux	rauh	rigoureux
der Schnee	la neige	trocken	sec
verschneit	enneigé	die Trockenheit	la sécheresse
schneien	neiger	feucht	humide
schmelzen (o, o, i, ist)	fondre	die Feuchtigkeit	l'humidité
das Eis	la glace	naß	mouillé

Vocabulaire spécialisé

DIE WETTERVERHÄLTNISSE
LES CONDITIONS MÉTÉOROLOGIQUES

der Wetterbericht (e)	le bulletin météo	heiter	clair, serein
die Wetter-		sich auf/heitern	s'éclaircir
vorhersage (n)	la prévision météo	das Unwetter (-)	la tourmente,
der Wetterdienst (e)	le service météo		la tempête
der Wettersatellit	le satellite	sich verbessern	s'améliorer
(en, en)	météorologique	sich verschlechtern	s'aggraver
der Luftdruck	la pression	der Regentropfen (-)	la goutte de pluie
	atmosphérique	der Regenschauer (-)	l'ondée, la giboulée
das Hochdruckgebiet (e),		der Regenbogen (¨)	l'arc-en-ciel
das Hoch (s)	l'anticyclone	nieseln	bruiner
das Tiefdruck-	la zone	die Niederschläge (pl.)	les précipitations
gebiet (e), das Tief (s)	de basse pression	vereinzelte	
kühl / frisch	frais	Niederschläge	pluies éparses
veränderlich,	variable,	die Sintflut	le déluge
unbeständig	capricieux	aus/brechen	
trüb / düster	sombre	(a, o, i, ist)	éclater
die Finsternis (se)	l'obscurité	schwül	lourd
bedeckt	couvert	die Schneeflocke (n)	le flocon de neige
sich bedecken	se couvrir	das Schneegestöber	la rafale de neige

DIE TEMPERATUR (EN)
LA TEMPÉRATURE

der / das Grad	le degré	schwanken	varier
5 Grad unter Null	5 degrés en-dessous de zéro	eiskalt	glacial
		die Dürre	la sécheresse
5 Grad über Null	5 degrés au-dessus de zéro	der Reif	la gelée blanche
		tauen	dégeler
steigen (ie, ie, ist)	augmenter	das Tauwetter	le dégel
sinken (a, u, ist)	baisser	der Tau	la rosée

DER WIND
LE VENT

wehen	souffler	der Sturm (¨e)	la tempête
sich legen	se calmer	stürmisch	soufflant
windig	venteux		en tempête
windstill	sans un souffle de vent	der Orkan (e)	l'ouragan
		wüten	faire rage
das Lüftchen	la petite brise	heulen	hurler
der Nordwind	le vent du nord	pfeifen (i, i)	siffler
der Windstoß (¨e)	le coup de vent	säuseln	murmurer

- *Expressions et phrases*

das tropische Klima	*le climat tropical*
ein gemäßigtes Klima	*un climat tempéré*
die klimatischen Verhältnisse	*les conditions climatiques*
die Wetterverhältnisse	*les conditions météorologiques*
Die Sonne scheint.	*Le soleil brille.*
Die Sonne geht auf / geht unter.	*Le soleil se lève / se couche.*
Das Eis schmilzt.	*La glace fond.*
Der Schnee ist geschmolzen.	*La neige a fondu.*
Es donnert und blitzt.	*Le tonnerre gronde et il y a des éclairs.*
Es ist schönes / schlechtes Wetter	*Il fait beau / mauvais (temps)*
bei schönem Wetter	*par beau temps*
eine drückende Hitze	*une chaleur accablante*
ein scheußliches Wetter	*un temps épouvantable*
anhaltende Regenfälle	*des pluies persistantes*
Es gießt in Strömen.	*Il pleut à verse.*
Ein Gewitter zieht auf.	*Un orage se prépare.*
Das Gewitter bricht aus.	*L'orage éclate.*
Der Blitz hat eingeschlagen.	*La foudre est tombée.*
Die Temperatur ist auf 5° gefallen / gestiegen.	*La température a chuté / a augmenté à 5°.*
Es ist kalt.	*Il fait froid.*
Mir ist kalt. / Mich friert. / Ich friere.	*J'ai froid.*
eine schneidende Kälte	*un froid vif*
Der See ist zugefroren.	*Le lac est gelé.*
ein dichter Nebel	*un brouillard épais*
Es stürmt.	*Il fait de la tempête.*
Der Wind legt sich.	*Le vent se calme.*
Es ist windstill.	*Il n'y a aucun vent.*
schwacher bis mäßiger Wind	*vent faible à modéré*
böiger Wind	*du vent en rafales*
den Wind im Rücken haben	*avoir le vent dans le dos*

jemandem den Wind aus den Segeln nehmen (a, o, i) (fig.)
couper l'herbe sous les pieds de quelqu'un
Er ist bei Wind und Wetter draußen.
Il est dehors par tous les temps.
Das ist alles in den Wind geredet. (fig.)
Autant en emporte le vent.
in den Wind reden (fig.)
prêcher dans le désert
Er steuert mit vollen Segeln auf das Ziel zu. (fig.)
Il va droit au but.

---

39. DAS LAND UND DIE PFLANZEN
LA CAMPAGNE ET LES PLANTES

Vocabulaire général

das Landleben	la vie à la campagne	der Pfad (e)	le sentier
das Landhaus ("er)	la maison de campagne	sich schlängeln	serpenter
		der Garten (¨)	le jardin
die Landflucht	l'exode rural	der Gärtner (-)	le jardinier
die Landschaft (en)	le paysage	die Pflanze (n)	la plante
malerisch	pittoresque	etw. pflanzen	planter
der Hügel (-)	la colline	die Pflanzenwelt,	
hügelig	vallonné	die Flora	la flore
das Dorf ("er)	le village	der Samen (ns, n, sg.)	la semence
die Ortschaft (en)	la localité	säen	semer
der Dorfplatz ("e)	la place du village	keimen	germer
die Dorfkirche (n)	l'église du village	wachsen (u, a, ä, ist)	pousser, croître
der Friedhof ("e)	le cimetière	das Wachstum	la croissance
der Weg (e)	le chemin		

Vocabulaire spécialisé

DIE GARTENARBEIT
LE JARDINAGE

der Gemüsegarten (¨)	le potager	der Rasenmäher (-)	la tondeuse
das Gartenbeet (e)	la plate-bande	das Unkraut ("er)	la mauvaise herbe
das Gewächshaus ("er)	la serre	das Gartengerät (e)	l'outil de jardinage
die Hecke (n)	la haie	der Spaten (-)	la bêche
der Zaun ("e)	la clôture	um/graben (u, a, ä)	bêcher
das Gras	l'herbe	um/pflanzen	transplanter
der Rasen	la pelouse	der Rechen (-)	le râteau
mähen	faucher, tondre	rechen	ratisser

die Gabel (n)	la fourche	der Dünger (sg.),	
der Schubkarren (-)	la brouette	das Düngemittel (-)	l'engrais
die Gartenschere (n)	le sécateur	das Insektenver-	
die Gießkanne (n)	l'arrosoir	nichtungsmittel (-)	l'insecticide
gießen (o, o)	arroser	der Schädling (e)	le parasite
der Gartenschlauch (¨e)	le tuyau d'arrosage	die Schädlings-	la lutte contre
düngen	mettre de l'engrais	bekämpfung	les parasites

DAS GEMÜSE (sg.)
LES LÉGUMES

die Kartoffel (n)	la pomme de terre	die weiße Rübe (n)	le navet
der Salat (e)	la salade	die rote Rübe (n)	la betterave rouge
der Kopfsalat (e)	la laitue	die Zwiebel (n)	l'oignon
der Feldsalat (e)	la mâche	die Schalotte (n)	l'échalotte
der Lauch (e)	le poireau	der Knoblauch	l'ail
der Kohl / das Kraut	le chou	der Schnittlauch	la ciboulette
der Weißkohl	le chou blanc	die Tomate (n)	la tomate
der Rotkohl	le chou rouge	der Spargel (-)	l'asperge
der Blumenkohl	le chou-fleur	die Bohne (n)	le haricot
der Rosenkohl	le chou de Bruxelles	die Erbse (n)	le petit-pois
die Möhre (n),		die Linse (n)	la lentille
die Karotte (n)	la carotte	die Petersilie	le persil

DIE BLUMEN
LES FLEURS

die Blume (n)	la fleur	der Blumenstrauß (¨e)	le bouquet de fleurs
die Blüte (n)	1. la fleur	die Knospe (n)	le bourgeon
	(d'un arbuste ou	der Stiel (e)	la tige
	d'un arbre)	pflücken	cueillir
	2. la floraison	duften	sentir bon
blühen	fleurir	verwelken (ist)	se faner
der Blumenstock (¨e)	le pot de fleurs	welk	fané

Die Gartenblumen
Les fleurs de jardin

die Rose (n)	la rose	die Geranie (n)	le géranium
der Rosenstock (¨e)	le rosier	die Lilie (n)	le lys
die Pfingstrose (n)	la pivoine	die Gladiole (n)	le glaïeul
die Seerose (n)	le nénuphar	die Hyazinthe (n)	la jacinthe
die Tulpe (n)	la tulipe	die Chrysantheme (n)	le chrysanthème
die Nelke (n)	l'œillet	die Aster (n)	l'aster
die Dahlie (n)	le dahlia	das Stiefmütterchen (-)	la pensée

Die Feld- und Wiesenblumen
Les fleurs des champs et des prés

das Maiglöckchen (-)	le muguet	der Klatschmohn (e),	
das Veilchen (-)	la violette	die Mohnblume (n)	le coquelicot
das Vergißmeinnicht (e)	le myosotis	die Kornblume (n)	le bleuet
das Gänseblümchen (-)	la pâquerette	das Schneeglöckchen (-)	le perce-neige

| die Schlüsselblume (n) | la primevère | der Löwenzahn | le pissenlit |
| die Butterblume (n) | le bouton d'or | die Heckenrose (n) | l'églantine |

DIE STRÄUCHER
LES ARBUSTES

der Strauch (¨er)	l'arbuste	der Holunder (-)	le sureau
der Busch (¨e)	le buisson	der Jasmin	le jasmin
der Lorbeer (en)	le laurier	der Efeu	le lierre
der Flieder (-)	le lilas	der wilde Wein	la vigne vierge

DER OBSTGARTEN (¨)
LE VERGER

der Obstbaum (¨e)	l'arbre fruitier	der Aprikosenbaum (¨e)	l'abricotier
der Stamm (¨e)	le tronc	die Pflaume (n)	la prune
der Ast (¨e)	la branche	der Pflaumenbaum (¨e)	le prunier
der Zweig (e)	la petite branche	die Mirabelle (n)	la mirabelle
das Laub (sg.)	le feuillage	der Mirabellen-	
das Blatt (¨er)	la feuille	baum (¨e)	le mirabellier
die Obsternte (n)	la récolte de fruits	die Nuß (¨sse)	la noix
die Kirsche (n)	la cerise	der Nußbaum (¨e)	le noyer
der Kirschbaum (¨e)	le cerisier	die Haselnuß (¨sse)	la noisette
der Apfel (¨)	la pomme	der Haselnußbaum (¨e)	le noisetier
der Apfelbaum (¨e)	le pommier	die Kastanie (n)	la châtaigne
die Birne (n)	la poire	der Kastanienbaum (¨e)	le châtaignier
der Birnbaum (¨e)	le poirier	die Olive (n)	l'olive
der Pfirsich (e)	la pêche	der Olivenbaum (¨e)	l'olivier
der Pfirsichbaum (¨e)	le pêcher	die Feige (n)	la figue
die Aprikose (n)	l'abricot	der Feigenbaum (¨e)	le figuier

ANDERE FRÜCHTE
AUTRES FRUITS

die Erdbeere (n)	la fraise	die schwarze	
die Himbeere (n)	la framboise	Johannisbeere (n)	le cassis
die Heidelbeere (n)	la myrtille	die Brombeere (n)	la mûre
die Johannisbeere (n)	la groseille	die Traube (n)	le raisin

- *Expressions et phrases*

auf dem Land wohnen	*habiter à la campagne*
aufs Land fahren (u, a, ä, ist)	*aller à la campagne*
sich aufs Land zurück/ziehen (o, o)	*se retirer à la campagne*
eine Hecke schneiden (itt, itten)	*tailler une haie*
Darüber ist Gras gewachsen. (fig.)	*C'est une affaire oubliée.*
Unkraut verdirbt nicht. (Prov.)	*Mauvaise herbe ne périt jamais.*
sich auf seinen Lorbeeren aus/ruhen (fig.)	*se reposer sur ses lauriers*
mit Blumen schmücken	*garnir de fleurs*
etwas durch die Blume sagen (fig.)	*parler à mots couverts*
in voller Blüte stehen (a, a)	*être en pleine floraison*
in der Blüte der Jahre	*dans la fleur de l'âge*
ein blühendes Aussehen haben	*avoir très bonne mine*

Er sieht wie das blühende Leben aus.   *Il a une mine resplendissante.*
Obst tragen (u, a, ä)   *porter des fruits*
Obst pflücken   *cueillir des fruits*
Wurzeln schlagen (u, a, ä)   *prendre racine*
einen Baum fällen   *abattre un arbre*
Bäume wachsen nicht in den Himmel. (Prov.)   *Il y a des limites à tout.*
kein Blatt vor den Mund nehmen (fig.)   *ne pas mâcher ses mots*
Das Blatt hat sich gewendet. (fig.)   *La chance a tourné.*
Das ist eine harte Nuß. (fig.)   *Voilà qui nous donne du fil à retordre.*

DER WALD
LA FORÊT

Allgemeines
Vocabulaire général

der Wald (¨er)	la forêt	die Lichtung (en)	la clairière
waldig / bewaldet	boisé		
die Waldfläche (n)	la surface boisée	das Moos	la mousse
der Waldweg (e)	le chemin forestier	das Heidekraut	la bruyère
der Waldrand (¨er)	la lisière de la forêt	das Farnkraut	la fougère
die Waldwirtschaft	la sylviculture	der Pilz (e)	le champignon
das Gehölz (e)	le bosquet	der Steinpilz (e)	le cèpe
das Unterholz (e)	le sous-bois	der Pfifferling (e)	la girolle
das Dickicht (e)	le fourré	die Trüffel (n)	la truffe
das Gebüsch (sg.)	les buissons	eßbar	comestible
der Hochwald	la futaie	giftig	vénéneux

Der Laubwald
Les feuillus

die Eiche (n)	le chêne	die Kastanie (n)	le châtaignier
die Buche (n)	le hêtre	die Akazie (n)	l'acacia
die Birke (n)	le bouleau	die Ulme (n)	l'orme
der Ahorn (e)	l'érable	die Weide (n)	le saule
die Pappel (n)	le peuplier	die Platane (n)	le platane
die Erle (n)	l'aulne	die Esche (n)	le frêne

Der Nadelwald
Les conifères

die Nadel (n)	l'aiguille	die Kiefer (n)	le pin
der Nadelbaum (¨e)	le conifère	der Kiefernzapfen (-)	la pomme de pin
die Tanne (n)	le sapin	das Harz	la résine
die Fichte (n)	l'épicéa		

• *Expressions et phrases*

ein dichter Wald   *une forêt touffue*
im tiefen Wald   *dans la forêt profonde*
durch Wald und Feld streifen   *aller par monts et par vaux*
Er sieht den Wald vor lauter Bäumen   *Les arbres lui cachent la forêt.*
nicht. (fig.)
Er ist auf dem Holzweg. (fig)   *Il fait fausse route.*
wie Pilze aus dem Boden schießen (o, o) (fig.) *pousser comme des champignons*

40. DIE TIERE   LES ANIMAUX

Vocabulaire général

das Tier (e), tierisch	l'animal, animal	das Wild	le gibier
die Tierwelt	la faune	das Nagetier (e)	le rongeur
die Tierart (en)	l'espèce	der Vogel (¨)	l'oiseau
das Säugetier (e)	le mammifère	der Fisch (e)	le poisson
das Haustier (e)	l'animal domestique	das Insekt (en)	l'insecte

DIE HAUSTIERE
LES ANIMAUX DOMESTIQUES

der Hund (e)	le chien	der Bernhardiner (-)	le saint-bernard
die Hündin (nen)	la chienne	der Jagdhund (e)	le chien de chasse
bellen	aboyer		
beißen (i, i)	mordre	die Katze (n)	le chat, la chatte
die Schnauze (n)	le museau	der Kater (-)	le chat mâle,
die Pfote (n)	la patte		le matou
der Schäferhund (e)	le chien de berger	das Kätzchen (-)	le chaton
der Dackel (-)	le teckel	miauen	miauler
die Dogge (n)	le dogue	schnurren	ronronner
der Pudel (-)	le caniche	die Kralle (n)	la griffe
der Windhund (e)	le lévrier	kratzen	griffer

DIE WILDEN TIERE
LES ANIMAUX SAUVAGES

wild	sauvage	die Hyäne (n)	la hyène
der Hirsch (e)	le cerf	die Tatze (n)	la patte
das Reh (e)	le chevreuil	der Bär (en, en)	l'ours
das Geweih (e)	les bois	der Eisbär (en, en)	l'ours blanc
das Wildschwein (e)	le sanglier	der Elefant (en, en)	l'éléphant
der Hase (n, n)	le lièvre	der Rüssel (-)	la trompe
das Kaninchen (-)	le lapin de garenne	der Stoßzahn (¨e)	la défense
der Wolf (¨e)	le loup	das Elfenbein	l'ivoire
der Fuchs (¨e)	le renard	das Nilpferd (e)	l'hippopotame
das Raubtier (e)	l'animal féroce	das Nashorn (¨er)	le rhinocéros
der Löwe (n, n)	le lion	die Giraffe (n)	la girafe
der Tiger (-)	le tigre	das Kamel (e)	le chameau
brüllen	rugir	das Zebra (s)	le zèbre
der Leopard (en, en)	le léopard	der Büffel (-)	le buffle
der Panther (-)	la panthère	der Affe (n, n)	le singe
der Puma (s)	le puma	der Gorilla (s)	le gorille
der Jaguar (e)	le jaguar	der Schimpanse (n, n)	le chimpanzé
der Luchs (e)	le lynx	das Känguruh (s)	le kangourou

DIE NAGETIERE
LES RONGEURS

die Maus ("e)	la souris	der Hamster (-)	le hamster
die Fledermaus ("e)	la chauve-souris	der Igel (-)	le hérisson
die Ratte (n)	le rat	der Stachel (n)	le piquant
das Eichhörnchen (-)	l'écureuil	das Murmeltier (e)	la marmotte

DIE VÖGEL
LES OISEAUX

der Raubvogel (¨)	l'oiseau de proie	der Fink (en)	le pinson
der Zugvogel (¨)	l'oiseau migrateur	die Elster (n)	la pie
fliegen (o, o, ist)	voler	der Kuckuck (e)	le coucou
der Flug ("e)	le vol	die Eule (n)	le hibou, la chouette
der Flügel (-)	l'aile	der Papagei (e)	le perroquet
nisten	nicher	der Wellensittich (e)	la perruche
das Nest (er)	le nid	die Taube (n)	le pigeon
Eier legen	pondre des œufs	der Rabe (n, n)	le corbeau
brüten	couver	der Specht (e)	le pic
schweben (ist)	planer	der Storch ("e)	la cigogne
zwitschern	gazouiller	der Kranich (e)	la grue
pfeifen (i, i)	siffler	der Reiher (-)	le héron
krächzen	croasser	der Schwan ("e)	le cygne
der Spatz (en),		die Möwe (n)	la mouette
der Sperling (e)	le moineau	der Strauß (e)	l'autruche
die Schwalbe (n)	l'hirondelle	der Adler (-)	l'aigle
die Amsel (n)	le merle	der Falke (n, n)	le faucon
die Drossel (n)	la grive	der Bussard (e)	la buse
die Lerche (n)	l'alouette	der Geier (-)	le vautour
die Meise (n)	la mésange	der Fasan (e)	le faisan
das Rotkehlchen (-)	le rouge-gorge	das Rebhuhn ("er)	la perdrix
die Nachtigall (en)	le rossignol		

INSEKTEN
LES INSECTES

das Insekt (en)	l'insecte	der Marienkäfer (-)	la coccinelle
die Wespe (n)	la guêpe	der Floh (¨)	la puce
die Biene (n)	l'abeille	die Laus ("e)	le pou
die Hornisse (n)	le frelon	die Wanze (n)	la punaise
die Fliege (n)	la mouche		
die Mücke (n),		stechen (a, o, i)	piquer
die Schnake (n)	le moustique	der Stich (e)	la piqûre
der Schmetterling (e)	le papillon	nützlich	utile
die Heuschrecke (n)	la sauterelle	schädlich	nuisible
die Libelle (n)	la libellule	harmlos	inoffensif
die Spinne (n)	l'araignée	giftig	venimeux
das Spinnennetz (e)	la toile d'araignée	das Gift (e)	le poison, le venin
die Ameise (n)	la fourmi	die Plage (n)	le fléau
der Maikäfer (-)	le hanneton		

FISCHE UND MEERESTIERE
POISSONS ET ANIMAUX DE MER

der Süßwasserfisch (e)	le poisson d'eau douce	der Pinguin (e)	le pingouin
die Forelle (n)	la truite	die Languste (n)	la langouste
der Hecht (e)	le brochet	der Hummer (-)	le homard
der Aal (e)	l'anguille	die Krabbe (n)	la crevette
der Karpfen (-)	la carpe	der Seekrebs (e)	le crabe
der Lachs (e)	le saumon	der Flußkrebs (e)	l'écrevisse
der Goldfisch (e)	le poisson rouge	die Muschel (n)	le coquillage, la moule
der Seefisch (e)	le poisson de mer		
der Hering (e)	le hareng	die Jakobsmuschel (n)	la coquille Saint-Jacques
die Sardine (n)	la sardine		
die Seezunge (n)	la sole	die Auster (n)	l'huître
der Steinbutt (e)	le turbot	der Seestern (e)	l'étoile de mer
der Kabeljau (s)	le cabillaud	der Seeigel (-)	l'oursin
der Thunfisch (e)	le thon	die Qualle (n)	la méduse
die Makrele (n)	le maquereau	die Krake (n)	la pieuvre
der Hai (e), der Haifisch (e)	le requin	der Tintenfisch (e)	la seiche
der Wal (e), der Walfisch (e)	la baleine	schwimmen (a, o, ist)	nager
der Delphin (e)	le dauphin	die Flosse (n)	la nageoire
		die Gräte (n)	l'arête
		die Schuppe (n)	l'écaille
der Seehund (e), die Robbe (n)	le phoque	der Panzer (-)	la carapace

REPTILIEN
LES REPTILES

das Reptil (ien)	le reptile	die Eidechse (n)	le lézard
die Schlange (n)	le serpent	das Krokodil (e)	le crocodile
die Giftschlange (n)	le serpent venimeux	kriechen (o, o, ist)	ramper
die Riesenschlange (n), die Boa (s)	le boa	sich winden (a, u)	se tortiller
die Kreuzotter (n)	la vipère	beißen (i, i)	mordre
die Natter (n)	la couleuvre	der Biß (e)	la morsure
		zischen	siffler

ANDERE TIERE
AUTRES ANIMAUX

die Schnecke (n)	l'escargot	die Kröte (n)	le crapaud
der Frosch (¨e)	la grenouille	die Schildkröte (n)	la tortue

DIE FISCHEREI
LA PÊCHE

fischen	pêcher	der Fischdampfer (-)	le bâteau de pêche, le chalutier
der Fischer (-)	le pêcheur		
das Fischnetz (e)	le filet de pêche	das Schleppnetz (e)	le chalut

das Fischerboot (e)	la barque de pêche	der Fischteich (e)	le vivier
fangen (i, a, ä)	attrapper	die Fischzucht	la pisciculture
der Fischfang	la pêche	tauchen (ist)	plonger
fischreich	poissonneux	der Taucher (-)	le plongeur

• *Expressions et phrases*

jemanden auf den Hund bringen (brachte, gebracht) (fig.) (fam.)	*ruiner qn.*
wie Katze und Hund leben	*vivre comme chien et chat*
Er ist bekannt wie ein bunter Hund.	*Il est connu comme le loup blanc.*
Hunde, die bellen, beißen nicht. (Prov.)	*Chien qui aboie ne mord pas.*
Das ist für die Katz'. (fam.)	*C'est pour des prunes.*
die Katze im Sack kaufen (fig.)	*acheter les yeux fermés*
Nachts sind alle Katzen grau. (Prov.)	*La nuit, tous les chats sont gris.*
Der Vogel ist ausgeflogen. (fig.)	*L'oiseau s'est envolé.*
einen Vogel haben (fam.)	*être fêlé / avoir une araignée au plafond*
Man muß mit den Wölfen heulen. (Prov.)	*Il faut hurler avec les loups.*
Wenn man vom Wolf spricht, ist er nicht weit. (Prov.)	*Quand on parle du loup, on en voit la queue.*
schlau wie ein Fuchs	*rusé comme un renard*
wie ein Murmeltier schlafen (ie, a, ä)	*dormir comme une marmotte*
Er ist ein Angsthase. (fam.)	*C'est une poule mouillée.*
Ich weiß, wie der Hase läuft. (fig.)	*Je connais la musique.*
jemandem einen Bären auf/binden (a, u) (fam.)	*monter un bateau à qn.*
sich den Löwenanteil nehmen (a, o, i) (fig.)	*se tailler la part du lion*
einen Affen haben (pop.)	*être soûl*
in fliegender Eile	*à toute vitesse*
Ein Spatz in der Hand ist besser als eine Taube auf dem Dach. (Prov.)	*Un « tiens » vaut mieux que deux « tu l'auras ».*
Ihn stört die Fliege an der Wand.	*Un rien l'irrite.*
zwei Fliegen mit einer Klappe schlagen (u, a, ä) (fig.)	*faire d'une pierre deux coups*
Die Spinne webt ihr Netz.	*L'araignée tisse sa toile.*
Du spinnst wohl! (fam.)	*Tu es fou, ma parole !*
der Flohmarkt (¨e)	*le marché aux puces*
ein stechender Schmerz	*une douleur lancinante*
ein harmloses Tier	*un animal inoffensif*
fischen gehen (i, a, ist)	*aller à la pêche*
im Trüben fischen (fig.)	*pêcher en eaux troubles*
einen guten Fang machen	*faire une bonne prise*

IX. ANNEXES

Vocabulaire général

DER AUTOR
L'AUTEUR

der Autor (en),		der Dichter (-)	le poète
die Autorin (nen),		der Erzähler (-)	le narrateur
der Verfasser (-)	l'auteur	der Journalist (en, en)	le journaliste
der Schriftsteller (-)	l'écrivain	der Berichterstatter (-)	le reporter

DIE ART DES TEXTES
LA NATURE DU TEXTE

der Text (e)	le texte	die Debatte (n)	le débat
das Dokument (e)	le document	der Monolog (e)	le monologue
der Artikel (-)	l'article	der Dialog (e)	le dialogue
der Leitartikel (-)	l'éditorial	das Gespräch (e)	la discussion,
der Zeitungs-			le dialogue
ausschnitt (e)	la coupure de presse	der Roman (e)	le roman
der Bericht (e),	le compte rendu,	das Theaterstück (e)	la pièce de théâtre
die Reportage (n)	le rapport, le	der Akt (e)	l'acte
über + A	reportage sur	die Szene (n)	la scène
die Erzählung (en)	le récit		
die Kurzgeschichte (n)	la nouvelle	der Titel (-)	le titre
die Analyse (n)	l'analyse	die Schlagzeile (n)	le gros titre,
die Tonband-	l'enregistrement		la manchette
aufnahme (n)	sonore	der Teil (e)	la partie
die Rede (n)	le discours	der Abschnitt (e)	le paragraphe
die (Meinungs)		die Spalte (n)	la colonne
Umfrage (n)	le sondage d'opinion	die Strophe (n)	la strophe
die Studie (n)	l'étude	die Zeile (n)	la ligne
die Erhebung (en)	l'enquête	der Reim (e)	la rime
das Interview (s)	l'interview	der Vers (e)	le vers
die Diskussion (en)	la discusion	das Wort (¨er)	le mot

der Satz (¨e)	la phrase	der Punkt (e)	le point
der Hauptsatz (¨e)	la proposition	der Strichpunkt (e)	le point-virgule
	principale	das Ausrufungs-	le point
der Nebensatz (¨e)	la proposition	zeichen (-)	d'exclamation
	relative	das Fragezeichen (-)	le point
die Interpunktion	la ponctuation		d'interrogation
das Komma (s)	la virgule		

HERKUNFT, ENTSTEHUNG UND VERÖFFENTLICHUNG DES TEXTES
ORIGINE, DATE DE COMPOSITION ET PARUTION DU TEXTE

der Auszug (¨e)	l'extrait	verfassen	composer,
entstammen + D	provenir de		rédiger
entnommen sein + D	être tiré de	erscheinen (ie, ie, ist)	paraître
die Entstehung (en)	la naissance	veröffentlichen	publier
entstehen (a, a, ist)	naître	die Veröffent-	la publication,
schreiben (ie, ie)	écrire	lichung (en)	la parution

THEMA DES TEXTES
LE SUJET DU TEXTE

das Thema (en)	le sujet, le thème	eine Frage stellen	poser une question
das Hauptthema (en)	le sujet principal	ein Thema an/schneiden	
die Rede sein von + D	être question de	(itt, itten),	
sich handeln um + A	s'agir de	an/sprechen (a, o, i)	aborder un sujet
handeln von + D	traiter de	auf/tauchen (ist)	apparaître / émerger
ein Thema behandeln	traiter un sujet	es zu tun	
sich befassen mit + D	s'occuper de, traiter	haben mit + D	avoir affaire à
berichten über + A	relater	heikel	délicat
die Frage (n)	la question	brennend	brûlant
eine Frage	soulever	aktuell	actuel
auf/werfen (a, o, i)	une question		

DIE GLIEDERUNG DES TEXTES
LA STRUCTURE DU TEXTE

die Gliederung (en)	la structure	der Teil (e)	la partie
(sich) gliedern	(se) structurer,	der Hauptteil (e)	la partie principale
	présenter une	der Übergang (¨e)	la transition
	structure	über/gehen (i, a, ist)	
der Aufbau (sg.)	la structure	zu + D	passer à
die Einleitung (en)	l'introduction	der Abschluß (¨sse)	la conclusion
ein/führen	introduire	zusammen/fassen	résumer

• *Expressions et phrases*

Dieser Text ist ein Auszug aus einer Debatte, die 1995 in der « Zeit » veröffentlicht wurde.
Dieser Text ist ein Bericht über die Wirtschaftspolitik der Bundesregierung.
Dieser Zeitungsartikel, der dem « Spiegel » vom 11. September 1995 entnommen ist, ist eine kritische Analyse zum Thema Umwelt.

Dieses Dokument ist ein Gespräch über die Atompolitik Frankreichs, das am 3. August 1995 in der « Welt » erschienen ist.
Der Titel des Textes lautet « Privatisierung einer Volkswirtschaft ».
In diesem Text ist die Rede von den Problemen der Stadt.
In diesem Text handelt es sich um die Konsumgesellschaft.
Das Thema des vorliegenden Textes ist die Wiederaufnahme der französischen Atomtests.
Vorliegender Text handelt von den Umweltproblemen.
Wir haben es hier mit einem Gespräch über ein brennendes Problem zu tun.
Der Verfasser behandelt hier das Thema der Urlaubsreisen.
Der Autor befaßt sich insbesondere mit den Verkehrsproblemen und wirft dabei eine Reihe von Fragen auf.
Nebenbei schneidet er auch das Automobilproblem an.
In diesem Text tauchen mehrere Probleme auf.
Es werden hier mehrere heikle Themen angeschnitten / angesprochen.

Der Text läßt sich folgendermaßen gliedern, und zwar kann man drei Hauptteile darin unterscheiden.
Der Text weist folgende Gliederung auf.
Die Gliederung / der Aufbau / die Struktur des Textes ist ziemlich einfach.
Der Text besteht aus drei Teilen und jeder Teil entspricht einem Abschnitt.
Der erste Abschnitt des Textes bildet die Einleitung.
Im zweiten Abschnitt geht der Verfasser zum Hauptthema über.
Dieser Satz bildet den Übergang vom ersten zum zweiten Teil.
Der zweite Teil bildet einen Gegensatz zum ersten.
Der letzte Teil faßt die Hauptideen zusammen.
Der letzte Abschnitt bildet den Abschluß des Textes.
Der letzte Satz kann als Abschluß betrachtet werden.
Der Schluß ist eigentlich eine Erweiterung des Hauptthemas.
Ich komme nun zur eingehenden Erklärung des Textes.
Ich möchte nun zum Kommentar übergehen.

Renseignements fournis par l'auteur et le texte

jn. benachrichtigen,		bekannt geben (a, e, i)	faire savoir,
informieren über + A	informer qn. sur		communiquer
die Auskunft ("e)	le renseignement	erwähnen	mentionner
Auskunft geben (a, o, i)	donner des ren-	bemerken	remarquer
über + A	seignements sur	die Bemerkung (en)	la remarque
die Nachricht (en)	la nouvelle	äußern / aus/drücken	exprimer
melden	annoncer	an/führen	citer
erfahren (u, a, ä)	apprendre	zum Vorschein	
	(une nouvelle)	kommen (a, o, ist)	apparaître
entdecken	découvrir	sich zeigen,	
fest/stellen	constater	sich erweisen (ie, ie)	se révéler
erscheinen (ie, ie, ist)	apparaître	bestätigen	confirmer
bedeuten	signifier	zu verstehen	
die Bedeutung (en)	la signification	geben (a, e, i)	faire comprendre
verstehen (a, a)	entendre,	ein/sehen (a, e, ie)	se rendre compte,
unter + D	comprendre par		comprendre

erklären	expliquer	kommentieren,	
die Erklärung (en)	l'explication	besprechen (a, o, i)	commenter
jn. auf/klären über + A	éclairer qn. sur qch.	interpretieren /	
erläutern	expliquer	deuten	interpréter
dar/stellen	représenter	hin/deuten auf + A,	
beschreiben (ie, ie)	décrire	an/spielen auf + A	faire allusion à
die Beschreibung (en)	la description	die Anspielung (en)	l'allusion
schildern	décrire, dépeindre	zeigen	montrer
die Schilderung (en)	la description,	sich auseinander/-	
	le tableau	setzen mit + D	débattre de
hin/weisen (ie, ie)		die Bewersführung	l'argumentation,
auf + A	indiquer		la démonstration

ADVERBES D'ORDRE ET DE CORRÉLATION

Ces adverbes sont indispensables, dans la mesure où ils vous permettent d'organiser votre exposé et d'en relier les éléments de façon logique, cohérente. Ils sont donc particulièrement utiles dans la présentation générale d'un texte ou d'un commentaire.

zunächst	tout d'abord	zuerst	d'abord
dann	ensuite	danach	ensuite,
außerdem	en outre		à la suite de cela
gleichzeitig	simultanément	ebenfalls	également
endlich	enfin	schließlich	finalement

• *Expressions et phrases*

Der Autor benachrichtigt uns / informiert uns über die Entwicklung der politischen Lage.
Er gibt uns darüber Auskunft.
Die Zeitung meldet eine wichtige Nachricht… gibt eine… Nachricht bekannt.
Der Journalist erwähnt zunächst einige Tatsachen, führt danach einige Beispiele an und
äußert schließlich seine Meinung zu diesem Problem.

Im ersten Teil erfahren wir, welche Mittel benutzt werden.
In diesem Abschnitt entdecken wir ein ganz neues Problem.
Wir stellen zuerst fest, daß…
Damit kommt die Absicht des Verfassers klar zum Ausdruck.
Es zeigt sich, daß das Problem komplex ist.

Es hat sich erwiesen, daß diese Lösung unbefriedigend ist.
Die Tatsachen haben seine Meinung bestätigt.

Dieser Ausdruck bedeutet, daß…
Was ist unter diesem Wort eigentlich zu verstehen?
Der Verfasser gibt uns zu verstehen, daß…
Wir müssen einsehen, daß er damit recht hat.
Er versucht uns zu erklären, daß…
Er will uns über die Lage aufklären.
Die Spezialisten besprechen / kommentieren die Lage.
Dieses Bild läß sich nicht leicht interpretieren / deuten.

Im ersten Teil wird uns zuerst die Lage dargestellt.
Der Autor weist darauf hin, daß dieses Problem sich schon lange stellt.
Er beschreibt zuerst die Lage. Er schildert die Ereignisse.
Dieses Wort ist eine Anspielung auf seine Kindheit.

Damit spielt er auf die Ereignisse von November 1989 an.
Die oben angeführten Beispiele zeigen, daß …
Die Politiker müssen sich unbedingt mit diesem Problem auseinandersetzen.

Moyens utilisés par l'auteur

fragen nach + D	interroger sur	**ab/brechen (a, o, i)**	interrompre
eine Frage stellen	poser une question	**ein/fallen**	
hinzu/fügen	ajouter	**(ie, a, ä, ist) + D**	venir à l'esprit
wiederholen	répéter	**(sich oder jn.)**	(se) rappeler ou rap-
unterbrechen (a, o, i)	interrompre	**erinnern an + A**	peler qch. (à qn.)
beweisen (ie, ie)	prouver, démontrer	**(un)begründet sein**	être (non) fondé
rechtfertigen	justifier	**sich gründen auf + A**	se fonder sur
begründen	fonder	**zugrunde liegen (a, e)**	être à la base de
etw. bejahen (tr.)	1. approuver	**etw. betonen,**	
	2. répondre par	**den Akzent**	
	l'affirmative	**legen auf + A**	mettre l'accent sur
jm. zu/stimmen	approuver qn.	**hervor/heben (o, o)**	mettre en évidence,
die Kritik (en)	la critique		faire ressortir
Kritik üben an + D	critiquer	**veranschaulichen**	illustrer
behaupten	affirmer	**anschaulich**	expressif, évocateur
die Behauptung (en)	l'affirmation	**aufschlußreich**	révélateur,
unterstreichen (i, i)	souligner		significatif
bleiben bei + D	maintenir	**gestehen (a, a),**	
	(une opinion)	**zu/geben (a, e, i)**	avouer
beharren auf + D	persister dans	**versprechen (a, o, i)**	promettre
vergleichen (i, i)	comparer	**auseinander-**	ne pas confondre,
einen Vergleich	établir une	**halten (ie, a, ä)**	distinguer
ziehen (o, o)	comparaison	**gegenüber/stellen**	mettre face à face
vergleichbar mit	comparable à	**der Gegensatz (¨e)**	l'opposition,
eine Parallele	établir		le contraste
ziehen (o, o)	un parallèle	**im Gegensatz**	être en oppsition
unterstreichen (i, i)	souligner	**stehen (a, a) zu + D**	avec
unterscheiden (ie, ie)	distinguer	**der Widerspruch (¨e)**	la contradiction
der Unterschied (e)	la différence	**jm. widersprechen**	
		(a, o, i)	contredire qn.

• *Expressions et phrases*

Der Verfasser fragt nach dem Sinn des Lebens.
Er stellt die Frage nach den Ursachen dieses Zustands.
Er fügt noch eine Bemerkung hinzu.
Im letzten Abschnitt nimmt der Autor das Thema des 1. Teils wieder auf.
Er wiederholt mehrmals dieselbe Frage.
Er unterbricht seine Beweisführung durch eine Nebenbemerkung.
Die Schilderung der Ereignisse wird hier vorläufig abgebrochen.
Dabei fällt ihm ein anderes Beispiel ein. Damit kommt er auf eine andere Idee.
Das erinnert mich an ein persönliches Erlebnis.

Der Verfasser versucht zu beweisen, daß...
Er bemüht sich, das Verhalten seines Helden zu rechtfertigen.
Er ist darauf bedacht, seine Argumente zu begründen.
Ein solcher Vorwurf ist völlig unbegründet.
Seine Argumente gründen sich auf folgende Theorie: ...
Seinen Argumenten liegt folgende Theorie zugrunde.

Er bejaht das Verhalten seines Helden.
Wir können diese Frage bejahen.
Ich kann Ihnen darin nur zustimmen.
Der Autor übt Kritik an diesem Verhalten.
Er behauptet das Gegenteil.
Er will damit betonen, daß... / ... unterstreichen, daß...
Dieses Wort wird durch die Endstellung besonders hervorgehoben.
Er legt damit den Akzent auf dieses Wort.
Der Autor liefert eine sehr anschauliche Beschreibung der Lage.
Dieses Beispiel ist sehr aufschlußreich.

Er bleibt trotz allem bei seiner Meinung.
Er beharrt auf seinem Standpunkt.
Der Dichter gesteht / gibt zu, daß es ihm an Mut gefehlt hat.
Er verspricht uns eine bessere Zukunft.

Der Verfasser vergleicht die beiden Haltungen.
Er zieht einen Vergleich zwischen den beiden Haltungen.
Er zieht eine Parallele zwischen...
Er unterscheidet zwei Standpunkte.
Die Meinung des Helden unterscheidet sich von derjenigen Antonios insofern, als...
Beide Probleme müssen streng auseinandergehalten werden.
Es besteht ein großer Unterschied zwischen den beiden Ansichten.
Der Verfasser stellt zwei Lebensauffassungen gegenüber.
Die beiden Ansichten stehen im Gegensatz zueinander / ... sind gegensätzlich.
Es besteht ein Gegensatz zwischen dem ersten und dem zweiten Vers.
Es gibt einen Widerspruch zwischen dem, was er sagt, und dem, was er tut.

Attitude face au texte

EXPRIMER UNE OPINION (domaine de l'objectivité ou de la certitude)

denken (dachte, gedacht) / meinen	penser	jn. überzeugen	convaincre qn.
		überzeugt sein von + D	être convaincu de
die Meinung (en) die Ansicht (en)	l'opinion	die Lebens- auffassung (en)	la conception de la vie
der Meinung sein, daß...	être d'avis que	die Welt- anschauung (en)	la conception du monde
der Ansicht sein, daß...	être d'avis que	recht haben	avoir raison
meiner Meinung nach...	à mon avis	unrecht haben	avoir tort
meiner Ansicht nach...	à mon avis	eine Meinung teilen	partager une opinion
meines Erachtens	à mon avis	mit jm. einver- standen sein	être d'accord avec qn.
halten (ie, a, ä) für + A /betrachten als + A	considérer comme	mit jm. überein/stimmen	être d'accord avec qn.
berücksichtigen, in Betracht ziehen (o, o)	prendre en considération	untersuchen prüfen	examiner vérifier

leugnen	nier	ein Argument	
bestreiten (i, i)	contester	**widerlegen**	réfuter un argument
(un)bestreitbar	(in)contestable	**widersprechen**	
unbestritten	incontesté	**(a, o, i) + D**	contredire

AVOIR UNE IMPRESSION (domaine de la subjectivité de l'incertitude)

---

glauben	croire	der Eindruck (¨e)	l'impression
empfinden (a, u)	ressentir	sich bemächtigen + G	s'emparer de
das Gefühl (e)	le sentiment		
der Zweifel (-)	le doute	überschätzen	surestimer
zweifeln an +D /		unterschätzen	sous-estimer
bezweifeln + A	douter de qch.	richtig	apprécier de
sich irren		ein/schätzen	manière juste
sich täuschen	se tromper	die Einschätzung (en)	l'appréciation
der Irrtum (¨er)	l'erreur		
ahnen	deviner, pressentir	vermuten	supposer
die Ahnung (en)	1. le pressentiment	die Vermutung (en)	la supposition
	2. l'idée	voraus/setzen	présupposer,
sich (D) etw.	se représenter,		prendre comme
vor/stellen	s'imaginer qch.		point de départ
die Vorstellung (en)	la représentation	von etw.	
die Phantasie,		aus/gehen (i, a, ist)	partir de
die Einbildungskraft	l'imagination	der Ausgangspunkt (e)	le point de départ
sich (D) etw.	s'imaginer qch.		
ein/bilden	à tort		

CONCLUSION

---

folgern	déduire	der Abschluß (¨sse)	la conclusion
die Folgerung (en)	la déduction	zum Schluß,	
schließen (o, o)	conclure	abschließend	en conclusion
der Beitrag (¨e)	la contribution	das Verständnis	la compréhension
bei/tragen		die Bedeutung	l'importance
(u, a, ä) zu + D	contribuer à	das Hauptinteresse	l'intérêt principal

- *Expressions et phrases*

Ich denke, daß… / Ich bin der Meinung, daß…
Meiner Meinung nach hat der Verfasser mit dieser Bemerkung recht.
Meiner Ansicht nach muß diese Behauptung etwas korrigiert werden.
Ich halte diese Idee für richtig.
Ich bin mit dem Autor völlig einverstanden.
In diesem Punkt stimme ich mit dem Autor völlig überein.
Ich teile diese Meinung ganz und gar nicht.
Ich bin (fest) davon überzeugt, daß die Lage verbessert werden könnte.
Der Verfasser betrachtet das Leben als einen Kampf.
Seine Lebensauffassung ist eher pessimistisch.
Seine Weltanschauung ist auf folgende Einflüsse zurückzuführen: …

Man muß die verschiedenen Tatsachen in Betracht ziehen / berücksichtigen.
Untersuchen wir den 2. Abschnitt.
Eine solche Behauptung muß zuerst geprüft werden.

Man kann nicht leugnen, daß diese Zustände bedauerlich sind.
Diese Behauptung läßt sich kaum bestreiten.
Diese Fakten sind unbestreitbar und unbestritten.
Die Argumente des Autors lassen sich nicht widerlegen, sie sind unwiderlegbar.
Das widerspricht völlig meiner Meinung.

Ich glaube, daß... / Ich habe den Eindruck, daß...
Ich finde diese Meinung übertrieben. / Ich halte diese Meinung für übertrieben.
Man kann nicht mit Sicherheit behaupten, daß...
Der Text stimmt uns traurig.
Dabei überkommt uns ein Gefühl der Traurigkeit.
Ein Gefühl der Wehmut bemächtigt sich des Lesers.

Ich zweifle nicht an der Richtigkeit dieser Idee.
Ich bezweifle die Richtigkeit... nicht.
Es ist möglich, daß sich der Berichterstatter geirrt hat / daß er sich getäuscht hat.
Er überschätzt die Bedeutung dieses Problems.
Dieser Politiker unterschätzt wahrscheinlich die Gefahr.
Er hat die Lage richtig eingeschätzt.

Das hätte niemand ahnen können.
Der Dichter hat eine böse Ahnung.
Ich habe keine Ahnung davon.
Er bildet sich ein, daß er immer recht hat.
Das ist reine Einbildung.
Wir können das nur vermuten.
Ich setze voraus, daß diese Tatsachen unbestreibar sind.
Ich gehe davon aus, daß...

Man kann aus diesen Beispielen folgern, daß...
Ich schließe aus dieser Bemerkung, daß...
Zum Schluß kann man Folgendes betonen: ...
Abschließend möchte ich sagen, daß...
Ich möchte nun mit einem Zitat schließen.

Dieser Text ist schließlich ein wichtiger Beitrag zu diesem Problem, insofern als er neue
Wege zur Lösung dieses Problems zeigt.
Dieses Gespräch trägt zum Verständnis dieses Problems bei.
Die Bedeutung dieses Textes liegt darin, daß...
Das Hauptinteresse des Textes besteht darin, daß...
Der Text ist insofern wichtig, als er einen ganz neuen Standpunkt über dieses Problem bringt.

Indications pour
le document sonore

das Tonband (¨er)	la bande sonore	der Kassetten-	le magnétophone
das Tonbandgerät (e)	le magnétophone	recorder (-)	à cassettes
die Tonband-		der Kopfhörer (-)	le casque
aufnahme (n),		das Gerät ein/schalten	mettre l'appareil
die Aufnahme (n)	l'enregistrement		en marche
die Kassette (n)	la cassette	das Gerät aus/schalten	arrêter l'appareil
		die Taste (n)	la touche

zurück/spulen	rembobiner	eine Rede halten (ie, a, ä)	faire un discours
sich einen Text an/hören	écouter un texte	an einer Diskussion teilnehmen (a, o, i)	participer à une discussion
der Ton (¨e)	le son	die Umgangssprache	la langue parlée
die Lautstärke ein/stellen	régler le volume sonore	die Redewendung (en)	la tournure
der Sprecher (-)	le locuteur	sich aus/drücken	s'exprimer
deutlich sprechen	parler distinctement	jm. ins Wort fallen (ie, a, ä, ist)	couper la parole à qn.
undeutlich sprechen	parler indistinctement	jn. unterbrechen (a, o, i)	interrompre qn.
		zu einem anderen Problem über/gehen (i, a, ist)	passer à un autre problème
das Gespräch (e)	le dialogue		
der Gesprächs- partner (-)	l'interlocuteur	die Diskussion endet mit einer Frage.	La discussion se termine par une question.
die Gesprächsrunde (n)	la table ronde		

42. ADJECTIFS D'APPRÉCIATION

Ces adjectifs dont certains peuvent également être employés comme adverbes vous seront très utiles pour exprimer ou nuancer votre jugement, vos appréciations, vos sentiments, vos impressions, pour donner plus de relief à vos descriptions. Ils sont donc un moyen de donner à la fois plus de précision à votre expression et plus de relief à votre style. Il n'est pas nécessaire de les connaître et de les utiliser tous, mais repérez dans cette liste ceux qui vous conviennent le mieux et qui vous paraissent les plus adaptés à votre expression personnelle.

Appréciations positives

spannend: passionnant, captivant
ein spannender Film, Roman, eine spannende Geschichte
un film, un roman, une histoire captivante

erfreulich: réjouissant
eine erfreuliche Nachricht,
une nouvelle réjouissante

kostbar: précieux
ein kostbares Geschenk
un cadeau précieux
kostbarer Schmuck
des bijoux précieux

wertvoll: de valeur
ein wertvolles Kunstwerk
une œuvre d'art de valeur

ausgezeichnet: excellent
Das Essen schmeckt ausgezeichnet.
Le repas est excellent.

Ihr neues Kleid steht Ihnen ausgezeichnet.
Votre nouvelle robe vous va à merveille.

Wie geht es Ihnen? - Danke, ausgezeichnet!
Comment allez-vous ? - Très bien, merci !

vorzüglich: excellent
Dieser Wein ist vorzüglich.
Ce vin est excellent.

hervorragend: éminent, remarquable
ein hervorragender Sportler /
Wissenschaftler / Schriftsteller /
Künstler
un sportif / savant / écrivain / artiste
remarquable, éminent
Diese Arbeit ist ganz hervorragend.
Ce travail est tout à fait remarquable.

außerordentlich,
außergewöhnlich: extraordinaire
eine außerordentliche Geschichte /
Leistung
une histoire / une performance
extraordinaire
ein außergewöhnlicher Mensch
un homme extraordinaire
Das war außerordentlich schwierig.
C'était extraordinairement difficile.

eindrucksvoll: impressionnant
eine eindrucksvolle Leistung / Rede
une performance / un discours
impressionnant

unvergleichlich: incomparable
eine unvergleichliche Schönheit,
eine unvergleichliche Erfahrung
une beauté incomparable, une expérience
incomparable

toll: 1. fou ; 2. formidable
1. ein toller Lärm
un bruit infernal
2. « Super » ; das ist aber eine tolle Idee.
Voilà une idée formidable.

tadellos: impeccable
Diese Arbeit ist wirklich tadellos.
Ce travail est vraiment impeccable.

glänzend: brillant
eine glänzende Idee, ein glänzender
Redner
une idée brillante, un orateur brillant
Das ist ihm glänzend gelungen.
Elle a réussi cela brillamment.

fabelhaft: fabuleux
eine fabelhafte Geschichte, ein fabel-
hafter Erfolg, eine fabelhafte Leistung
une histoire fabuleuse, un succès fabuleux,
une performance fabuleuse

großartig: grandiose, magnifique
eine großartige Idee
une idée extraordinaire
ein großartiges Denkmal
un monument magnifique, grandiose

vollkommen: parfait
eine vollkommene Schönheit
une beauté parfaite
vollkommen richtig
parfaitement exact

Adjectifs exprimant la beauté

nett: joli, coquet, gentil
ein nettes Kind, ein nettes Mädchen
un enfant mignon, une fille
mignonne
Das ist sehr nett von dir!
C'est très gentil de ta part !

hübsch: joli
ein hübsches Mädchen
une jolie fille
eine hübsche Summe
une somme coquette

reizend, entzückend: charmant, ravissant
ein reizendes Mädchen, eine reizende
Dame, eine reizende Landschaft
une jeune fille, une dame ravissante,
un paysage ravissant
ein entzückendes Kleid
une robe ravissante

malerisch: pittoresque
eine malerische Landschaft,
eine malerische Stadt
un paysage, une ville pittoresque

prächtig: splendide, somptueux
   Von hier aus hat man einen prächtigen
   Blick.
   D'ici on a une vue splendide.
   eine prächtige Landschaft
   un paysage superbe

bezaubernd: ravissant, enchanteur
   eine bezaubernde Stimme, ein
   bezauberndes Lächeln
   une voix ravissante, un sourire ravissant,
   charmant

wunderbar, wunderschön, wundervoll:
magnifique, merveilleux, splendide
   Was für ein wunderbares Bild!
   Quel tableau magnifique !
   eine wunderbare / wunderschöne
   Stimme
   une voix merveilleuse, splendide

Adjectifs exprimant
l'étonnement ou la singularité

---

erstaunlich: étonnant
   eine erstaunliche Geschichte, Leistung
   une histoire, une performance étonnante
   ein erstaunlicher Erfolg
   une réussite étonnante

ungewöhnlich: inhabituel, peu ordinaire
   Dieser Junge ist ungewöhnlich
   intelligent.
   Ce garçon est d'une intelligence peu
   commune.

eigentümlich, merkwürdig, sonderbar:
singulier, curieux, étrange
   eine eigentümliche Geschichte
   une histoire singulière
   Sie ist von eigentümlicher Schönheit.
   Elle est d'une beauté particulière /
   singulière.
   Was für ein merkwürdiger /
   sonderbarer Mensch!
   Quel curieux homme !
   Das ist höchst sonderbar.
   Cela est très étange.

seltsam: étrange
   Das kommt mir sehr seltsam vor.
   Cela me paraît très étrange.

lächerlich: ridicule
   Was Sie mir da sagen, ist lächerlich!
   Ce que vous me dites là est ridicule !

riesig: gigantesque
   ein riesiger Erfolg, ein riesiges Gebäude
   un succès énorme, un bâtiment gigantesque
   Das freut mich aber riesig!
   Voilà qui me fait énormément plaisir !

ungeheuer: énorme
   eine ungeheure Anstrengung, ungeheure
   Schwierigkeiten, ein ungeheurer Schmerz
   un effort énorme, des difficultés énormes,
   une énorme douleur

unheimlich: 1.(adj.) inquiétant ;
2. (adv.) énormément, extraordinairement
   1. ein unheimlicher Mensch
      un homme inquiétant
      eine unheimliche Stimmung
      une atmosphère inquiétante
   2. Das ist unheimlich wichtig,
      interessant.
      Cela est extraordinairement
      important, intéressant.

unglaublich: incroyable
   eine unglaubliche Geschichte
   une histoire incroyable

unwahrscheinlich: invraisemblable
   Was du mir da erzählst,
   ist ganz unwahrscheinlich.
   Ce que tu me racontes là,
   est tout à fait invraisemblable.

Appréciations négatives

ärgerlich: irritant, fâcheux
    eine ärgerliche Geschichte,
    Nachricht
    une histoire, une nouvelle irritante
    ein ärgerlicher Besuch
    une visite fâcheuse

bedauerlich: regrettable
    eine bedauerliche Entscheidung,
    Maßnahme,
    une décision, une mesure regrettable.

furchtbar, fürchterlich:
terrible, terrifiant
    furchtbare Schmerzen
    de terribles douleurs
    Die Stadt erlitt fürchterliche
    Zerstörungen
    La ville a subi de terribles destructions.

gemein: vulgaire
    ein gemeiner Mensch
    un homme vulgaire
    ein gemeines Benehmen
    un comportement vulgaire, honteux

geschmacklos: de mauvais goût
    ein geschmackloser Mensch
    un homme de mauvais goût
    eine geschmacklose Bemerkung
    une remarque de mauvais goût.

schändlich: honteux, scandaleux
    ein schändliches Leben führen
    mener une vie honteuse
    eine schändliche Tat begehen (i, a)
    commettre un acte honteux, scandaleux.

kläglich: pitoyable, lamentable
    Sein Leben nahm ein klägliches Ende.
    Sa vie s'acheva pitoyablement.
    Er spielte dabei eine klägliche Rolle.
    Il joua là un rôle pitoyable, lamentable.

abscheulich, entsetzlich:
épouvantable, effroyable, affreux
    ein abscheuliches Verbrechen, eine
    entsetzliche Tat,
    un crime épouvantable, un acte effroyable.
    Welch ein entsetzliches Wetter heute!
    Quel temps affreux aujourd'hui !

43. ADVERBES

Adverbes d'intensité

Les adverbes d'intensité et de manière ont surtout pour fonction de nuancer, de moduler votre discours et de lui donner davantage de précision, de le faire coïncider ainsi le plus exactement possible avec vos idées.

fast, beinahe, nahezu: presque
    Ich hätte es fast / beinahe vergessen.
    J'ai failli l'oublier.
    Das ist nahezu unmöglich.
    C'est pratiquement impossible.

einigermaßen: à peu près
    Es geht mir einigermaßen gut.
    Je vais à peu près bien.

gewissermaßen:
en quelque sorte, dans une certaine mesure
> Gewissermaßen hat er recht.
> *En quelque sorte il a raison.*

verhältnismäßig: relativement
> Das ist verhätnismäßig schwierig.
> *C'est relativement difficile.*

weit, bei weitem: de beaucoup, de loin
> Das ist weit wichtiger.
> *Cela est beaucoup plus important.*
> Das ist bei weitem nicht so interessant,
> wie ich dachte.
> *C'est loin d'être aussi intéressant que je*
> *le croyais.*

höchst, äußerst: extrêmement
> Diese Sache ist mir höchst /
> äußerst unangehm.
> *Cette affaire m'est extrêmement*
> *désagréable.*

höchstens: tout au plus
> Er ist höchstens 20 Jahre alt.
> *Il a tout au plus 20 ans.*

mindestens, wenigstens: au moins
> Dieses Buch kostet mindestens /
> wenigstens 30 Mark.
> *Ce livre coûte au moins 30 marks.*
> Du hättest mich wenigstens
> informieren können.
> *Tu aurais au moins pu m'informer.*

ganz, völlig: tout à fait, entièrement
> Du hast ganz / völlig recht.
> *Tu as entièrement raison.*

durchaus: tout à fait
> Dein Vorschlag ist durchaus interessant.
> *Ta proposition est tout à fait intéressante.*

geradezu: véritablement
> Es ist geradezu unglaublich.
> *C'est véritablement incroyable.*

Adverbes de manière

---

ebenfalls, gleichfalls:
également, pareillement
> Er ist ebenfalls betroffen.
> *Il est également concerné.*
> Guten Appetit! - Danke, gleichfalls!
> *Bon appétit ! - Merci, pareillement !*

teils, zum Teil: en partie
> Dieser Tisch ist teils aus Holz,
> teils aus Glas.
> *Cette table est en partie en bois,*
> *en partie en verre.*

irgendwie:
d'une certaine manière,
d'une manière ou d'une autre
> Irgendwie muß es ja möglich sein.
> *Cela doit être possible d'une manière ou*
> *d'une autre.*

im allgemeinen: en général ;
insbesondere: en particulier
> Die Lage Europas im allgemeinen
> und die Frankreichs insbesondere.
> *La situation de l'Europe en général*
> *et celle de la France en particulier.*

bekanntlich: comme chacun sait
> Diese Krankheit ist bekanntlich
> unheilbar.
> *Cette maladie est, comme on le sait,*
> *incurable.*

überhaupt:
1. absolument ; 2. au juste, en somme
> 1. Das ist überhaupt nicht möglich.
>   *Cela n'est absolument pas possible.*
> 2. Wie macht man das überhaupt?
>   *Comment fait-on cela au juste ?*

wenn überhaupt: si tant est que
> Er kommt morgen, wenn überhaupt.
> *Il viendra demain, si tant est qu'il vienne.*

unbedingt: absolument
> Du mußt unbedingt diesen Film sehen.
> *Il faut absolument que tu voies ce film.*

umsonst, vergeblich, vergebens: en vain
> alle Mühe war umsonst / vergeblich.
> *Tous les efforts furent vains.*
> Er hat vergeblich / vergebens versucht,
> uns zu helfen.
> *Il a essayé en vain de nous aider.*

Adverbes de corrélation

Les adverbes de corrélation sont absolument indispensables dans l'expression écrite et orale. Ils vous permettront de créer les liens logiques entre vos phrases et de donner ainsi à votre expression la cohérence nécessaire à toute explication ou démonstration.

außerdem: en outre
Außerdem möchte ich noch Folgendes sagen.
En outre, je voudrais encore dire la chose suivante.

übrigens: d'ailleurs
Ich wollte dir übrigens noch heute schreiben.
Je voulais d'ailleurs encore t'écrire aujourd'hui.

hauptsächlich: principalement
Hungersnot herrscht hauptsächlich in Afrika.
La famine sévit principalement en Afrique.

besonders: surtout, particulièrement
Dieses Thema ist besonders interessant.
Ce sujet est particulièrement intéressant.

im wesentlichen: pour l'essentiel
Ihre Antwort ist im wesentlichen richtig.
Votre réponse est pour l'essentiel exacte.

doch, dennoch: mais, cependant
Diese Reise war interessant, doch / dennoch war sie anstrengend.
Ce voyage fut intéressant, mais / cependant il était fatigant.

jedoch: cependant
Die Stadt ist sehenswürdig, unser Hotel war jedoch etwas unbequem.
La ville méritait d'être vue, notre hôtel manquait cependant un peu de confort.

trotzdem: malgré cela, quand même
Diese Reise ist zwar teuer, ich werde sie aber trotzdem unternehmen.
Ce voyage est certes coûteux, mais je l'entreprendrai quand même.

dagegen, hingegen:
en revanche, par contre
Gestern regnete es, heute dagegen ist es sehr schön.
Hier, il pleuvait, aujourd'hui en revanche il fait très beau.

vielmehr: plutôt, au contraire
Es genügt nicht, darüber zu reden; vielmehr müssen wir rasch handeln.
Il ne suffit pas d'en parler; il nous faut plutôt agir rapidement.

darum, deshalb, deswegen:
c'est pourquoi
Die Lage wird immer schlimmer; gerade deshalb müssen wir etwas tun.
La situation s'aggrave sans cesse ; c'est précisément pour cela que nous devons faire quelque chose.

infolgedessen: par conséquent
Er fühlt sich von Tag zu Tag wohler; infolgedessen kann er jetzt auch ausgehen.
Il se sent mieux de jour en jour ; par conséquent il peut sortir maintenant.

also: donc
Wir können also sagen, daß das Problem dringend gelöst werden muß.
Nous pouvons donc dire que le problème doit être résolu de manière urgente.

Adverbes de modalité

Les adverbes de modalité sont également très utiles dans l'expression personnelle écrite, mais surtout orale, car ils vous permettront de nuancer votre propos en marquant votre position personnelle par rapport à votre énoncé, telle que l'insistance, la certitude, l'espoir, la satisfaction, ou au contraire le doute ou la négation et le regret. Grâce à eux vous donnerez un tour plus personnel et plus vivant à votre expression.

eigentlich: à vrai dire, au juste
Was willst du eigentlich von mir?
Que veux-tu au juste de moi ?
Es besteht eigentlich keine Gefahr.
À vrai dire, il n'y a pas de danger.

glücklicherweise, zum Glück:
heureusement
Glücklicherweise / zum Glück konnten
wir den Unfall vermeiden.
*Nous avons heureusement pu éviter
l'accident.*

leider: malheureusement
Leider konnten wir nicht länger
bleiben.
*Malheureusement, nous n'avons pas pu
rester plus longtemps.*

hoffentlich: pourvu que, espérons que
Hoffentlich geht die Zahl der
Arbeitslosen endlich zurück.
*Pourvu que le nombre de chômeurs
baisse enfin.*

meinetwegen:
je veux bien, je n'y suis pas opposé
Meinetwegen kannst du heute abend
ins Kino gehen.
*Je veux bien que tu ailles au cinéma
ce soir, je n'y vois pas d'inconvénient.*

allerdings: toutefois
Ich will dir gern helfen; allerdings mußt
du ein bißchen warten.
*Je veux bien t'aider ; toutefois, il faut que
tu attendes un peu.*

zwar: certes
Die Lage hat sich zwar verbessert, doch
ist sie noch nicht gut.
*La situation s'est certes améliorée, elle n'est
cependant pas encore bonne.*

freilich:
1. naturellement, bien sûr ; 2. à vrai dire
   1. Kannst du schon schwimmen?
      – Ja, freilich!
      Sais-tu déjà nager ? – Oui, bien sûr !
   2. Freilich haben wir dabei nicht
      viel verdient.
      *Il est vrai que / À vrai dire nous n'y
      avons pas gagné grand-chose.*

wohl: sans doute
Er sieht nicht gut aus;
er ist wohl krank.
*Il n'a pas bonne mine ;
il est sans doute malade.*
Es könnte wohl schlimmer sein.
Cela pourrait sans doute être pire.

wahrscheinlich, vermutlich:
probablement, sans doute
Er wird wahrscheinlich heute
ankommen.
Il arrivera sans doute aujourd'hui.

sicher, bestimmt: sûrement, certainement
Mich wundert, daß er nicht da ist;
er ist sicher krank.
*Je m'étonne qu'il ne soit pas là ;
il est sûrement malade.*

wirklich, wahrhaftig:
vraiment, réellement
Es ist wirklich schade!
C'est vraiment dommage !

tatsächlich: effectivement
Es mußte tatsächlich geschehen.
Il fallait effectivement que cela arrive.

zweifellos: sans aucun doute
Seine Leistungen haben sich zweifellos
verbessert.
*Ses résultats se sont sans aucun doute
améliorés.*

keinesfalls, auf keinen Fall: en aucun cas
Das können wir keinesfalls /
auf keinen Fall dulden.
Nous ne pouvons en aucun cas tolérer cela.

keineswegs: nullement
Er ist keineswegs der einzige,
der das sagt.
Il n'est nullement le seul à dire cela.

nicht im geringsten:
pas le moins du monde
Brauchen Sie meine Hilfe?
– Danke, nicht im geringsten.
*Avez-vous besoin de mon aide ?
– Merci, pas le moins du monde.*

44. RECTION DES ADJECTIFS

Adjectifs suivis de l'accusatif

Les adjectifs de mesure, de poids, de valeur et de durée régissent en règle générale l'accusatif.

alt: âgé de
> Dieser Junge ist 10 Jahre alt.
> *Ce garçon a 10 ans.*

breit: large
> Der Fluß ist 30 Meter breit.
> *La rivière a 30 mètres de large.*

hoch: haut
> Dieser Tisch ist einen Meter hoch.
> *Cette table a un mètre de haut.*

lang: 1. longueur ; 2. durée
> 1. Das Haus ist zehn Meter lang.
>   *La maison a une longueur de dix mètres.*
> 2. Ich wartete eine Stunde lang auf ihn.
>   *Je l'ai attendu durant une heure.*

schwer: lourd
> Der Sack ist einen Zentner schwer.
> *Le sac pèse 50 kilos.*

tief: profond
> Der See ist zwanzig Meter tief.
> *Le lac a une profondeur de vingt mètres.*

weit: éloigné de
> Die Stadt liegt einen Kilometer weit.
> *La ville est à un kilomètre d'ici.*

wert: qui vaut
> Das ist keinen Pfennig wert.
> *Cela ne vaut pas un pfennig (pas un sou).*

Quelques autres adjectifs s'y ajoutent :

gewohnt: habitué à
> Ich bin eine solche Kälte nicht gewohnt.
> *Je ne suis pas habitué à un tel froid.*

los: être débarrassé de
> Ich bin ihn endlich los.
> *Je suis enfin débarrassé de lui.*

satt: en avoir assez de
> Er hatte das Leben satt.
> *Il en avait assez de la vie.*

schuldig: redevable de
> Du bist mir nichts schuldig.
> *Tu ne me dois rien.*

Adjectifs suivis du datif

ähnlich: semblable à
> Er sieht seinem Bruder ähnlich.
> *Il ressemble à son frère.*

angenehm: agréable à
> Dein Besuch ist mir sehr angenehm.
> *Ta visite m'est très agréable.*

(un)begreiflich: (in)compréhensible
> Das ist mir ganz unbegreiflich.
> *Cela m'est tout à fait incompréhensible.*

behilflich: serviable
> Kannst du mir behilflich sein?
> *Peux-tu m'aider ?*

bekannt: connu
Diese Nachricht war mir nicht
bekannt.
Je ne connaissais pas cette nouvelle.

böse: fâché contre
Sei mir nicht böse!
Ne m'en veux pas !

dankbar: reconnaissant à
Ich bin dir für deine Hilfe dankbar.
Je te suis reconnaissant de ton aide.

**egal / gleich /
gleichgültig:** égal, indifférent
Das ist mir gleich.
Cela m'est égal / indifférent.

ergeben: dévoué à
Mein Freund ist mir sehr ergeben.
Mon ami m'est très dévoué.

fremd: étranger à
Diese Stadt ist mir fremd.
Je ne connais pas cette ville.

günstig: favorable à
Dieses neue Gesetz ist uns nichtgünstig.
Cette nouvelle loi ne nous est pas favorable.

leicht ≠ schwer: facile ≠ difficile
Diese Arbeit fällt mir leicht ≠ schwer.
Ce travail me paraît facile ≠ difficile.

(un)möglich: (im)possible
Das ist mir ganz unmöglich.
Cela m'est tout à fait impossible.

nahe: proche de
Er steht mir ziemlich nahe.
Il m'est assez proche.

nützlich: utile à
Deine Hilfe ist mir sehr nützlich.
Ton aide m'est très utile.

recht: qui convient
Dieser Vorschlag ist mir recht.
Cette proposition me convient.

schädlich: nuisible à
Rauchen ist deiner Gesundheit schädlich.
Fumer nuit à ta santé.

treu: fidèle à
Der Hund ist seinem Herrn treu.
Le chien est fidèle à son maître.

überlegen ≠ unterlegen:
supérieur ≠ inférieur à
Dieser Sportler ist seinem
Gegner überlegen.
Ce sportif est supérieur à son adversaire.

willkommen: bienvenu à
Du bist mir immer willkommen.
Tu es toujours le bienvenu.

Adjectifs suivis du génitif

bewußt: conscient de
Ich bin mir meines Fehlers bewußt.
Je suis conscient de mon erreur.

gewiß / sicher: sûr de
Bist du dir deiner Sache gewiß / sicher?
Es-tu sûr de ton affaire ?

müde: fatigué de
Ich bin des vielen Redens müde.
Je suis las d'avoir tant parlé.

schuldig: coupable de
Er wurde des Diebstahls schuldig erklärt.
Il fut déclaré coupable du vol.

verdächtig: suspect de
Dieser Mann ist des Mordes verdächtig.
Cet homme est suspect de meurtre.

würdig: digne de
Er ist meines Vertrauens nicht würdig.
Il n'est pas digne de ma confiance.

Adjectifs suivis
d'une préposition et du datif

AN

arm ≠ reich: pauvre ≠ riche en
Saudi-Arabien ist reich an Erdöl.
L'Arabie Saoudite est riche en pétrole.

interessiert: intéressé par
Ich bin an diesem Geschäft nicht
interessiert.
Je ne suis pas intéressé par cette affaire.

schuld: responsable de
Die Luftverschmutzung ist schuld
an dem Treibhauseffekt.
*La pollution est responsable de l'effet
de serre.*

überlegen: supérieur en
Er ist mir an Kraft überlegen.
Il m'est supérieur en force.

MIT

böse: fâché avec
Glaub nicht, daß ich dir böse bin!
Ne crois pas que je sois fâché avec toi.

einverstanden: d'accord avec
Ich bin ganz mit dir einverstanden.
Je suis tout à fait d'accord avec toi.

fertig: qui en a fini avec
Ich bin mit meiner Arbeit fertig.
J'ai fini mon travail.

sparsam: économe de
Er geht sparsam mit seinem Geld um.
Il est économe de son argent.

vergleichbar: comparable à
Dieser Wagen ist mit dem anderen
nicht vergleichbar.
*Cette voiture n'est pas comparable
à l'autre.*

verwandt: apparenté à
Sie sind miteinander verwandt.
Ils sont en parenté l'un avec l'autre.

zufrieden: satisfait de
Ich bin mit deinen Leistungen
sehr zufrieden.
Je suis très satisfait de tes résultats.

NACH

gierig: avide de
Er ist gierig nach Neuigkeiten.
Il est avide de nouveautés.

hungrig: avoir envie de / faim de
Ich bin hungrig nach
frischen Erdbeeren.
J'ai envie de fraises fraîches.

VON

abhängig: dépendant de
Er ist noch von seinen Eltern abhängig.
Il est encore dépendant de ses parents.

frei: libre de
Er ist frei von Sorgen
Il est libre de soucis.

VOR

blaß ≠ rot: pâle de ≠ rouge de
Er war blaß vor Angst.
Il était pâle de frayeur.
Er ist rot vor Scham.
Il est rouge de honte.

sicher: à l'abri de
Hier sind wir vor Dieben sicher.
Ici nous sommes à l'abri des voleurs.

ZU

bereit: prêt à
Er ist zu allem bereit.
Il est prêt à tout.

entschlossen: décidé à
Ich bin zu dieser Reise entschlossen.
Je suis décidé à faire ce voyage.

fähig: capable de
Zu einer solchen Tat bin ich nicht fähig.
Je ne suis pas capable d'un tel acte.

nett / freundlich: gentil avec
Er war immer sehr nett / freundlich zu
mir.
Il a toujours été très gentil avec moi.

geeignet: approprié à
Diese Maschine ist zu dieser Arbeit nicht
geeignet.
*Cette machine n'est pas appropriée
à ce travail.*

Adjectifs suivis d'une préposition et de l'accusatif

AN

gewöhnt: habitué à
Er ist an dieses Leben gewöhnt.
Il est habitué à cette vie.

AUF

angewiesen: tributaire de
Der kleine Junge ist auf unsere Hilfe
angewiesen.
Le petit garçon est tributaire de notre aide.

aufmerksam: attentif à
Er machte mich auf dieses Problem
aufmerksam.
Il me rendit attentif à ce problème.

böse: fâché contre
Warum bist du böse auf mich?
Pourquoi es-tu fâché contre moi ?

eifersüchtig: jaloux de
Er ist eifersüchtig auf ihre Erfolge.
Il est jaloux de ses succès.

gefaßt: préparé à
Ich war nicht auf diese Nachricht gefaßt.
Je ne m'attendais pas à cette nouvelle.

gespannt: curieux, impatient de savoir
Ich bin darauf gespannt, was jetzt
geschehen wird.
*Je suis curieux de savoir ce qui va
se passer maintenant.*

neidisch: envieux de
Sei doch nicht so neidisch auf ihn!
Ne sois donc pas si envieux de lui !

stolz: fier de
Er ist stolz auf seine Kinder.
Il est fier de ses enfants.

FÜR

bezeichnend: significatif de, révélateur de
Diese Bemerkung ist bezeichnend
für ihn.
Cette remarque est révélatrice de lui.

charakteristisch / typisch:
caractéristique, typique
Diese Häuser sind charakteristisch /
typisch für Bayern.
*Ces maisons sont caractéristiques
de la Bavière.*

dankbar: reconnaissant de
Ich bin dir für deine Hilfe dankbar.
Je te suis reconnaissant de ton aide.

verantwortlich: responsable de
Der Präsident ist für die Außenpolitik
verantwortlich.
*Le président est responsable
de la politique étrangère.*

zuständig: compétent, qualifié pour
Ich bin nicht für dieses Problem
zuständig.
*Je ne suis pas compétent pour ce problème
(Ce problème n'est pas de mon ressort).*

GEGEN

anfällig: sujet à
Er ist anfällig gegen Erkältungen.
Il est sujet à des refroidissements.

empfindlich: sensible à
Sie ist empfindlich gegen Kälte.
Elle est sensible au froid.

hart / grausam: dur / cruel
Sei doch nicht so grausam gegen ihn!
Ne sois donc pas si cruel envers lui !

mißtrauisch: méfiant envers
Sie ist ziemlich mißtrauisch gegen ihre
Angestellten.
Elle est assez méfiante envers ses employés.

IN

verliebt: amoureux de
Er ist seit langem in sie verliebt.
Il y a longtemps qu'il est amoureux d'elle.

ÜBER

betrübt: peiné de
Er war sehr betrübt über den Tod
seines Freundes.
Il était très peiné de la mort de son ami.

empört / entrüstet: indigné de
Ich bin über diese Ungerechtigkeit
empört / entrüstet.
Je suis indigné de cette injustice.

erstaunt: étonné de
Wir waren alle über seine Leistungen
erstaunt.
Nous étions tous étonnés de ses résultats.

froh: content de
Ich bin sehr froh über deinen Besuch.
Je suis très content de ta visite.

glücklich: heureux de
    Ich bin glücklich über deinen
    Erfolg.
    Je suis heureux de ton succès.

wütend / zornig: en colère contre
    Der Trainer ist wütend über seine
    Mannschaft.
    L'entraîneur est en colère contre son
    équipe.

UM

bekümmert / besorgt: inquiet pour
    Ich bin um seine Gesundheit besorgt.
    Je suis inquiet pour sa santé.

schade: dommage pour
    Es ist wirklich schade um ihn.
    C'est vraiment dommage pour lui.

---

45. RECTION DES VERBES

Verbes suivis de l'accusatif
(et non transitifs en français)

jn. an/reden: adresser la parole à qn.
    Er hat mich auf der Straße angeredet.
    Il m'a adressé la parole dans la rue.

jn. aus/lachen: se moquer de qn.
    Lach mich nicht aus!
    Ne te moque pas de moi !

jn. bitten (a, e): demander qch. à qn.
    Ich bitte dich um einen Gefallen.
    Je te demande un service.

jn. etw. fragen: poser une question à qn.
    Ich möchte dich etwas fragen.
    Je voudrais te demander quelque chose.

etw. brauchen: avoir besoin de qch.
    Dieses Buch kann ich noch brauchen.
    Je peux encore avoir besoin de ce livre.

etw. genießen (o, o): jouir de qch.
    Er genießt das Leben.
    Il jouit de la vie.

jn. etw. kosten: coûter qch. à qn.
    Das wird dich viel Geld kosten.
    Cela te coûtera beaucoup d'argent.

jn. etw. lehren: apprendre qch. à qn.
    Er lehrt die Kinder lesen.
    Il apprend à lire aux enfants.

jn. oder etw.
los/werden (u, o, i): se débarrasser de
    Sie weiß nicht, wie sie ihn loswerden
    soll.
    Elle ne sait pas comment se débarrasser de
    lui.

jn. oder etw.
überleben: survivre à qn. ou à qch.
    Sie haben diese Katastrophe überlebt.
    Ils ont survécu à cette catastrophe.

Verbes suivis du datif

auf/fallen (ie, a, ä, ist):
remarquer qch., être frappé par qch.
Sein schlechtes Benehmen ist mir
aufgefallen.
*J'ai été frappé par son mauvais
comportement.*

aus/weichen (i, i, ist): éviter (un obstacle)
Der Radfahrer konnte dem Auto
ausweichen.
Le cycliste a pu éviter la voiture.

begegnen (ist): rencontrer
Ich bin ihm gestern in der Stadt
begegnet.
Je l'ai rencontré hier en ville.

bei/treten (a, e, i, ist): adhérer
Er möchte gern einer Partei beitreten.
Il aimerait bien adhérer à un parti.

bei/wohnen: assister à
Ich habe dem Konzert beigewohnt.
J'ai assisté au concert.

danken: remercier
Ich danke dir für deine Hilfe.
Je te remercie de ton aide.

dienen: servir
Der Wissenschaftler dient seinem Land.
Le savant sert son pays.

drohen: menacer
Der Lehrer droht dem Schüler mit einer
Strafe.
*Le professeur menace l'élève d'une
punition.*

ein/fallen (ie, a, ä, ist): venir à l'esprit
Es ist mir gerade etwas eingefallen.
Je viens d'avoir une idée.

entgegen/kommen (a, o, ist):
venir à la rencontre de
Er kam mir im Garten entgegen.
Il est venu à ma rencontre dans le jardin.

entkommen (a, o, ist): échapper à
Der Flüchtling ist seinen Verfolgern
entkommen.
Le fugitif a échappé à ses poursuivants.

entnehmen (a, o, i):
tirer de, prendre à partir de
Dieser Text ist einer Zeitung
entnommen.
Ce texte est tiré d'un journal.

entsprechen (a, o, i): correspondre
Das entspricht nicht der Wirklichkeit.
Cela ne correspond pas à la réalité.

fehlen: manquer
Das fehlt mir nicht.
Cela ne me manque pas.

folgen (ist): suivre
Er folgt mir auf Schritt und Tritt.
Il me suit pas à pas.

gefallen (ie, a, ä): plaire
Dieser Film hat mir gar nicht gefallen.
Ce film ne m'a pas du tout plu.

gehorchen: obéir
Das Kind will seinen Eltern nicht
gehorchen.
L'enfant ne veut pas obéir à ses parents.

gehören: appartenir
Dieses Buch gehört mir.
Ce livre m'appartient.

gelingen (a, u, ist): réussir
Es ist mir gelungen, ihn zu überzeugen.
J'ai réussi à le convaincre.

glauben: croire
Das kann ich dir nicht glauben.
Je ne peux pas te croire cela.

gleichen (i, i): ressembler
Er gleicht sehr seinem Bruder.
Il ressemble beaucoup à son frère.

gratulieren: féliciter
Ich gratuliere dir zu deinem Erfolg.
Je te félicite de ton succès.

helfen (a, o, i): aider
Ich kann dir leider nicht helfen.
Je ne peux malheureusement pas t'aider.

mißlingen (a, u, ist): échouer
Dieser Versuch ist mir mißlungen.
J'ai échoué dans cette tentative.

nach/laufen (ie, au, äu, ist):
suivre qn. en courant
Du sollst mir nicht ständig nachlaufen.
*Je ne veux pas que tu me coures
constamment après.*

sich nähern: se rapprocher de
Wir nähern uns dem Ziel.
Nous approchons du but.

schaden: nuire à
Rauchen schadet der Gesundheit.
Fumer nuit à la santé.

trotzen: braver, défier
Er trotzt seinem Gegner.
Il défie son adversaire.

verdanken: être redevable à
Ich verdanke ihm meinen Erfolg.
Je lui dois mon succès.

vertrauen: faire confiance à
Man kann ihm vertrauen.
On peut lui faire confiance.

verzeihen (ie, ie): pardonner à
Du solltest ihm diesen Fehler verzeihen.
Tu devrais lui pardonner cette faute.

widersprechen (a, o, i): contredire qn.
Warum widersprichst du mir ständig?
Pourquoi me contredis-tu sans cesse ?

widerstehen (a, a): résister à
Sie hat der Krankheit gut widerstanden.
Elle a bien résisté à la maladie.

widmen: consacrer
Dieser Arzt widmet sein Leben der
Medizin.
Ce médecin consacre sa vie à la médecine.

zu/hören: écouter qn.
Hör mir bitte aufmerksam zu!
Écoute-moi attentivement, s'il te plaît !

zu/sehen (a, e, ie): regarder faire qn.
Diesem Künstler sehe ich gern bei der
Arbeit zu.
*J'aime regarder cet artiste pendant qu'il
travaille.*

zu/stimmen: approuver qn.
Diesem Entschluß kann ich nur
zustimmen.
Je ne peux qu'approuver cette idée.

Verbes suivis du génitif

jn. an/klagen, jn. beschuldigen:
accuser qn. de
Der Mann wurde des Diebstahls
angeklagt / beschuldigt.
L'homme fut accusé de vol.

sich bedienen: se servir de
Der Junge bedient sich gern
seines Computers.
*Le garçon aime bien se servir
de son ordinateur.*

bedürfen: avoir besoin de
Dieser Wagen bedarf einer Reparatur.
Cette voiture a besoin d'une réparation.

sich bemächtigen: s'emparer de
Die Rebellen haben sich die Hauptstadt
bemächtigt.
Les rebelles se sont emparés de la capitale.

sich (D) bewußt sein: être conscient de
Ich bin mir der Gefahr bewußt.
Je suis conscient du danger.

sich entledigen: se débarrasser de
Ich muß mich meiner alten Kleider
entledigen.
*Il faut que je me débarrasse
de mes vieux habits.*

sich erbarmen: avoir pitié de
Ich erbarmte mich des armen Mannes.
J'eus pitié du pauvre homme.

sich erfreuen: jouir de
Er erfreut sich einer guten Gesundheit.
Il jouit d'une bonne santé.

sich rühmen: se vanter de
Du brauchst dich dessen nicht zu
rühmen.
Tu n'as pas besoin de te vanter de cela.

sich schämen: avoir honte de
Du solltest dich deines Benehmens
schämen.
*Tu devrais avoir honte de ton
comportement.*

jn. verdächtigen: soupçonner qn. de
Der Geschäftsmann wurde des Betrugs
verdächtigt.
*L'homme d'affaires fut soupçonné
d'escroquerie.*

jn. versichern: assurer qn. de
Er versichert mich seines Vertrauens.
Il m'assure de sa confiance.

jn. würdigen: honorer qn. de
Er würdigte mich keines Blickes.
Il ne m'accorda aucun regard.

Verbes suivis d'une préposition

PRÉPOSITION + DATIF

AN

ändern: changer à
Wir können an dieser Lage nichts
ändern.
Nous ne pouvons rien changer à cette
situation.

sich beteiligen an: participer à
Alle Mitglieder des Vereins haben sich
an der Aktion beteiligt.
Tous les membres du club ont participé
à l'action.

erkennen (erkannte, erkannt):
reconnaître à
Man erkennt ihn gut an der Stimme.
On le reconnaît bien à sa voix.

fehlen: manquer de
Es fehlt mir immer an Zeit.
Je manque toujours de temps.

sich freuen:
se réjouir de, prendre plaisir à
Ich freue mich sehr an deinem Erfolg.
Ton succès me fait très plaisir.

hängen (i, a): être attaché à, tenir à
Ich hänge sehr an ihr.
Je tiens beaucoup à elle.

leiden an (i, i): souffrir (d'une maladie)
Er leidet schon seit Jahren
an Rheuma.
Il souffre depuis des années
de rhumatismes.

sich rächen: se venger de
Er hat sich grausam an ihr gerächt.
Il s'est cruellement vengé d'elle.

sterben (a, o, i, ist): mourir de
Nach langen Jahren ist er an dieser
Krankheit gestorben.
Après de longues années. il est mort
de cette maladie.

teil/nehmen (a, o, i): participer à
Ich möchte gern an dieser Party
teilnehmen.
J'aimerais bien participer à cette fête.

vorbei/gehen (i, a, ist): passer devant
Er ist an mir vorbeigegangen,
ohne mich zu grüßen.
Il est passé devant moi sans me saluer.

zweifeln: douter de
Ich zweifle nicht an dem Sieg.
Je ne doute pas de la victoire.

AUF

beruhen: reposer sur
Dein Argument beruht auf einer
falschen Annahme.
Ton argument repose sur une fausse
supposition.

bestehen: ne pas démordre de
Er besteht auf seiner Meinung.
Il ne démord pas de son opinion.

AUS

bestehen (a, a): se composer de
Der Text besteht aus drei Teilen.
Le texte se compose de trois parties.

sich ergeben (a, e, i): résulter de
Sein Können ergibt sich aus
seiner Erfahrung.
Son savoir-faire résulte de son expérience.

schließen (o, o): conclure de
Was kann man aus dieser Lage
schließen?
Que peut-on conclure de cette situation ?

werden (u, o, ist): advenir de
Was wird aus ihm werden?
Qu'adviendra-t-il de lui ?

IN

bestehen (a, a): consister en
Unsere Aufgabe besteht in einer
Übersetzung.
Notre travail consiste en une
traduction.

sich täuschen:
se tromper sur le compte de qn.
Ich habe mich schwer in ihm getäuscht.
Je me suis gravement trompé
sur son compte.

MIT

an/fangen (i, a, ä), beginnen (a, o):
commencer par
Womit wollen Sie anfangen?
Par quoi voulez-vous commencer ?
Ich weiß nichts damit anzufangen.
Je ne sais pas quoi en faire.

auf/hören: cesser
Hör auf mit deinen Geschichten!
Arrête avec tes histoires !

aus/rüsten, aus/statten: équiper de
Dieser Wagen ist mit dem ABS-System
ausgestattet / ausgerüstet.
Cette voiture est équipée du système ABS.

bedecken: couvrir de
Die Landschaft ist mit Schnee bedeckt.
Le paysage est recouvert de neige.

sich befassen: traiter un sujet
Dieser Artikel befaßt sich mit dem
Drogenproblem.
Cet article traite de la drogue.

sich beschäftigen: s'occuper de
Er beschäftigt sich gern mit Kindern.
Il aime s'occuper des enfants.

sich begnügen: se contenter de
Er muß sich mit seinem Lohn
begnügen.
Il doit se contenter de son salaire.

drohen: menacer de
Der Lehrer drohte dem Schüler mit
einer Strafe.
Le professeur menaça l'élève
d'une punition.

enden: finir par
Das Essen endete mit einem Kaffee.
Le repas se termina par un café.

füllen: remplir de
Er hat den Korb mit Äpfeln gefüllt.
Il a rempli le panier de pommes.

Mitleid haben: avoir pitié de
Ich habe Mitleid mit diesem Bettler.
J'ai pitié de ce mendiant.

meinen: vouloir dire par
Was meinst du damit?
Qu'entends-tu par là ?

prahlen: se vanter de, faire étalage de
Er prahlt mit seinem Reichtum.
Il fait étalage de sa richesse.

rechnen: s'attendre à
Ich hatte nicht mit seiner Ankunft
gerechnet.
Je ne m'attendais pas à son arrivée.

um/gehen (i, a, ist):
avoir des relations avec, s'y prendre avec,
Er weiß mit Kindern umzugehen.
Il sait s'occuper d'enfants.
Ich kann mit diesem Gerät nicht
umgehen.
Je ne sais pas me servir de cet appareil.

verbinden (a, u): relier, lier à
Diese beiden Probleme sind eng
miteinander verbunden.
Ces deux problèmes sont étroitement liés.

vergleichen (i, i): comparer à
Ich möchte diesen Roman mit einem
anderen vergleichen.
Je voudrais comparer ce roman à un
autre.

verkehren: fréquenter qn.
Mit diesen Leuten verkehre ich nicht.
Je ne fréquente pas ces gens.

versorgen: approvisionner en
Dieses Geschäft wird jeden Tag mit
frischem Gemüse versorgt.
Ce magasin est approvisionné tous
les jours en légumes frais.

NACH

sich erkundigen: se renseigner sur
Wir müssen uns nach der Abfahrtszeit
des Zuges erkundigen.
Nous devons nous renseigner sur l'heure
de départ du train.

fahnden: rechercher (police)
Die Polizei fahndet nach dem Mörder.
La police recherche le meurtrier.

fragen: s'enquérir de, interroger
Er fragte mich nach meiner Meinung.
Il s'est enquis de mon opinion.

sich richten:
agir en fonction de, se conformer à
Ich richte mich nach dir.
J'agirai en fonction de toi.
Ich richte mich nach den Vorschriften.
Je me conforme aux instructions.

riechen (o, o): sentir
Es riecht nach Küche.
Il y a des odeurs de cuisine.

sich sehnen: avoir la nostalgie de
Der alte Mann sehnt sich nach
seiner Jugend.
Le viel homme a la nostalgie
de sa jeunesse.

streben: aspirer à
Der junge Mann strebt nach einem
interessanten Beruf.
Le jeune homme aspire à un métier
intéressant.

suchen: rechercher
Ich habe den ganzen Tag nach
dir gesucht.
Je t'ai cherché toute la journée.

VON

ab/hängen (i, a): dépendre de
Der Erfolg hängt nur von dir ab.
Le succès ne dépend que de toi.

ab/raten (ie, a, ä): déconseiller qch.
Ich rate dir von diesem Kauf ab.
Je te déconseille cet achat.

befreien: délivrer de, dispenser de
Wir können ihn nicht von seiner
Verantwortung befreien.
Nous ne pouvons pas le dispenser de sa
responsabilité.

denken (dachte, gedacht): penser de
Was denkst du davon?
Qu'en penses-tu ?

sich entfernen: s'éloigner de
Er hat sich von seinem Ziel entfernt.
Il s'est éloigné de son but.

erzählen: parler de
Mein Freund erzählt gern
von seinen Reisen.
Mon ami aime parler de ses voyages.

handeln: traiter de
Dieses Buch handelt von der Kernkraft.
Ce livre traite de l'énergie nucléaire.

sprechen (a, o, i): parler de
Er hat von seinem Freund gesprochen.
Il a parlé de son ami.

überzeugen: convaincre de
Ich bin von seiner Unschuld überzeugt.
Je suis convaincu de son innocence.

sich verabschieden,
Abschied nehmen (a, o, i):
prendre congé de
Ich muß leider von Ihnen Abschied
nehmen / Ich muß mich leider
von Ihnen verabschieden.
Je dois malheureusement prendre congé
de vous.

wissen (wußte, gewußt): savoir de
Ich wußte nichts davon.
Je n'en savais rien.

VOR

Achtung haben: respecter qn.
Ich habe große Achtung vor ihm.
J'ai beaucoup de respect pour lui.

Angst haben: avoir peur de
Vor ihm brauchst du keine Angst
zu haben.
Tu n'as pas besoin d'avoir peur de lui.

sich ekeln: être dégoûté par
Mich / mir ekelt es vor diesem
Schauspiel.
Ce spectacle me dégoûte.

sich fürchten: avoir peur de
Er fürchtet sich vor dem Unbekannten.
Il a peur de l'inconnu.

sich hüten: se garder de
Hüte dich vor diesem Mann!
Garde-toi de cet homme !

schützen: protéger contre
Wir sollten uns vor dieser Gefahr
schützen
*Nous devrions nous protéger contre
ce danger.*

sterben (a, o, i, ist): mourir de (fig.)
Ich sterbe vor Langeweile.
Je meurs d'ennui. Er stirbt vor Angst.
Il meurt de peur.

warnen: mettre en garde contre
Ich habe dich doch vor diesem Risiko
gewarnt.
*Je t'ai pourtant mis en garde contre ce
risque.*

zittern: trembler de
Er zittert vor Angst.
Il tremble de peur.

ZU

an/regen: inciter à
Was hat dich dazu angeregt, diese
Entscheidung zu treffen?
*Qu'est-ce qui t'a incité à prendre cette
décision ?*

auf/fordern: inviter (à faire)
Er hat mich dazu aufgefordert,
ihn zu begleiten.
Il m'a invité à l'accompagner.

bei/tragen (u, a, ä): contribuer à
Wir haben erheblich zu diesem Erfolg
beigetragen.
*Nous avons beaucoup contribué à
ce succès.*

bestimmen: destiner à
Dieser junge Forscher ist sicher zu einer
glänzenden Laufbahn bestimmt.
*Ce jeune chercheur est sûrement destiné
à une brillante carrière.*

dienen: servir à
Ein Füller dient zum Schreiben.
Un stylo sert à écrire.

ein/laden (u, a, ä): inviter à
Mein Onkel hat mich zu einer Reise
eingeladen.
Mon oncle m'a invité à un voyage.

sich entschließen (o, o): se décider à
Ich kann mich nicht dazu entschließen,
umzuziehen.
Je n'arrive pas à me décider à déménager.

ernennen (ernannte, ernannt):
nommer à
Der junge Abgeordnete wurde zum
Minister ernannt.
Le jeune député fut nommé ministre.

gehören: faire partie de, appartenir à
Er gehört zu unseren Freunden.
Il fait partie de nos amis.

gratulieren: féliciter de
Ich gratuliere dir zu diesem Erfolg.
Je te félicite de ce succès.

neigen: être enclin à, avoir tendance à
Er neigt dazu, seine Fehler zu vergessen.
Il a tendance à oublier ses erreurs.

passen: aller avec
Diese Krawatte paßt gut zu deinem
Hemd.
Cette cravate va bien avec ta chemise.

taugen: être apte à
Er taugt wirklich nicht zu dieser Arbeit.
Il n'est vraiment pas apte à ce travail.

überreden: persuader de
Der Verkäufer wollte mich dazu
überreden, diesen Wagen zu kaufen.
*Le vendeur voulait me persuader d'acheter
cette voiture.*

veranlassen: inciter à, amener à
Was hat dich denn dazu veranlaßt,
deinen Beruf zu wechseln?
*Qu'est-ce qui t'a donc incité à changer de
métier ?*

verurteilen: condamner à
Der Drogenhändler wurde zu drei
Jahren Gefängnis verurteilt.
Le trafiquant de drogue a été condamné
à trois ans de prison.

zählen: compter parmi
Er zählt zu den besten Sängern seiner
Zeit.
Il fait partie des meilleurs chanteurs de
son époque.

zwingen (a, u): forcer à
Niemand hat dich zu diesem Entschluß
gezwungen.
Personne ne t'a contraint à cette
décision.

VERBES SUIVIS D'UNE PRÉPOSITION ET DE L'ACCUSATIF

AN

denken (dachte, gedacht): penser à
Er denkt oft an seine Kindheit.
Il pense souvent à son enfance.

(sich) erinnern:
(se) rappeler, se souvenir de
Ich kann mich noch gut an sie erinnern.
Je me souviens encore bien d'elle.

(sich) gewöhnen: s'habituer à
Ich kann mich nur schwer an diese
Stadt gewöhnen.
Je ne m'habitue que difficilement
à cette ville.

glauben: croire à
Ich glaube nicht an diese Geschichte.
Je ne crois pas à cette histoire.

grenzen: 1) être contigu à, 2) friser (fig.)
1. Frankreich grenzt an Deutschland.
   La France est contiguë à l'Allemagne.
2. Ein solches Benehmen grenzt an
   Dummheit.
   Un tel comportement frise la bêtise.

sich klammern: s'accrocher à
Er klammert sich an diese Hoffnung.
Il s'accroche à cet espoir.

sich wenden (wandte, gewandt):
s'adresser à
Du mußt dich an den Bürgermeister
wenden.
Il faut que tu t'adresses au maire.

AUF

achten: veiller à, faire attention à
Achte darauf, daß alles gut läuft!
Veille à ce que tout se passe bien !

acht/geben (a, e, i): faire attention à
Gib acht auf die Kinder!
Fais attention aux enfants !

angewiesen sein: être tributaire de
Solange er studiert, ist er auf seine
Eltern angewiesen.
Tant qu'il fait des études, il est tributaire
de ses parents.

an/kommen (a, o, ist): dépendre de
Es kommt nur auf dich an.
Cela ne dépend que de toi.

an/spielen: faire allusion à
Der Autor spielt auf seine Jugend an.
L'auteur fait allusion à sa jeunesse.

antworten: répondre à
Auf diese Frage kann ich nicht
antworten.
Je ne peux pas répondre à cette question.

auf/passen: faire attention à
Du solltest besser auf dein Fahrrad
aufpassen.
Tu devrais faire davantage attention
à ton vélo.

bauen: compter sur
Er ist nicht zuverlässig, man kann
nicht auf ihn bauen.
Il n'est pas fiable, on ne peut pas compter
sur lui.

sich berufen (ie, u):
faire référence à, se réclamer de
Du kannst dich auf mich berufen.
Tu peux te réclamer de moi.

sich beschränken: se limiter à
Ich beschränke mich auf einige
Bemerkungen.
Je me limite à quelques remarques.

sich beziehen (o, o): se référer à
Ich beziehe mich auf Ihren letzten Brief.
Je me réfère à votre dernière lettre.

drängen: insister sur
Unser Kunde drängt auf rasche
Lieferung.
Notre client insiste sur une livraison rapide.

ein/gehen (i, a, ist): prendre en compte
Wir können nicht auf alle Einzelheiten
eingehen.
*Nous ne pouvons prendre en compte tous les
détails.*

sich ein/stellen: s'adapter à
Wir müssen uns auf die neue Lage
einstellen.
*Nous devons nous adapter à la nouvelle
situation.*

sich freuen: se réjouir d'avance
Ich freue mich schon auf die nächsten
Ferien.
*Je me réjouis déjà à l'idée des prochaines
vacances.*

gefaßt sein: s'attendre à
Ich war nicht auf diese Nachricht gefaßt.
Je ne m'attendais pas à cette nouvelle.

gespannt sein: être impatient de connaître
Ich bin sehr darauf gespannt, wie das
enden wird.
*Je suis très impatient de savoir comment
cela va se terminer.*

sich gründen: se fonder sur
Der Verdacht der Polizei gründet sich
auf einen Brief.
*Le soupçon de la police se fonde sur une
lettre.*

hin/weisen (ie, ie): attirer l'attention sur
Die Experten weisen auf die Gefahr
dieses Kernkraftwerks hin.
*Les experts attirent l'attention sur le danger
de cette centrale nucléaire.*

hoffen: espérer
Alle hoffen auf besseres Wetter.
Tout le monde espère un temps meilleur.

horchen, hören: obéir à
Du solltest auf deinen Vater horchen /
hören!
Tu devrais obéir à ton père !

reagieren: réagir à
Er hat zu spät auf unsere Warnungen
reagiert.
Il a réagi trop tard à nos avertissements.

schätzen: estimer à
Ich schätze das Publikum auf etwa 1000
Zuschauer.
*J'estime le public à environ 1000
spectateurs.*

stoßen (ie, o, ö, ist): se heurter à
Wir sind auf große Schwierigkeiten
gestoßen.
Nous avons rencontré de grandes difficultés.

sich stützen: s'appuyer sur
Wir können uns auf mehrere Argumente
stützen.
*Nous pouvons nous appuyer sur plusieurs
arguments.*

sich verlassen (ie, a, ä): se fier à
Man kann sich auf ihn verlassen.
On peut lui faire confiance.

sich verstehen (a, a): s'y connaître en
Er versteht sich gut auf Elektronik.
Il s'y connaît bien en électronique.

vertrauen: faire confiance à
Ich vertraue ganz auf seine Fähigkeiten.
J'ai entièrement confiance en ses capacités.

verzichten: renoncer à
Auf dieses Projekt möchte ich nicht gern
verzichten.
Je n'aimerais pas renoncer à ce projet.

(sich) vor/bereiten: se préparer à
Du mußt dich auf deine Prüfung
vorbereiten.
Il faut que tu te prépares à ton examen.

warten: attendre
Ich habe lange auf ihn gewartet.
Je l'ai attendu longtemps.

zählen: compter sur
Ich habe mit Recht auf ihn gezählt.
J'ai eu raison de compter sur lui.

zurück/führen: être dû à
Unsere Schwierigkeiten sind auf die
ausländische Konkurrenz
zurückzuführen.
*Nos difficultés sont dues à la concurrence
étrangère.*

FÜR

sich aus/geben (a, e, i):
se faire passer pour
Dieser Schwindler gibt sich für einen
Arzt aus.
Cet imposteur se fait passer pour un
médecin.

danken, sich bedanken: remercier de
Ich danke Ihnen für Ihre
Freundlichkeit.
Je vous remercie de votre gentillesse.
Ich bedanke mich für Ihre Einladung.
Je vous remercie de votre invitation.

gelten (a, o, i): passer pour
Er gilt für einen sehr guten Politiker.
Il passe pour être un bon politicien.

halten (ie, a, ä): considérer comme
Ich halte ihn für einen guten Mann.
Je le considère comme un brave homme.

sich interessieren: s'intéresser à
Ich interessiere mich sehr für dieses
Thema.
Je m'intéresse beaucoup à ce sujet.

schwärmen:
raffoler de, s'enthousiasmer pour
Er schwärmt für klassische Musik.
Il raffole de musique classique.

sorgen: prendre soin de
Er sorgt für seine kranke Mutter.
Il prend soin de sa mère malade.

GEGEN

sich auf/lehnen:
se révolter / se soulever contre
Die Bürger lehnten sich gegen die
Zwangsherrschaft auf.
Les citoyens se révoltèrent contre la
tyrannie.

ein/wenden: objecter à
Ich habe nichts gegen deinen
Vorschlag einzuwenden.
Je n'ai rien à objecter à ta proposition.

verstoßen (ie, o, ö): enfreindre
Der Autofahrer hat gegen mehrere
Verkehrsregeln verstoßen.
L'automobiliste a enfreint plusieurs règles
de la circulation.

IN

ein/brechen (a, o, i, ist):
entrer par effraction dans, cambrioler
Der Dieb ist in das Haus eingebrochen.
Le voleur a cambriolé la maison.

ein/greifen (i, i): intervenir dans
Ich möchte in diese Angelegenheit nicht
eingreifen.
Je ne voudrais pas intervenir dans cette
affaire.

sich ergeben (a, e, i): se résigner à
Er mußte sich in sein Schicksal ergeben.
Il dut se résigner à son sort.

sich fügen: se plier à
Er hat sich in die neue politische Lage
gefügt.
Il s'est plié à la nouvelle situation
politique.

geraten (ie, a, ä, ist): entrer dans
Das Unternehmen ist in große
Schwierigkeiten geraten.
L'entreprise a rencontré de grandes
difficultés.

(sich) gliedern, teilen:
(se) subdiviser en, diviser
Der Text läßt sich in drei Teile
gliedern.
On peut subdiviser le texte en trois
parties.

münden: se jeter dans
Der Rhein mündet in die Nordsee.
Le Rhin se jette dans la Mer du Nord.

übersetzen: traduire en
Übersetze diesen Text ins Deutsche!
Traduis ce texte en allemand !

sich verlieben: tomber amoureux de
  Sie hat sich in ihren Freund verliebt.
  Elle est tombée amoureuse de son ami.

sich vertiefen, vertieft sein:
se plonger dans
  Er ist seit einer Stunde in diesen Roman
  vertieft.
  Il est plongé dans ce roman depuis 1 heure.

(sich) verwandeln: (se) transformer en
  Der Krieg verwandelte dieses Dorf in ein
  Trümmerfeld.
  *La guerre a transformé ce village en un
  champ de ruines.*

ÜBER

sich ärgern: se fâcher contre, s'irriter de
  Ich ärgerte mich über sein Verhalten.
  Je me suis irrité de son comportement.

sich auf/regen: s'irriter de qch.
  Reg dich doch nicht über jede
  Kleinigkeit auf!
  Ne t'irrite donc pas de chaque petit rien !

sich äußern: s'exprimer sur
  Ich möchte mich über dieses Thema
  nicht äußern.
  Je ne voudrais pas m'exprimer sur ce sujet.

sich beklagen: se plaindre de
  Der Gefangene beklagte sich über die
  schlechte Behandlung.
  *Le prisonnier se plaignit du mauvais
  traitement.*

sich beschweren: se plaindre de, réclamer
  Ich will mich bei dem Kaufmann über
  dieses Produkt beschweren.
  *Je vais me plaindre auprès du commerçant
  de ce produit.*

diskutieren: discuter de
  Sie diskutierten den ganzen Abend über
  ihr Projekt.
  Ils discutèrent toute la soirée de leur projet.

sich einigen: se mettre d'accord
  Über diese Frage sollten wir uns
  schnell einigen.
  *Nous devrions rapidement nous mettre
  d'accord sur cette question.*

sich empören, sich entrüsten:
s'indigner de
  Ich entrüstete mich über seine freche
  Bemerkung.
  Je m'indignai de sa remarque insolente.

sich freuen: se réjouir de
  Ich freue mich über deinen Erfolg.
  Je me réjouis de ton succès.

herrschen: régner sur
  Napoleon herrschte mehrere Jahre
  über Frankreich.
  *Napoléon régna plusieurs années
  sur la France.*

(sich) informieren: s'informer de
  Die Zeitung informiert uns über die
  wichtigsten Ereignisse.
  *Le journal nous informe sur les principaux
  événements.*

klagen: se plaindre de
  Er klagt immer über das schlechte
  Wetter.
  Il se plaint toujours du mauvais temps.

lachen: rire de
  Er lachte über meine Reaktion.
  Il rit de ma réaction.

nach/denken (dachte, gedacht):
réfléchir à
  Du solltest über andere Lösungen
  nachdenken.
  Tu devrais réfléchir à d'autres solutions.

schimpfen: pester contre
  Er schimpfte über seine eigene
  Ungeschicktheit.
  Il pestait contre sa propre maladresse.

siegen: vaincre, triompher de
  Dieser Sportler siegte über alle seine
  Gegner.
  *Ce sportif a triomphé de tous ses
  adversaires.*

spotten: se moquer de
  Er spottete über meine Bemerkung.
  Il se moqua de ma remarque.

sprechen (a, o, i): parler de
  Ich möchte mit dir über dieses Thema
  sprechen.
  Je voudrais te parler de ce sujet.

(er)staunen: s'étonner de
Ich erstaunte über dieses glückliche
Ereignis.
Je m'étonnai de cet heureux événement.

(sich) streiten (i, i): se disputer
Es lohnt sich nicht, (sich) über
diese Frage zu streiten.
*Cela ne vaut pas la peine qu'on se
dispute à propos de cette question.*

urteilen: juger de
Ich kann über diese Entscheidung
nicht urteilen.
Je ne peux pas juger de cette décision.

verfügen: disposer de
Du kannst frei über mein Auto verfügen.
Tu peux disposer librement de ma voiture.

sich wundern: s'étonner de
Sie wundert sich über meine Antwort.
Elle s'étonne de ma réponse.

UM

bangen: craindre pour
Ich bange um seine Gesundheit.
Je crains pour sa santé.

sich bemühen: faire des efforts pour
Er hat sich sehr um mich bemüht.
Il s'est donné beaucoup de mal pour moi.

jn. beneiden: envier
Er beneidet sie um ihre Erfolge.
Il lui envie ses succès.

sich bewerben (a, o, i):
solliciter, postuler pour
Ich rate dir, dich um diese Stelle
zu bewerben.
Je te conseille de postuler pour cet emploi.

bitten (a, e): demander, prier
Ich möchte dich um einen Gefallen
bitten.
Je voudrais te demander un service.

fragen: demander
Er fragte mich um Rat.
Il me demanda conseil.

sich handeln: s'agir de
Es handelt sich hier um eine wichtige
Frage.
Il s'agit ici d'une question importante.

kämpfen um: se battre pour
Die ganze Mannschaft kämpfte um den
Sieg.
Toute l'équipe s'est battue pour la victoire.

sich kümmern: s'occuper de
Du brauchst dich nicht um diese
Angelegenheit zu kümmern.
*Tu n'as pas besoin de t'occuper
de cette affaire.*

sich sorgen: se faire du souci pour
Sorge dich nicht um ihn!
Ne t'inquiète pas pour lui !

sinken (a, i, ist): baisser de
Der Preis ist um 2 Prozent gesunken.
Le prix a baissé de 2 pour cent.

steigen (ie, ie, ist): augmenter de
Die Produktion ist um 5 % gestiegen.
La production a augmenté de 5 %.

sich streiten: se disputer pour
Sie streiten sich um Kleinigkeiten.
Ils se disputent pour des riens.

werben (a, o, i): briguer, solliciter
Er wirbt um meine Gunst.
Il brigue mes faveurs.

---

46. LES VERBES FORTS

Nous ne donnons ici que les verbes forts de base, à l'exclusion de tous les verbes à préfixes séparables ou inséparables qui se greffent sur la base verbale. Ces verbes suivent bien entendu la même conjugaison que les verbes de base. Lorsque le verbe est suivi d'un astérisque, il se conjugue avec l'auxiliaire *sein*. Dans tous les autres cas, il se conjugue avec *haben*. Lorsqu'il est suivi de deux astérisques, cela signifie qu'il se conjugue avec *sein* lorsqu'il est employé de manière intransitive et avec *haben* dans son emploi transitif. Nous n'indiquons la 3ᵉ personne du présent que si elle diffère de la voyelle radicale de l'infinitif

backen	buk (backte), gebacken	bäckt / backt	*cuire*
befehlen	befahl, befohlen		*donner des ordres*
beginnen	begann, begonnen		*commencer*
beißen	biß, gebissen		*mordre*
bergen	barg, geborgen,	birgt	*cacher*
bewegen	bewog, bewogen		*inciter à*
biegen	bog, gebogen		*plier*
bieten	bot, geboten		*offrir*
binden	band, gebunden		*lier*
bitten	bat, gebeten		*prier, demander*
blasen	blies, geblasen	bläst	*souffler*
bleiben*	blieb, geblieben		*rester*
brechen	brach, gebrochen	bricht	*rompre*
dringen*	drang, gedrungen		*pénétrer, presser*
empfehlen	empfahl, empfohlen	empfiehlt	*recommander*
erbleichen*	erblich, erblichen		*pâlir*
erlöschen*	erlosch, erloschen	erlischt	*éteindre*
erschrecken*	erschrak, erschrocken	erschrickt	*s'effrayer*
erwägen	erwog, erwogen		*réfléchir*
essen	aß, gegessen	ißt	*manger*
fahren**	fuhr, gefahren	fährt	*aller en voiture*
fallen*	fiel, gefallen	fällt	*tomber*
fangen	fing, gefangen	fängt	*attraper*
finden	fand, gefunden		*trouver*
fliegen**	flog, geflogen		*voler*
fliehen**	floh, geflohen		*fuir*
fließen*	floß, gefloßen		*couler*
fressen	fraß, gefressen	frißt	*manger (animaux)*
frieren	fror, gefroren		*geler*
gebären	gebar, geboren	gebiert	*mettre au monde*
geben	gab, gegeben	gibt	*donner*
gedeihen*	gedieh, gediehen		*prospérer*
gehen*	ging, gegangen		*aller à pied*
gelingen*	gelang, gelungen		*réussir*
gelten	galt, gegolten	gilt	*valoir*
genesen*	genas, genesen		*guérir*
genießen	genoß, genossen		*jouir de*
geschehen*	geschah, geschehen	geschieht	*se produire*
gewinnen	gewann, gewonnen		*gagner*
gießen	goß, gegossen		*verser*
gleichen	glich, geglichen		*ressembler*
gleiten*	glitt, geglitten		*glisser*
graben	grub, gegraben	gräbt	*creuser*
greifen	griff, gegriffen		*saisir*
halten	hielt, gehalten	hält	*tenir, arrêter*
hängen	hing, gehangen		*être suspendu*
hauen	haute, gehauen		*frapper*
heben	hob, gehoben		*lever*
heißen	hieß, geheißen		*s'appeler*
helfen	half, geholfen	hilft	*aider*
klingen	klang, geklungen		*sonner*
kneifen	kniff, gekniffen		*pincer*

kommen*	kam, gekommen		*venir*
kriechen*	kroch, gekrochen		*ramper*
laden	lud, geladen	lädt	*charger*
lassen	ließ, gelassen	läßt	*laisser*
laufen**	lief, gelaufen	läuft	*courir*
leiden	litt, gelitten		*souffrir*
leihen	lieh, geliehen		*prêter*
lesen	las, gelesen	liest	*lire*
liegen	lag, gelegen		*être couché*
lügen	log, gelogen		*mentir*
mahlen	mahlte, gemahlen		*moudre*
meiden	mied, gemieden		*éviter*
melken	molk, gemolken		*traire*
messen	maß, gemessen	mißt	*mesurer*
nehmen	nahm, genommen	nimmt	*prendre*
pfeifen	pfiff, gepfiffen		*siffler*
preisen	pries, gepriesen		*vanter*
quellen*	quoll, gequollen	quillt	*sourdre*
raten	riet, geraten	rät	*conseiller, deviner*
reiben	rieb, gerieben		*frotter*
reißen**	riß, gerissen		*déchirer*
reiten**	ritt, geritten		*faire du cheval*
riechen	roch, gerochen		*sentir*
ringen	rang, gerungen		*lutter*
rufen	rief, gerufen		*appeler*
salzen	salzte, gesalzen		*saler*
saufen	soff, gesoffen	säuft	*boire (animaux)*
saugen	sog, gesogen		*sucer, aspirer*
schaffen	schuf, geschaffen		*faire, créer*
scheiden**	schied, geschieden		*séparer*
scheinen	schien, geschienen		*sembler*
schelten	schalt, gescholten	schilt	*gronder*
schieben	schob, geschoben		*pousser*
schießen	schoß, geschossen		*tirer (un coup de feu)*
schlafen	schlief, geschlafen	schläft	*dormir*
schlagen	schlug, geschlagen	schlägt	*frapper*
schleichen*	schlich, geschlichen		*se faufiler*
schließen	schloß, geschlossen		*fermer*
schmeißen	schmiß, geschmissen		*jeter*
schmelzen*	schmolz, geschmolzen	schmilzt	*fondre*
schneiden	schnitt, geschnitten		*couper*
schreiben	schrieb, geschrieben		*écrire*
schreien	schrie, geschrien		*crier*
schreiten	schritt, geschritten		*marcher*
schweigen	schwieg, geschwiegen		*se taire*
schwellen*	schwoll, geschwollen	schwillt	*gonfler, enfler*
schwimmen**	schwamm, geschwommen		*nager*
schwören	schwor, geschworen		*jurer*
sehen	sah, gesehen	sieht	*voir*
sieden	sott, gesotten		*bouillir*
singen	sang, gesungen		*chanter*
sinken*	sank, gesunken		*baisser*
sitzen	saß, gesessen		*être assis*
spalten	spaltete, gespalten		*diviser*
sprechen	sprach, gesprochen	spricht	*parler*
springen*	sprang, gesprungen		*sauter*

stechen	stach, gestochen	sticht	*piquer*
stehen	stand, gestanden		*être debout*
stehlen	stahl, gestohlen	stiehlt	*voler*
steigen*	stieg, gestiegen		*monter*
sterben*	starb, gestorben	stirbt	*mourir*
stinken	stank, gestunken		*sentir mauvais*
stoßen**	stieß, gestoßen	stößt	*heurter, tomber sur*
streichen**	strich, gestrichen		*rayer, rôder*
streiten	stritt, gestritten		*se disputer*
tragen	trug, getragen	trägt	*porter*
treffen	traf, getroffen	trifft	*atteindre*
treiben**	trieb, getrieben		*pousser*
treten**	trat, getreten	tritt	*poser le pied sur qch.*
trinken	trank, getrunken		*boire*
trügen	trog, getrogen		*tromper*
tun	tat, getan		*faire*
verderben**	verdarb, verdorben	verdirbt	*gâter*
verdrießen	verdroß, verdrossen		*contrarier*
vergessen	vergaß, vergessen	vergißt	*oublier*
verlieren	verlor, verloren		*perdre*
verschwinden*	verschwand, verschwunden		*disparaître*
verzeihen	verzieh, verziehen		*pardonner*
wachsen*	wuchs, gewachsen	wächst	*grandir*
waschen	wusch, gewaschen	wäscht	*laver*
weichen*	wich, gewichen		*céder, s'écarter*
weisen	wies, gewiesen		*montrer*
werben	warb, geworben	wirbt	*faire de la publicité, enrôler*
werden*	wurde, geworden	wird	*devenir*
werfen	warf, geworfen	wirft	*jeter*
wiegen	wog, gewogen		*peser*
ziehen	zog, gezogen		*tirer*
zwingen	zwang, gezwungen		*contraindre*

Les verbes faibles irréguliers

brennen	brannte, gebrannt	*brûler*
bringen	brachte, gebracht	*apporter*
denken	dachte, gedacht	*penser*
kennen	kannte, gekannt	*connaître*
nennen	nannte, genannt	*nommer*
rennen*	rannte, gerannt	*courir*
senden	sandte, gesandt	*envoyer*
wenden	wandte, gewandt	*tourner*

LES VERBES DE MODALITÉ ET LE VERBE WISSEN

können	konnte, gekonnt	kann	*être capable de, savoir (faire)*
dürfen	durfte, gedurft	darf	*avoir la permission*
müssen	mußte, gemußt	muß	*devoir*
sollen	sollte, gesollt	soll	*devoir*
wollen	wollte, gewollt	will	*vouloir*
mögen	mochte, gemocht	mag	*aimer, désirer*
wissen	wußte, gewußt	weiß	*savoir*

NRI s.a.s. – 61250 Lonrai – N°123600 – Imprimé en France